DISCARDED
From Nashville Public Library

GUÍA VISUAL
PERRO DEL

EDIMAT LIBROS, S.A.
Calle Primavera, 35
Polígono Industrial El Malvar
28500 Arganda del Rey
www.edimat.es
MADRID-ESPAÑA
Tel.: (+34) 918 719 088 - Fax (+34) 918 719 071
E-mail: edimat@edimat.es - www.edimat.es

Copyright © de la traducción en castellano EDIMAT LIBROS, S.A.

Copyright © 2012 Marshall Editions

Concebido, diseñado y producido por
Marshall Editions
The Old Brewery
6 Blundell Street
London N7 9BH
www.marshalleditions.com

Reservados todos los derechos. El contenido de esta obra está protegido por la Ley, que establece penas de prisión y/o multas, además de las correspondientes indemnizaciones por daños y perjuicios, para quienes reprodujeren, plagiaren, distribuyeren o comunicaren públicamente, en todo o en parte, una obra literaria, artística o científica, o su transformación, interpretación o ejecución artística fijada en cualquier tipo de soporte o comunicada a través de cualquier medio, sin la preceptiva autorización.

ISBN: 978-84-9764-788-5

Depósito legal: M-19943-2012

Título original: *The Dog Selector*

Consultor editorial: Caroline Coile
Gestión: Paul Docherty Editor
Director de arte: Ivo Marloh
Editores Proyecto Elise Ver Jefe Tai y Amy
Diseño: The Urban Ant Ltd.
Gestor de imágenes: Veneta Bullen
Producción: Ingram Nikk

Impreso en China

Nota del editor: Las fotografías en este libro aparecen con perros con la cola y las orejas sin cortar. Sin embargo, estas prácticas se siguen produciendo en algunos lugares.

GUÍA VISUAL
PERRO DEL

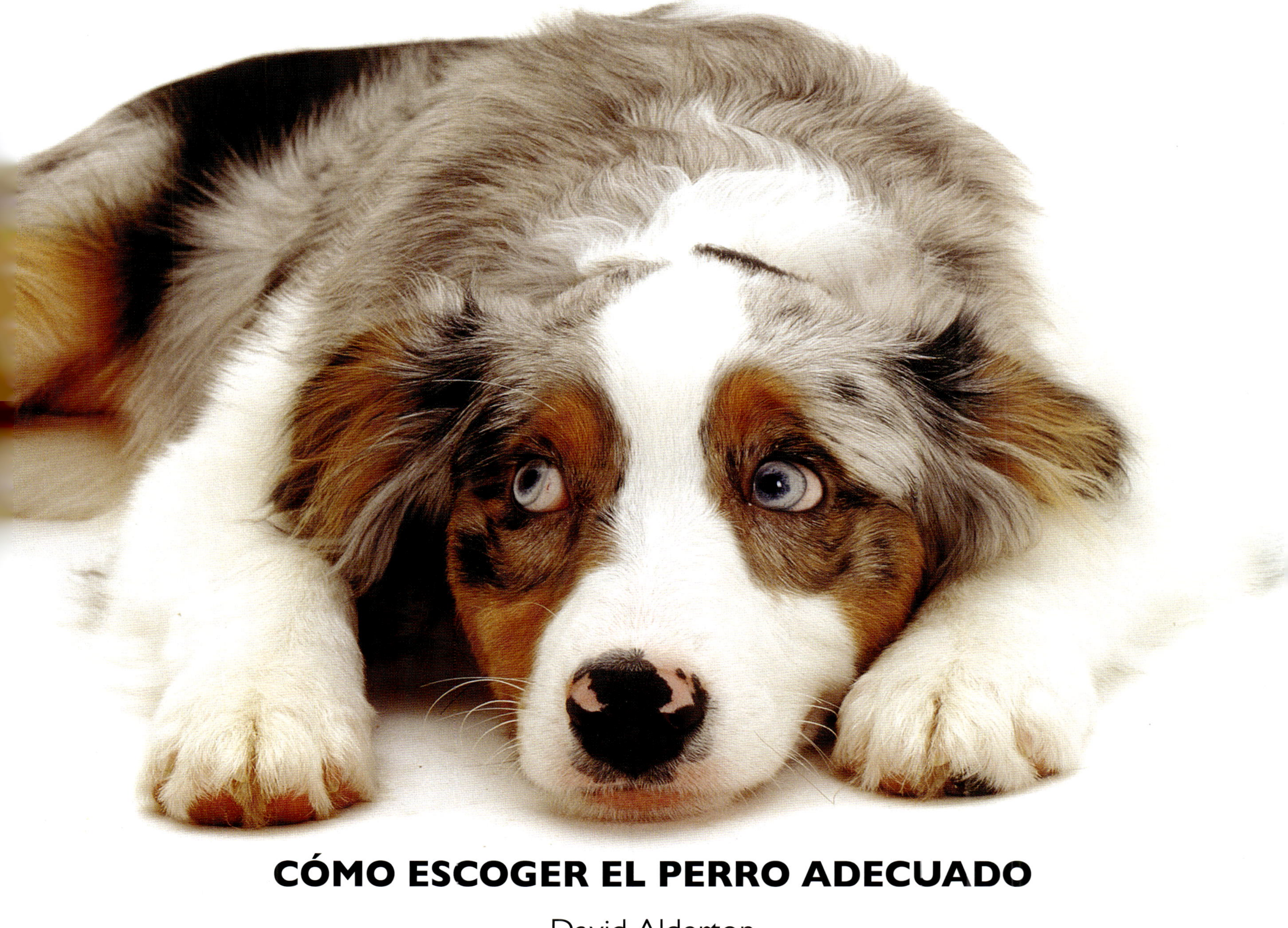

CÓMO ESCOGER EL PERRO ADECUADO

David Alderton

Del tipo Terrier:
travieso y juguetón

Del tipo Retriever:
robusto y de confianza

Contenidos

Introducción 6

Cómo usar este libro 7

Perros para principiantes 8

Perros para toda la familia 20

Buenas mezclas 32

Perros de pocos cuidados 44

Perros de muchos cuidados 56

Perros pequeños 68

Perros grandes 80

Perros que adoran correr 92

Perros hipoalergénicos 104

Perros guardianes 116

Perros muy listos 128

Perros con talento 140

Perros maravillosos y poco ordinarios 152

El selector humano 164

El selector de perros 166

Glosario 169

Más recursos 173

Índice 174

Agradecimientos 176

Del tipo Spaniel:
animado y deseoso de atención

Introducción

A la hora de elegir un perro es de vital importancia no dejarse seducir simplemente por su apariencia. Todos los cachorros son bonitos y, de hecho, son de un tamaño sorprendentemente similar pero, evidentemente, algunos aumentarán su tamaño como también lo hará su apetito. Esto, a su vez, significa que cabe la posibilidad de que sean más costosos de mantener y que requieran de un espacio mayor.

Existen también muchos más factores que necesitan ser considerados al intentar encontrar su compañero canino ideal. Existen alrededor de cuatrocientas razas diferentes alrededor del mundo y éstas han sido criadas para una variedad de necesidades diferentes, a menudo a lo largo de varios siglos. No sólo pueden diferenciarse por su apariencia sino también por su temperamento destacable, esta característica vendrá influenciada por sus orígenes. También hay otras consideraciones a tener en cuenta como la cantidad de cuidados que requieran, el ejercicio que necesiten y también habrá que tener en cuenta el posible riesgo de enfermedades hereditarias.

Este libro es muy diferente a cualquier otro que incluya todas las razas de perros. Incluso los perros no se encuentran clasificados según su raza, al contrario, se dividen según sus características fundamentales, como por ejemplo, si son perros aptos para cruzarse o si son atléticos por naturaleza. El propósito, a lo largo del libro, es ayudar a encontrar los perros de pura raza, los perros con cruce y los mestizos, que sean más adecuados para ti y tus circunstancias personales.

Cómo usar este libro

El propósito de este libro es ayudarte a encontrar el canino perfecto, identificando las características de una variedad de razas de perros y ayudándote a decidir qué tipo de perro podría ser una buena opción para tu personalidad y tu estilo de vida.

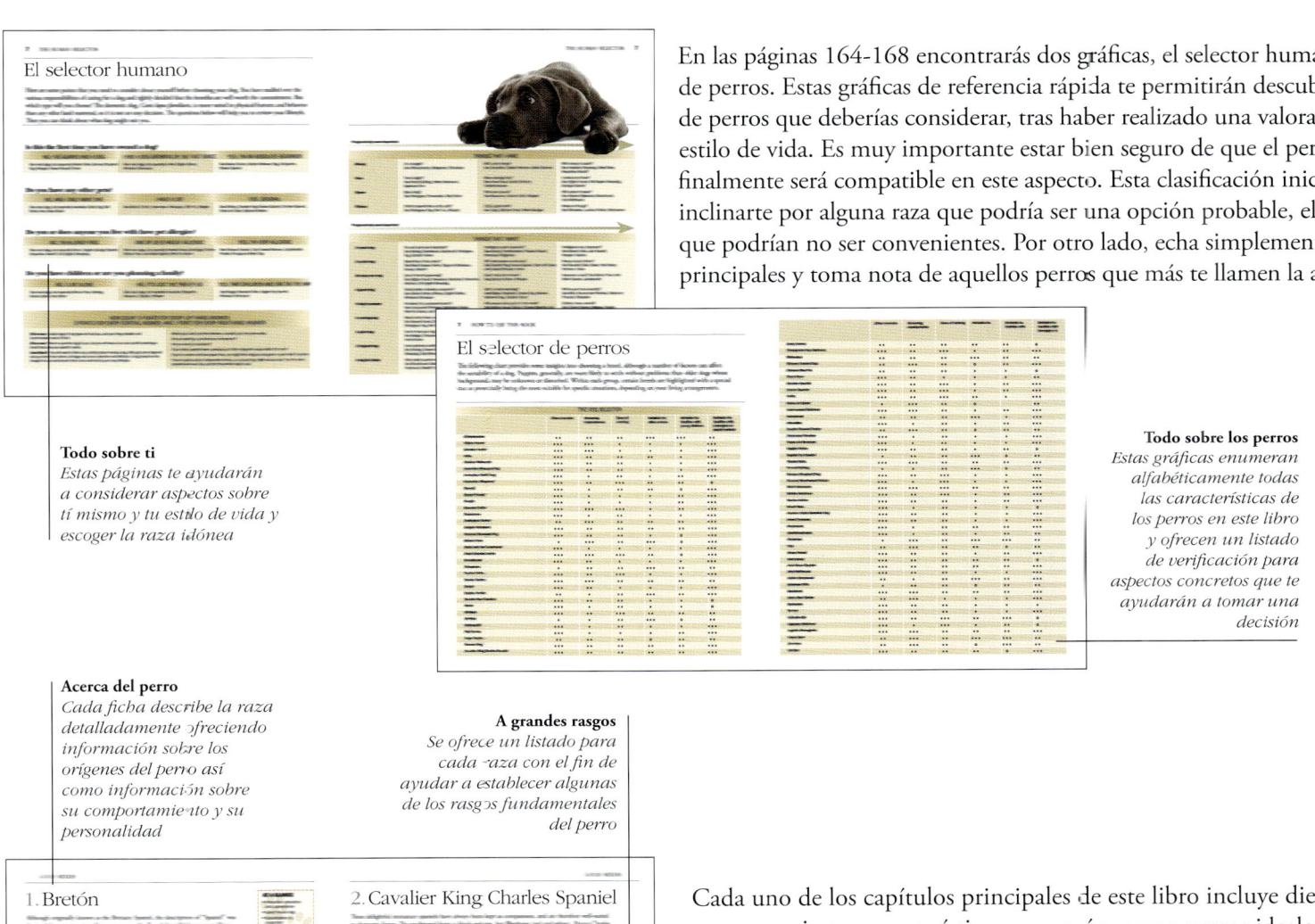

En las páginas 164-168 encontrarás dos gráficas, el selector humano y el selector de perros. Estas gráficas de referencia rápida te permitirán descubrir los tipos de perros que deberías considerar, tras haber realizado una valoración de tu estilo de vida. Es muy importante estar bien seguro de que el perro que escoja finalmente será compatible en este aspecto. Esta clasificación inicial te ayudará a inclinarte por alguna raza que podría ser una opción probable, eliminando otras que podrían no ser convenientes. Por otro lado, echa simplemente a los capítulos principales y toma nota de aquellos perros que más te llamen la atención.

Todo sobre ti
Estas páginas te ayudarán a considerar aspectos sobre tí mismo y tu estilo de vida y escoger la raza idónea

Todo sobre los perros
Estas gráficas enumeran alfabéticamente todas las características de los perros en este libro y ofrecen un listado de verificación para aspectos concretos que te ayudarán a tomar una decisión

Acerca del perro
Cada ficha describe la raza detalladamente ofreciendo información sobre los orígenes del perro así como información sobre su comportamiento y su personalidad

A grandes rasgos
Se ofrece un listado para cada raza con el fin de ayudar a establecer algunas de los rasgos fundamentales del perro

Cada uno de los capítulos principales de este libro incluye diez razas con ciertas características en común, como perros ideales para principiantes o aquellos con algún talento en especial. Los perros mencionados a veces pueden variar bastante, por ejemplo, en tamaño pero la información que aquí se ofrece es general para que puedas comparar las necesidades individuales: el carácter y el aspecto en concreto de cada perro, según la categoría correspondiente. Estas páginas, junto con las gráficas al final del libro, te ayudarán a tomar una decisión concluyente acerca del tipo de perro que se adecuará a tu estilo de vida.

Características de las razas
Las imágenes destacan algunas de las características como por ejemplo el color del pelaje y su constitución

Características principales
Cada tabla contiene información sobre la personalidad de la raza, los ejercicios necesarios y otras características

Tipos de perros para gente joven que esté pensando en formar pronto una familia, para una persona sola deseosa de tener un perro, o para una persona mayor que nunca antes haya tenido un perro pero que busca compañía.

Keeshond

Spaniel del Rey Carlos

Perros para principiantes

Tener perro por primera vez puede resultar un tanto inquietante, sobre todo porque es probable que tengas dudas sobre la alimentación, los cuidados y el mantenimiento de tu mascota. Sin embargo, para muchos dueños inexpertos, el entrenamiento será un área de preocupación en particular. Como resultado las razas que se van a tratar en este apartado se han seleccionado para reflejar su compatibilidad con aquellas personas que cuentan con poca experiencia, o casi ninguna, con perros. La actitud amistosa y deseosa de complacer del perro hace que sean bastante receptivos en cuanto al entrenamiento, por lo que si sigues las normas básicas deberías encontrar este proceso fácil de seguir.

Aun así, las necesidades de ejercicio pueden variar, por lo que es importante escoger una raza idónea para tu entorno y estilo de vida. El Pug o Carlino, con su modesta necesidad para hacer ejercicio se divertirá en zonas urbanizadas, mientras que el Labrador Retriever se adaptará mejor a la vida rural. El cuidado del pelaje puede variar, desde el Whippet, cuyos requisitos son muy escasos, hasta el Keeshond que necesita más cuidados y que pueden realizarse en el hogar.

Perro pastor de las islas Shetland

1. Boston Terrier

Estos perros bajos y fornidos de cabeza ancha y bien musculados son el compañero ideal. Son inteligentes, pueden entrenarse fácilmente, son guardianes astutos en el hogar y muy cariñosos. Su cuidado no comporta dificultades y no nos sorprende que esta raza haya conseguido contar con un buen número de seguidores.

A GRANDES RASGOS
- Fiel
- Temperamento bien medido
- Pelaje de fácil cuidado
- Ojos protuberantes con predisposición a lesiones
- Tendencia a roncar

Historia

Los orígenes del Boston Terrier se remontan hasta llegar a un perro llamado Judge que fue el resultado de un Bulldog y un Terrier inglés. Llegó a Estados Unidos desde Inglaterra en la década de 1870 y fue el Sr. Robert Hooper, que residía en Boston, Massachusetts, el que se encargó de su cuidado. En 1889 ya había alrededor de treinta razas cuyas líneas sanguíneas incluían descendientes del Judge y se constituyó el Club Bull Terrier Americano. Sin embargo, la oposición por parte de los dueños forzó a un cambio de nombre de la raza emergente, por lo que pasó a ser conocido como el Boston Terrier en memoria a la ciudad donde vivió el Judge. El reconocimiento por parte de la asociación American Kennel Club (AKC) llegó en 1893, cuando se introdujeron ejemplares de esta raza en Europa en la década de los años 20 del siglo xx.

La importancia de las manchas

Alguien podría regalarte un cachorro sin manchas. Dichos cachorros simplemente no cumplen con la raza estándar oficial, a menudo debido a que tienen una mancha negra en lugar de una blanca en sus patas, pero su color o sus manchas no repercutirán en su salud. Tienen un rostro atractivo lo que se refleja en su personalidad. Formarán un estrecho vínculo con los miembros de la familia y están deseosos de aprender. Son ideales para vivir en zonas urbanas siempre que haya parques cercanos donde sacarlos a pasear. Su pelaje corto es muy fácil de mantener.

Orejas puntiagudas
Las orejas están situadas en los laterales del cráneo

Cabeza protuberante
Su cabeza protuberante consta de una parte superior lisa sin indicación alguna de arrugas

Los colores del pelaje del Boston Terrier
El pelaje puede ser rayado, de color negro con manchas blancas o de color pardo, que es negro con un tono rojizo

CARACTERÍSTICAS CANINAS		ANOTACIONES
Personalidad	Cariñosos, tranquilos y, a su vez, en alerta	
Medidas	Altura: 38 - 43 cm (15 - 17 in) Peso: 7 - 11,3 kg (15 - 25 lb)	
Ejercicios	Disfruta de un paseo diario por el parque, le gusta explorar aunque no es especialmente atlético	Evita el ejercicio en las horas más calurosas
En el hogar	Se adapta bien a la vida doméstica. Prefiere no salir cuando hace mal tiempo	
Comportamiento	No siempre es amistoso con otros perros. Puede llegar a roncar, sobre todo a una edad avanzada	Utiliza sesiones de entrenamiento cortas para mejorar la concentración. Cuidado con otros perros
Cuidados	Es necesario un cuidado semanal	Utiliza un guante de goma y lava las orejas. Con algodón húmedo retira cualquier resto de los lacrimales
Problemas de salud habituales	Los ojos saltones hacen que la córnea sea susceptible a úlceras. Síndrome braquicéfalo. Por su cabeza protuberante puede ser necesario un parto por cesárea	Evita la vegetación prominente al pasear para proteger sus ojos

2. Labrador Retriever

Hoy en día, el Labrador es la raza más popular en el mundo, el perro familiar arquetípico, ya que está bien adaptado al hogar con niños y a mayores que puedan competir con sus elevados niveles de energía. Muy activo.

A GRANDES RASGOS
- Perro ideal para familias
- Responde al entrenamiento
- Tolerante y activo
- Pelaje de fácil cuidado
- Predisposición a la obesidad

Historia

Los orígenes de esta raza residen en el estado canadiense de Terranova, donde sus antepasados se utilizaban como acompañantes de pescadores. Una de sus características, aún visibles hoy en día, es su predisposición a tirarse al agua. El pelaje corto, fácil de mantener, es también una característica que se remonta a sus orígenes. Un pelaje más largo hubiera hecho que el hielo quedara incrustado en su pelo en los inviernos del Canadá. Durante la década de principios del siglo XIX, se introdujo a los primeros Labradores Retriever en Inglaterra donde encontraron un lugar favorable dentro del mundo del deporte, al tiempo que crecía rápidamente la demanda de perros de caza que habían sido criados para trabajar mano a mano. El mestizaje con otros labradores tuvo lugar a finales del mismo siglo cuando se volvió difícil encontrar más ejemplares en Canadá. Esto ayudó a mejorar sus habilidades olfativas.

Adaptabilidad

Parte de la popularidad del Labrador se debe a su aspecto atractivo, pero una razón latente es la adaptabilidad y el entusiasmo de esta raza para trabajar junto a las personas. Los Labradores Retriever se utilizan para infinidad de tareas desde ayudar a localizar supervivientes tras un terremoto, hasta buscar drogas y explosivos en aeropuertos y en otros lugares. Incluso en el caso de que no haya entrenado a un perro previamente, le resultará muy sencillo ya que los labradores son muy receptivos debido a que se han criado con personas, generación tras generación.

CARACTERÍSTICAS CANINAS		ANOTACIONES
Personalidad	Activo, juguetón, afectuoso y fiel	Intenta no ponerle nervioso mientras juega
Medidas	Altura: 56 - 64 cm (22 - 25 in) Peso: 25 - 36 kg (55 - 80 lb)	Los machos pueden ser más grandes que las hembras
Ejercicios	Necesita un paseo una o dos veces al día, preferiblemente por el campo	Ten cuidado con el agua, ya que a esta raza les encanta
En el hogar	Disfruta de espacio para jugar, sobre todo en jardines grandes	Saca tiempo para jugar
Comportamiento	Ansioso por aprender, receptivo, disfruta buscando juguetes escondidos	
Cuidados	Cepillado mínimo necesario	Deja que el barro se seque para poder cepillar su pelaje
Problemas de salud habituales	Displasia de cadera. Con tendencia a la obesidad con la edad	Asegúrate de que examinan a los cachorros para detectar la displasia

Cuerpo pequeño
El Labrador Retriever tiene un cuerpo relativamente pequeño con una zona pectoral de anchura media

Colores del pelaje del Labrador
El labrador puede criarse en tres colores: rubio (variando de un tono rojizo a un crema claro), chocolate y negro

Cabeza y orejas
De cráneo ancho, tiene las orejas situadas en la parte posterior trasera del mismo y bastante bajas

3. Schipperke

Esta raza belga se denominaba originariamente Spitske, seguramente debido a su descendencia del Spitz Stock, a pesar de que algunos piensen que sus orígenes sean de los perros pastores belgas. A finales del siglo XIX pasó a conocerse como Schipperke, que significa «pequeño saltador».

A GRANDES RASGOS
- Fácil de cuidar
- Muy receptivo al entrenamiento
- Disfruta jugando
- Guardián entusiasta
- Juguetón
- Longevo

CARACTERÍSTICAS CANINAS		ANOTACIONES
Personalidad	Muy leal, no se fía de los desconocidos	Vigila cuando esté con otras personas, sobre todo niños
Medidas	Altura: 25 - 33 cm (10 - 13 in) Peso: 5,4 - 7,2 kg (12 - 16 lb)	Normalmente existe una diferencia entre el tamaño y el peso entre machos y hembras
Ejercicios	Necesita bastante ejercicio	Paséale como mínimo una vez al día
En el hogar	No necesita mucho espacio	
Comportamiento	Atento a los intrusos	Entrénale para que no ladre innecesariamente
Cuidados	Los machos pueden tener el pelaje grueso	Cepíllalo semanalmente
Problemas de salud habituales	Problemas de vista, sobre todo la atrofia progresiva de retina (PRA) enfermedad metabólica congénita MPS 111B	Asegúrate de que examinan a los cachorros para detectar estos problemas

Historia

Sus orígenes se han perdido, pero su papel en el trabajo fue originariamente como perro guardián y rastreador en los botes de los canales que surcaban Bélgica y otras partes de Europa. Sin embargo, antes de esto, los perros de esta raza participaron en el primer concurso de perros organizado en Bruselas durante 1690 en el que los participantes llevaban collares decorativos que sus propietarios realizaban artesanalmente. Desde estos orígenes de clase obrera, el Schipperke entró finalmente en el eslabón más elevado de la sociedad belga, cuando María Enriqueta de Austria, Reina de Bélgica, adquirió un ejemplar en 1885. Esto hizo que saltaran a nivel internacional, lo que propició que fueran los primeros perros vistos en Europa en 1887 y, posteriormente, en Estados Unidos. Con el cambio de siglo, este compañero juguetón se había convertido en el más buscado de entre todas las razas en su tierra natal.

Orejas triangulares
Pequeñas, situadas en la parte posterior de la cabeza y erguidas cuando está alerta

Aspecto y carácter

Es una raza poco común por el hecho de que algunos cachorros nacen de manera natural sin cola. Tradicionalmente, el único color asociado con esta raza es el negro, aunque ocasionalmente pueden verse otros colores, como el rubio y el color crema. Una de las características más llamativas es su devoción por aquellos que tiene cerca. Es ideal para alguien que viva solo ya que crea un estrecho vínculo con su dueño. Guardián, siempre alerta y se adapta sin problemas a un ambiente urbano.

Pelaje negro
La coloración es siempre negra pero los perros de más de siete años pueden adquirir un tono grisáceo

Pelaje largo
El pelaje en la parte trasera de los muslos de las patas forma zonas más alargadas llamadas «culottes»

4. Pug o Carlino

Estos perros de pequeño tamaño son inconfundibles y han aumentado su popularidad recientemente ya que hay un mayor número de gente que aprecia el atractivo del Carlino como un compañero para el hogar. Son perros amistosos, fáciles de cuidar y normalmente no ladran con excitación como lo hacen algunos perros pequeños.

A GRANDES RASGOS
- Raza cariñosa
- Faldero por excelencia
- Tranquilo
- Pelaje de fácil cuidado
- Propenso al sobrepeso
- Ejercicio con moderación
- Puede estornudar a veces

Historia

Hay bastantes teorías que pueden explicar el origen de estos perros, pero la que más se acerca es la que afirma que los Carlinos se originaron en China y podrían estar relacionados con los Pekineses. Tras su llegada a Europa se asociaron a la familia real de Bélgica. Sin embargo, existen disputas sobre los orígenes del nombre «Pug». La palabra significaba «morro» haciendo referencia, de alguna manera, a la cara distintiva de esta raza. Otro significado alternativo era el de algo muy aclamado y esto podría explicar su nombre, ya que por aquel entonces, como en la actualidad, los dueños del Carlino sentían devoción por sus mascotas.

Tiempos modernos

El Carlino tiene una personalidad estupenda y tras haber sido considerado durante siglos tan solo como animal de compañía, gozan en el entorno doméstico. Son tolerantes, por lo que hace que esta raza sea una buena elección para un hogar con niños pero deben manejarse con cuidado puesto que al poseer ojos protuberantes tienden a lesionarse. Los Carlinos no son difíciles de entrenar. A menudo se aconseja que se realicen ejercicios con correa en lugar de collar. Su forma facial aplanada puede resultar en problemas de respiración que a menudo provocarán ronquidos y «resoplidos». Es muy importante no dejar que se vuelvan obesos ya que esto empeorará estos problemas. A pesar de su tamaño, se consideran vigilantes, entusiastas y valientes.

CARACTERÍSTICAS CANINAS		ANOTACIONES
Personalidad	Atento y amistoso	
Medidas	Altura: 28 cm (11 in) Peso: 6,3 - 8 kg (14 - 18 lb)	Vigila su peso. Puede engordar con facilidad
Ejercicios	Prefiere los paseos poco intensos. Contento si se le deja deambular	Evita el ejercicio durante las horas más calurosas del día ya que es propenso a insolaciones
En el hogar	Perro guardián, siempre alerta	
Comportamiento	Tranquilo y tolerante. Poco activo aunque tiene su lado juguetón. Aprende rápido	
Cuidados	Requiere peinado y cepillado mínimo	Limpia las manchas de los lacrimales con un algodón empapado
Problemas de salud habituales	Problemas respiratorios y oculares. La obesidad aumenta el riesgo de diabetes y de problemas cardíacos	Ten cuidado con los problemas asociados a la obesidad

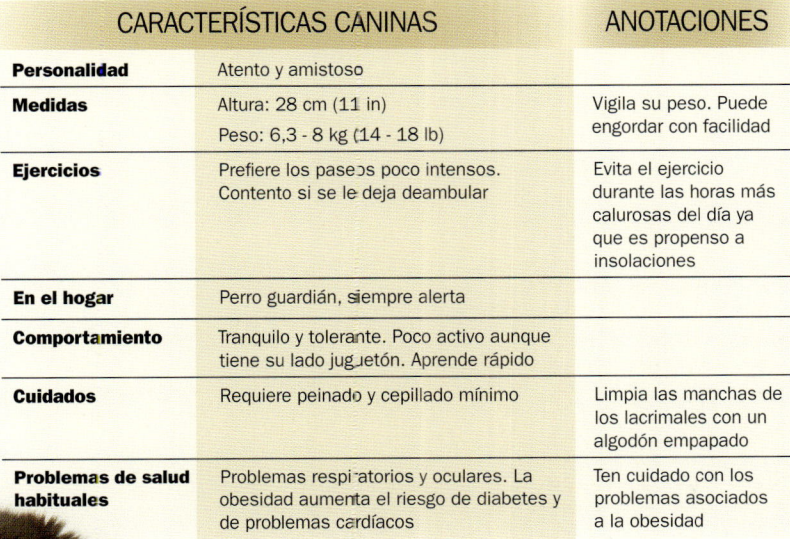

Ojos expresivos
El Carlino tiene unos ojos oscuros expresivos que contrastan con las orejas pequeñas y blandas

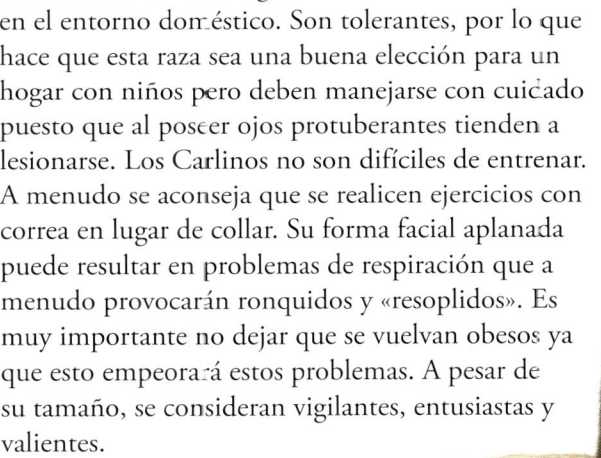

El antifaz del Carlino
El antifaz bien definido que cubre el morro es una característica de esta raza

Cola rizada
La cola es rizada y apretada y está a nivel de la cadera. Un doble rizo es lo ideal

5. Spaniel del Tíbet

Estos perros de tamaño reducido no necesitan mucho ejercicio, por lo que son una elección ideal para aquellos dueños que residen en zonas urbanas. Los Spaniel del Tíbet son también muy amistosos y receptivos a aquellas personas que conocen bien, lo que significa que se convertirán en compañeros excelentes.

A GRANDES RASGOS
- Raza relativamente inusual
- Cuidados mínimos del pelaje
- Inteligente y amistoso
- Perro guardián atento
- Longevo

CARACTERÍSTICAS CANINAS		ANOTACIONES
Personalidad	Atento, ladrará para avisar de los intrusos pero no será ruidoso. Forma un vínculo estrecho con sus dueños	Vigílale cuando haya desconocidos cerca
Medidas	Altura: 25 cm (10 in) Peso: 4 - 7 kg (9 - 15 lb)	
Ejercicios	Necesita ejercicio a diario	Tienes que pasearle a diario para ayudar al perro a adaptarse a su hogar
En el hogar	Se adapta bien a la vida en un apartamento y a la vida de interior	
Comportamiento	Las hembras pueden emparejarse sólo una vez y no dos veces o anualmente como la mayoría de los perros	Ten paciencia y mentalízate de que tendrás que viajar para encontrar un cachorro
Cuidados	El pelaje cae en abundancia durante la primavera y el otoño	Cepíllale y péinale a diario
Problemas de salud habituales	Atrofia progresiva de retina (PRA), *shunt* portosistémico que afecta a la sangre a través del hígado. En general es de las razas más sanas de perros pequeños	Asegúrate de que examinan a las crías para detectar la PRA

Cola tibetana
La cola se sitúa elevada y está bien cubierta de pelo largo, que cae reposando sobre el cuerpo

Historia

Sus ancestros se remontan 3.000 años atrás, según las representaciones que se hacían de estos perros en tiempos antiguos en el arte asiático. Generalmente se protegían en los monasterios y alertaban a los monjes de la llegada de visitantes. Además, ayudaban a guiar las ruedas de plegaria que usaban los monjes. Como resultado de ello y durante un tiempo, esta raza llegó a conocerse en Occidente como el perro tibetano. Su relación más próxima con otras razas de tamaño menor que se originaron en esta parte del mundo, podría ser el perro Pekinés *(ver pág. 70)* y de hecho durante un período de tiempo se le conocía como Spaniel Pekinés. Cuando los exploradores occidentales descubrieron esta raza a finales del siglo XIX en sus viajes al Tíbet, tenía un aspecto diferente al que tiene hoy en día. Algunos ejemplares eran más pequeños mientras que otros, en concreto aquellos cercanos a China, tenían el morro más pequeño, lo que les hacía más similares a los pekineses.

Influencias previas

Como resultado, tras haber estado aislado a lo largo de varios siglos en comunidades de clausura, los Spaniel del Tíbet desarrollan instintivamente un fuerte vínculo con la gente a su alrededor aunque están menos dispuestos a aceptar a desconocidos. El entrenamiento no supone ningún problema y su pelaje sólo necesita un cepillado y un peinado frecuente para mantener su buen aspecto. No necesita cortes de pelo o frecuentes visitas al salón de belleza. El pelaje de los machos es más abundante que el de las hembras.

Color del pelaje
En las exhibiciones caninas se pueden apreciar diferentes colores incluyendo el blanco o cualquier otra combinación

Morro característico
La cara tiene una característica destacable que refleja el cambio de ángulo desde la parte superior del cráneo hasta el hocico

6. Pastor de las islas Shetland

A GRANDES RASGOS
- Afín al entrenamiento
- Inteligente y adaptable
- Pelaje precioso
- Aspecto elegante
- Amistoso
- Resistente
- Buen tamaño

El perro pastor de las islas Shetland procede de la parte costera más al noroeste de Escocia y era originariamente habitual en las granjas. Sin embargo, desde entonces se ha adaptado muy bien a la vida doméstica demostrando que se puede entrenar fácilmente llegando a ser el compañero canino ideal.

Melena completa
El flequillo y la melena son más evidentes en los machos

Cara alargada
La cara se estrecha a lo largo desde las orejas hasta la nariz

Colorido de Sheltie
Pueden ser negros, azul mirlo y de marta (variando desde un tono dorado hasta un caoba) sin embargo todos tienen zonas blancas

Historia
El Sheltie, como se le conoce cariñosamente, es una versión en pequeño del Collie de pelo largo. De carácter versátil y adaptable, suele encargarse de vigilar a las ovejas en los prados de las islas Shetland, la mayoría de las veces sin supervisión. Dado que el riesgo de depredación de las ovejas era mínimo en las islas en comparación con el de las tierras escocesas, estos perros contaban con la tarea adicional de proteger las cosechas de las ovejas. Las cosechas crecían en campos sin vallar, por lo que acostumbraban a ladrar con intensidad a fin de disuadir a las ovejas. Los pescadores de visita compraban estos cachorros para llevarlos a sus hogares y la demanda aumentó a principios del siglo xx.

Cambio de papeles
Empezó a disminuir en su isla de origen tan pronto como se fueron agrupando las granjas pequeñas. Pero su popularidad empezó a aumentar en las afueras, tanto para exhibiciones como de compañía. Es ideal para una familia con niños mayores o para gente que vive sola, ya que es cariñoso y fácil de entrenar. Sin embargo, hay que cepillar el pelaje con frecuencia. Como perro trabajador, reacciona instintivamente bien al entrenamiento y su inteligencia natural contribuye a su atractivo como perro de compañía. A pesar de que no es un perro pequeño, no intimidará a los niños. Debe realizar bastante ejercicio y puede llegar a ser propenso a ladrar repetidamente.

CARACTERÍSTICAS CANINAS		ANOTACIONES
Personalidad	Leal y protector	
Medidas	Altura: 33 - 41 cm (13 - 16 in) Peso: 6,3 - 7,2 kg (14 - 16 lb)	No sobrealimentes al perro ya que tiene un gran apetito y puede volverse obeso
Ejercicios	Necesita mucho ejercicio puesto que esta raza desciende de la clase obrera. Puede corretear a tu alrededor en círculos ladrando en alguna ocasión. ¡Es su intento de ponerte dentro del rebaño!	Realiza ejercicio al menos una vez al día con un largo paseo o una carrera. Puede querer que le persigas
En el hogar	Necesita bastante espacio. Buen guardián	
Comportamiento	Juguetón y receptivo	
Cuidados	Necesita cuidados intensivos cuando muda el pelaje durante la primavera y el otoño	Cepíllale con asiduidad, ya que es vital para el pelaje
Problemas de salud habituales	Enfermedades oculares como por ejemplo la anomalía del ojo del Collie (CEA)	Asegúrate de que examinan a los cachorros para detectar problemas oculares

7. Keeshond

El nombre de este enérgico perro de las barcazas holandesas, se pronuncia «kayshond» y su forma en plural es «Keeshonden». Son receptivos e inteligentes y a menudo se llevan bien con los gatos. Tienen un pelaje atractivo y singular.

A GRANDES RASGOS
- Aprende rápido
- Perro guardián atento
- No necesita mucho espacio
- De naturaleza extrovertida
- Pelaje de cuidado fácil

Colores del pelaje
Su coloración es una combinación variable entre los colores crema, gris y negro

Rasgos faciales
El Keeshond tiene un hocico mediano en proporción con el cráneo. Alrededor de los ojos tiene unos cercos en forma de «anteojos»

Collar de color pálido
El pelaje del collar entre las patas delanteras es de un color más pálido que el resto del cuerpo

Historia

Es uno de los miembros más pequeños del grupo de los Spitz, destacable por su parecido con los zorros. Tiene las orejas puntiagudas y elevadas, un collar de pelaje largo alrededor de la cara y una cola en abundante penacho curvada, que reposa sobre la espalda. Esta raza recibe su nombre de Kees de Gyselaer, histórico holandés, líder del partido patriótico a finales del siglo XVIII. Su perro también se llamaba *Kees* pero tras su derrota, esta raza se volvió poco respetada ya que nadie quería que se le asociase con un símbolo abierto de un movimiento de resistencia anterior. Transcurrió casi un siglo hasta que estos perros holandeses volviesen a ser populares. Hoy en día pueden verse en las barcazas que circulan por los canales del país. Cuando empezaron a ser populares en Inglaterra a comienzos del siglo XX, en realidad se les conocía como «Dutch Barge Dogs» (los perros de la gente).

Pasado y presente

Tras su evolución para adaptarse a la vida dentro de los límites de una barcaza, es una raza que se habitúa bastante bien a los hogares de espacio reducido. Su tamaño significa también que no ocupará mucho lugar en este tipo de entorno. Otra característica es su papel como perro guardián ya que estos perros son muy atentos a la llegada de visitas. Como resultado los Keeshonden pueden ser bastante ruidosos y necesitan un buen entrenamiento para evitar que ladren.

CARACTERÍSTICAS CANINAS		ANOTACIONES
Personalidad	Atento y muy amistoso con sus dueños, retraído y cauteloso en presencia de desconocidos	Entrénale para evitar que ladre innecesariamente
Medidas	Altura: 43 - 46 cm (17 - 18 in) Peso: 25 - 30 kg (55 - 66 lb)	
Ejercicios	Necesita bastante ejercicio	Dale la oportunidad de explorar sin la correa
En el hogar	Relajado y juguetón	
Comportamiento	Atento e inteligente. Se lleva bien con los gatos	
Cuidados	Los machos tienen un collar de pelaje más abundante. Pelaje resistente a los cambios del tiempo	Cepíllale y péinale con frecuencia, es esencial durante la muda
Problemas de salud habituales	Posibles problemas cardíacos. Epilepsia	Asegúrate de que un veterinario examina a tu nuevo cachorro para detectar cualquier problema cardíaco

PERROS PARA PRINCIPIANTES

8. Cocker Spaniel

Existen dos razas distintas de Cocker Spaniel que reflejan su origen como perro de caza. El más tradicional es el Cocker Spaniel inglés, mientras que el más reciente es el Cocker Spaniel americano, que a menudo puede encontrarse fuera de Estados Unidos.

> **A GRANDES RASGOS**
> - Deseoso de formar parte de la familia
> - Muy sociable
> - Ansioso por aprender
> - Cariñoso
> - Cuidados significativos
> - Activo

Historia

Fue reconocido con derechos propios hacia del siglo XIX, tras haber evolucionado de la extensa raza Land Spaniel, la cual pasó a ser el Springer Spaniel. Los cruces con el Spaniel del Rey Carlos *(ver pág. 19)* también contribuyeron a su linaje. Su nombre proviene de sus presas que tradicionalmente eran la becada, el lagópodo escocés y el gallo lira. Su propósito era el de hacer salir a estos pájaros de la maleza y a la vez actuar como perro cobrador de presas. La división que existe en la actualidad entre el Cocker Spaniel americano y el inglés empezó a ser más visible durante la década de los años 30 del siglo XX. La variedad en América se clasificó por su tamaño más pequeño y su abundante pelaje.

Escoger una opción

Por lo que respecta al temperamento, no existen diferencias significativas entre las razas, cada una de ellas reconocidas en su tierra de origen simplemente como «Cocker Spaniel». Sin embargo, los cuidados del Cocker americano son mayores debido a su pelaje más largo. Pocas razas llegan a ser más exuberantes o más fáciles de adiestrar que el Cocker Spaniel, a pesar de que necesitan bastante ejercicio. El cuidado de su pelaje es también importante.

CARACTERÍSTICAS CANINAS		ANOTACIONES
Personalidad	Entusiasta, travieso	Entrénale para que no sea muy nervioso
Medidas	Altura (inglés): 38 - 43 cm (15 - 17 in) Peso (inglés): 12 - 15,5 kg (26 - 34 lb) Altura (americano): 36 - 38 cm (14 - 15 in) Peso (americano): 11 - 13 kg (24 - 28 lb)	
Ejercicios	Enérgico, le encanta explorar y jugar	Debe hacer ejercicio a diario. Dale tiempo para jugar en el jardín
En el hogar	De tamaño pequeño, se integra bien. Le gusta estar en el jardín y explorar	
Comportamiento	Su inteligencia facilita el entrenamiento. Raza ansiosa por complacer	
Cuidados	El Cocker Spaniel americano necesita más cuidados que su pariente inglés	Cuídale a diario y vigila si hay trozos de ramitas, etc. que queden atrapadas en el pelaje tras los paseos
Problemas de salud habituales	Problemas oculares y auditivos, sobre todo en el Cocker Spaniel americano. Posible síndrome de rabia asociado con los Cocker ingleses en algunas líneas sanguíneas que dan lugar a muestras agresivas repentinas	Compra solamente en un criador de confianza

Flecos en las orejas
Las orejas alargadas están bien pobladas y reposan a lo largo de la parte inferior de los ojos

Fuertes cuartos traseros
Sus robustas patas traseras le permiten correr bien.

El pelaje del Cocker Spaniel
La coloración puede variar de un color crema pálido a negro, a menudo con zonas más oscuras o las orejas de color blanco

9. Whippet

La naturaleza atlética del Whippet establece que estos perros de caza necesiten una carrera diaria sin correa. Los perros de esta raza son grandes velocistas y son los más rápidos de todos los sabuesos (según su tamaño). Son también muy afectuosos y magníficos compañeros.

A GRANDES RASGOS
- Sociable
- Pelaje suave, lacio y brillante
- Sin olor intenso
- De aspecto muy elegante
- Puede ser retraído con los desconocidos

Historia

El Whippet se desarrolló en el noroeste de Inglaterra y fue conocido como «el perro de carreras de los pobres». Estos perros estaban acostumbrados a competir entre ellos en los callejones. En el campo, la velocidad de estos perros les permitía cazar liebres y conejos. Los orígenes en concreto de esta raza no quedan claros, pero el cruce con el Terrier, incluyendo el Bedlington *(ver pág. 109)* que surgió en la misma zona, posiblemente contribuyó a su linaje. El Manchester terrier *(ver pág. 52)* y los perros de caza italianos *(ver pág. 48)*, también pudieron contribuir a ello. Las carreras de Whippet como deporte se volvieron populares una vez se llevó la raza a Estados Unidos en el siglo XIX. Originariamente, esto empezó en Massachusetts y luego llegó a ser muy popular alrededor de Baltimore, en Maryland.

Temperamento

Aunque pueda parecer una versión reducida del Galgo, estas razas son distintas en carácter. Como resultado de su antepasado de Terrier, el Whippet es más revoltoso y tiene bastante resistencia. Cuenta con una personalidad más enérgica y un lado más juguetón, a pesar de que tiene en común con otros perros de caza que es probable que el Whippet sea reservado frente a los desconocidos. Aunque son gentiles, deben permanecer alejados de mascotas vulnerables como los conejos. Son glotones en sus hábitos alimenticios y utilizarán la altura que le otorgan sus patas para alzarse y robar cualquier resto de comida a su alcance en la cocina o encima de la mesa.

Coloración del Whippet
El Whippet puede criarse en cualquier color excepto en negro, azul o en dos colores

Muslos anchos
Los muslos anchos y musculosos le dan fuerza propulsora y buena aceleración

Cola larga
La cola pende hacia abajo y tiene la punta curvada

Pies potentes
Los pies tienen los dedos bien arqueados y las uñas reforzadas

CARACTERÍSTICAS CANINAS		ANOTACIONES
Personalidad	Delicado, tierno y tímido con aquellos que no conoce	
Medidas	Altura: 46 - 56 cm (18 - 22 in) Peso: alrededor de 13 kg (28 lb)	
Ejercicios	Necesita correr libre sin correa, preferiblemente en campo abierto. Perseguirá animales salvajes	Vigílale cuando esté sin atar, si hay vehículos cerca
En el hogar	Disfruta de la compañía de la gente	Mantenle alejado de temperaturas bajas y climas húmedos.
Comportamiento	Aprende rápido y disfruta corriendo persiguiendo una pelota	Entrena al cachorro para que vaya hacia ti y evitar el riesgo de que se escape al crecer
Cuidados	El pelo en las partes inferiores puede volverse fino, sobre todo durante época de muda. Cuidados mínimos	Utiliza un guante para perros para dar a su pelaje un buen brillo
Problemas de salud habituales	Problemas de tiroides y de corazón	

10. Spaniel del Rey Carlos

A pesar de ser un compañero leal, la popularidad de esta raza ha menguado considerablemente a lo largo de los tiempos como resultado directo de la reciente competencia que tiene con el Cavalier King Charles Spaniel y que es la recreación moderna del intento de capturar el aspecto original del Spaniel del Rey Carlos.

A GRANDES RASGOS
- Ideal en casa con niños
- Relajado
- De colores llamativos
- Tolerante
- Se adapta bien a la vida de ciudad
- Receptivo

Historia

El nombre de Spaniel del Rey Carlos, conocido en Estados Unidos como el Toy Spaniel inglés, refleja el hecho de que fue el favorito del rey Carlos II. No es seguro si llevó a algunos de estos Spaniels allí en el año 1660 tras su exilio a Europa, pero la variedad original era predominantemente de color negro, con manchas distintivas. El Spaniel del Rey Carlos se presenta en cuatro colores, negro con manchas distintivas, que es el negro con manchas, el blanco, negro y con manchas distintivas que es el Príncipe Carlos tricolor, el Blenheim rojo y blanco y el rubí con manchas de color rojo intenso. Durante un tiempo, se consideraron razas distintas. Retratos contemporáneos muestran a un perro que, a finales del siglo XVII, tenía una nariz relativamente alargada, pero su aspecto cambió significativamente durante el siglo XIX. Esto resultó en el desarrollo de una cara más aplanada y de alguna manera, un cuerpo más pequeño, característicos del Spaniel del Rey Carlos.

En el hogar

El Spaniel del Rey Carlos es un perro muy cariñoso y la elección perfecta para un hogar con niños debido a su disposición tolerante. Este Spaniel también es juguetón. No necesita mucho ejercicio, aunque hay que hacerle controles rutinarios para comprobar su peso, puesto que es propenso a la obesidad. Esta raza se adaptará bien a la vida urbana y su entrenamiento no causa problemas.

CARACTERÍSTICAS CANINAS		ANOTACIONES
Personalidad	Si se le malcría puede volverse dominante. Muy afectuoso e instintivamente amistoso	Evita darle muchas recompensas
Medidas	Altura: 25 cm (10 in) Peso: 4 - 5,4 kg (9 - 12 lb)	No le sobrealimentes ya que puede ganar sobrepeso
Ejercicios	Necesita paseos relativamente cortos, no es una raza especialmente atlética	Evita el ejercicio durante la franja más calurosa del día
En el hogar	Bastante feliz en el interior si se le saca un par de veces	Dale la opción de ir a hacer sus necesidades en varias ocasiones
Comportamiento	Relativamente silencioso. Se lleva bien con otros perros	
Cuidados	Necesita cepillado y peinado	Limpia con algodón empapado el interior de las orejas y los lacrimales
Problemas de salud habituales	Cardiovasculares, luxación patelar que afecta a las patas traseras y ronquidos en perros mayores debido a forma facial	La luxación patelar puede requerir cirugía

Cuerpo reducido
El cuerpo pequeño y reducido es cuadrado de perfil y con la espalda ancha

Pelaje largo
El pelaje tiene unos mechones de pelo evidentes en las orejas, el cuerpo y el pecho

Cola baja
La cola es baja. Los cachorros pueden llegar a tener una cola de tirabuzón al nacer

Tipos de perros para una familia con niños pequeños o adolescentes, para gente que quiere competir con sus perros y para posibles dueños que disfrutan del campo.

Braco alemán de pelo corto

Golden Retriever

Perros para toda la familia

Los perros de esta sección son de naturaleza entusiasta y están dispuestos a formar parte de las actividades en familia. Son robustos, con mucha energía en la mayoría de los casos. El Bull Terrier inglés, por ejemplo, tiene una gran resistencia y disfrutará jugando largo rato. Aun así deberás tener cuidado al elegir entre las razas de este listado teniendo en cuenta la edad de los más pequeños de casa.

El Bóxer seguramente sea demasiado inquieto para un hogar con niños pequeños, por lo que será mejor una raza más pequeña, como el Shih Tzu o el Schnauzer miniatura, ya que no serán propensos a dar saltos. Si te interesa competir con tu perro, el Collie Barbudo será ideal no sólo como animal de compañía, sino también como participante en competiciones de obediencia o de agilidad.

Schnauzer miniatura

Sólo por el hecho que estas razas se adapten bien a la vida familiar, no significa que su entrenamiento resulte fácil en todos los casos. Hay perros de caza como el Braco alemán de pelo corto y el Golden Retriever que son bastante receptivos en este aspecto. Otros, como el Beagle y el Hamiltonstövare, presentan mayor predisposición a ser desobedientes a pesar de su naturaleza sociable, por lo que es importante perseverar.

1. Beagle

Este perro sabueso tan inquieto, se caracteriza por ser un buen perro familiar, lleno de energía y casi siempre listo para jugar. Por lo general los Beagle tienen buen carácter y su tamaño no intimida a los más jóvenes de la familia.

A GRANDES RASGOS
- Raza de tamaño mediano
- Manchas del pelaje propias
- Inquieto
- Con mucha energía
- Pelaje de fácil cuidado
- Para toda la familia
- Glotón con la comida

Historia

Estos perros de caza se criaban para cazar liebres, persiguiéndolas en grupo acompañados por los cazadores a pie. Los Beagle son los perros más pequeños de entre las razas de perros de caza británicas, como así lo refleja su nombre el cual se cree que se origina de la palabra en inglés que procede del gaélico *breeds,* que significa «pequeño». Durante un tiempo existió una variedad enana, conocida como el Beagle Elizabeth que aumentó su popularidad en el siglo XVII, a pesar de que esta línea sanguínea desapareció a finales del siglo XIX. Los Beagles se introdujeron primero en Estados Unidos en 1876 y empezaron a ser frecuentes en concursos desde mediados de 1880 en adelante. Desde entonces se ha convertido en una mascota muy extendida. Las marcas en la piel de cada perro de caza son algo distintas, lo que permite que se les pueda diferenciar incluso cuando van en grupo.

Espalda robusta
La espalda corta y fuerte dotada de costillas elásticas, permite que tenga una buena capacidad pulmonar

Coloración habitual
Por lo general, la coloración es o bien tricolor o bien de un color amarillo limón y blanco, con las manchas del pelaje individuales

Determinación

Los anchos orificios nasales le permiten detectar y seguir una pista con gran determinación, lo que podría resultar un aspecto negativo al escoger esta raza. Pueden ser bastantes reacios a detenerse una vez han detectado un olor por lo que es de vital importancia que te concentres en entrenarle para que regrese cuando le llamas. Otro aspecto del cuidado a tener en cuenta es su gran apetito ya que se atiborrará de comida si se le deja y como resultado puede llegar a ganar peso. Evita dejar las bolsas de la compra en el suelo, ya que es probable que las asalte en busca de comida.

Patas y pies
Las patas lisas delanteras con unos pies firmes que proporcionan la sensación de un buen agarre al correr

CARACTERÍSTICAS CANINAS		ANOTACIONES
Personalidad	Peculiar, sociable y también glotón	Vigila las cantidades de comida
Medidas	Altura: hasta 33 cm (13 in) y desde 33 - 38 cm (13 - 15 in) Peso: 8 - 14 kg (18 - 30 lb)	Las hembras son más pequeñas. Las medidas de altura son para dos razas consideradas distintas
Ejercicios	Enérgico, puede llegar a ser desobediente sin la correa	Ejercítale con una carrera al día
En el hogar	Puede ser un artista en escaparse	Asegúrate que puertas y vallas están cerradas
Comportamiento	Importante entrenamiento para obediencia	
Cuidados	Su pelaje corto requiere pocos cuidados	Usa un guante de perro para dar brillo
Problemas de salud habituales	Epilepsia, displasia de cadera y problemas de tiroides	Asegúrate de que examinan a los cachorros para detectar displasia

2. Collie Barbudo

No es una raza para aquellos que viven en la ciudad o para aquellos a los que no les gusta pasear, sino para los que viven en entornos rurales con oportunidad para hacer ejercicio. Será el compañero ideal porque es especialmente adecuado para un hogar con adolescentes llenos de energía.

A GRANDES RASGOS
- Peculiar
- Afectuoso
- Cuidado riguroso del pelaje
- Disfruta en el campo
- Entrenamiento indispensable
- Necesita bastante ejercicio

Historia

Sus primeros orígenes son inciertos, pero el Collie Barbudo podría estar relacionado con el Pastor polaco de Valée, conocido en Escocia si nos remontamos hasta el siglo XVI. El ya extinto Antiguo perro pastor irlandés gris, podría haber hecho también una contribución a la línea sanguínea ancestral de estos perros. Su función principal era la de controlar el rebaño, en concreto ganado, de la época, antes de que llegase el transporte mecanizado. La supervivencia de esta raza se debe en gran parte a la devoción de la señora Gwendoline Willison, quien en 1944 obtuvo un par de estos perros casi en extinción. De esta manera, desarrolló el *Beardie,* como se le conoce afectuosamente en su perrera Bothkennar, Inglaterra. Tras quince años, esta raza se introdujo en Estados Unidos donde ganó popularidad con rapidez y su futuro está asegurado.

Empezar con un Barbudo

Entrenar a un joven Barbudo llevará tiempo para asegurar que se desarrolla como adulto receptivo. Los jóvenes pueden ser peculiares por lo que no son idóneos para un hogar con bebés. Se benefician de largos paseos pero trata de no sobre ejercitar a los cachorros. Como raza que se cría para trabajar en el exterior, tiene un pelaje suave y resistente a cualquier clima. Hay que dedicar bastante tiempo a su cuidado. Es frecuente que la coloración de su pelaje se vaya aclarando con la madurez.

Rostro expresivo
La naturaleza inteligente queda reflejada en su expresión y en sus ojos ovalados

Coloración del Collie
La coloración es irrelevante, puede ser uniforme, bicolor, tricolor, azul mirlo o color pardo negruzco

Pies ovalados
Los pies tienen forma ovalada, con los dedos arqueados y además están recubiertos de bastante pelo

CARACTERÍSTICAS CANINAS		ANOTACIONES
Personalidad	Desenvuelto e inquieto	
Medidas	Altura: 51 - 56 cm (20 - 22 in) Peso: 18 - 27 kg (40 - 60 lb)	
Ejercicios	Necesita paseos largos	Aléjale del ganado ya que puede perseguirlo
En el hogar	Enérgico, no se calmará si no se le ejercita lo suficiente. Necesita un jardín grande	Crea una rutina para sacar a pasear al perro
Comportamiento	El crecimiento de los cachorros es lento comparado con otras razas. Las hembras son más difíciles de entrenar	Entrénale para prevenir un comportamiento agitado
Cuidados	El cuidado es esencial	Cepíllale con frecuencia para evitar que el pelaje se le enmarañe
Problemas de salud habituales	Susceptible a la enfermedad de Addson que afecta a la glándula adrenal y puede resultar en fatalidad si no se detecta a tiempo	Vigila los problemas de digestión que pueden ser un indicativo para este problema

3. Bóxer

La naturaleza juguetona explica su nombre. A menudo estos perros se abalanzarán y se pelearán entre ellos apoyándose en sus patas traseras. Sienten un auténtico entusiasmo por la vida y pueden llegar a formar fuertes vínculos en concreto con los niños mayores.

Historia

El Bóxer es descendiente del antiguo Mastín y puede llegar a compartir un estrecho vínculo con el Dogo de Burdeos *(ver pág. 87)*. Sin embargo, el reciente desarrollo de la raza actual empezó en Alemania a mediados del siglo XIX. Los cruces entre los perros de caza y el Bulldog inglés de patas largas, más antiguo, pueden permanecer subyacentes en su aspecto. El pelaje característico del Bóxer es bicolor con manchas blancas normalmente visibles alrededor del morro, del pecho y de las patas. Es una raza inteligente que desempeñaba la función de perro mensajero en las trincheras durante la Primera Guerra Mundial y hoy en día. Los Bóxer llevan a cabo una gran variedad de tareas incluso la de perro guía y la de perro guardián del ganado.

¡Ten cuidado!

El Bóxer no es una raza que se adapte bien a climas cálidos. Al igual que otras razas de morro pequeño, el Bóxer es propenso a coger insolaciones. Los perros pierden calor corporal al jadear y enfriar el aire a través de la nariz, en lugar de a través del sudor como hacemos nosotros. Debido a su carácter juguetón, los Bóxer no deberían salir a hacer ejercicio al mediodía cuando el sol calienta más. También son susceptibles al cáncer de piel, en concreto los Bóxer blancos, que no son aceptados en competiciones. Como animales de compañía, son muy leales pero si se les reta, lo más seguro es que no se retracten, por lo que necesitan estar bien entrenados para evitar problemas.

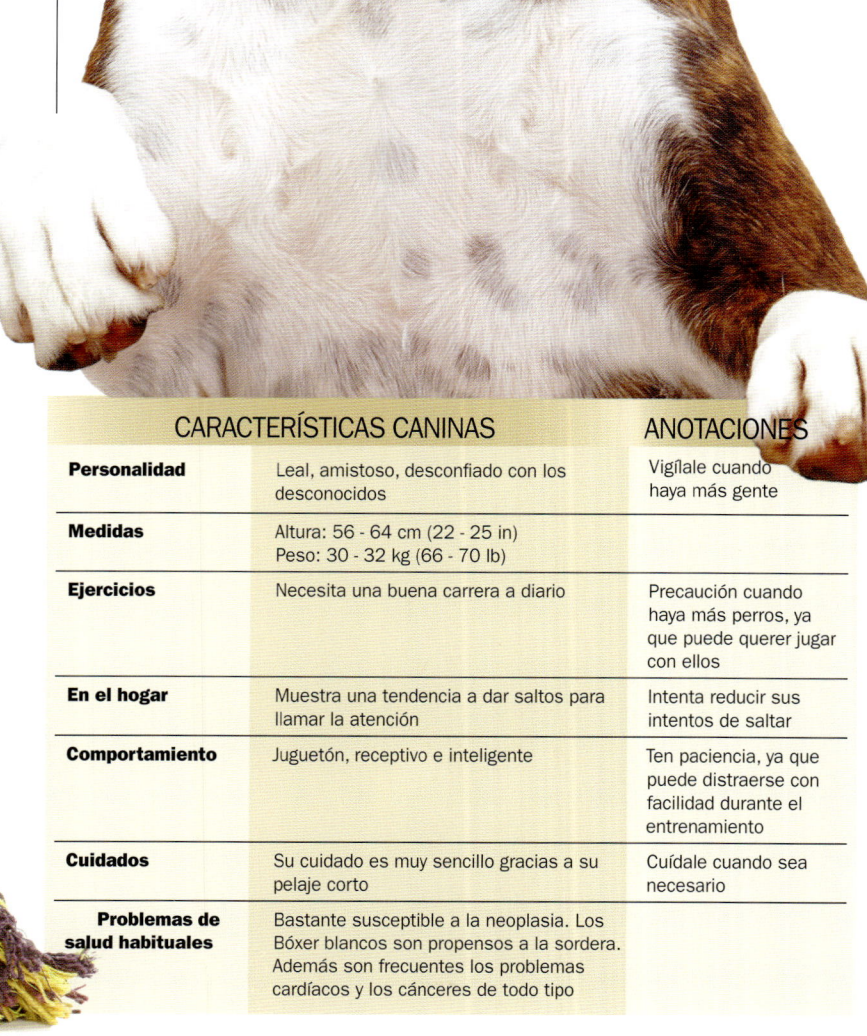

Orejas elevadas
Se sitúan en la parte más elevada del cráneo

Largas patas delanteras
Las patas delanteras son largas y terminan en unos pies compactos y con unos dedos bien arqueados

El pelaje del Bóxer
El pelaje puede ser beige, o de color pardo negruzco. Las manchas blancas no deben exceder un tercio del total del pelaje

A GRANDES RASGOS
- Por lo general, bueno con los niños
- Muy juguetón
- Sorprendentemente ágil
- Le encanta jugar
- Pelaje de fácil cuidado
- No envejece bien

	CARACTERÍSTICAS CANINAS	ANOTACIONES
Personalidad	Leal, amistoso, desconfiado con los desconocidos	Vigílale cuando haya más gente
Medidas	Altura: 56 - 64 cm (22 - 25 in) Peso: 30 - 32 kg (66 - 70 lb)	
Ejercicios	Necesita una buena carrera a diario	Precaución cuando haya más perros, ya que puede querer jugar con ellos
En el hogar	Muestra una tendencia a dar saltos para llamar la atención	Intenta reducir sus intentos de saltar
Comportamiento	Juguetón, receptivo e inteligente	Ten paciencia, ya que puede distraerse con facilidad durante el entrenamiento
Cuidados	Su cuidado es muy sencillo gracias a su pelaje corto	Cuídale cuando sea necesario
Problemas de salud habituales	Bastante susceptible a la neoplasia. Los Bóxer blancos son propensos a la sordera. Además son frecuentes los problemas cardíacos y los cánceres de todo tipo	

PERROS PARA TODA LA FAMILIA

4. Schnauzer miniatura

Esta versión en miniatura del Schnauzer gigante *(ver pág. 126)* es un compañero travieso y se habitúa bien al hogar tanto jugando alegremente con los niños mayores, como dando un paseo en el parque con los abuelos. Es una raza ideal tanto para los jóvenes como para los mayores.

A GRANDES RASGOS
- Inteligente
- Juguetón
- Gran cazador de roedores
- Receptivo al entrenamiento
- Sociable con la gente y con la mayoría de perros
- No muda el pelaje

Historia

Los Schnauzer se originaron en Alemania y el miniatura se crió en un principio de forma selectiva a partir de los ejemplares más pequeños de las camadas de su pariente de mayor tamaño. Este proceso lo empezaron en Frankfurt dos criadores, Georg Riehl y Heinrich Schott. También usaron otra raza alemana, el Affenpinscher, *(ver pág. 78)* para completar el proceso de miniaturización, dando lugar a la raza actual. Es posible que otras razas, también de pequeño tamaño, como el Pomeranio o el Spitz enano alemán *(ver pág. 73)*, hayan tomado parte también aunque no hay muestra evidente de ello. El Schnauzer miniatura se estableció a finales del siglo XIX.

El pelaje

Para personas que tienen impecables sus hogares, estos perros no mudan el pelo como lo hacen la mayoría. En cambio, para mantener su pelaje cuidado puede eliminarse o bien con las manos, técnica que se describe como quitando el pelo con los dedos *(finger stripping)*, o bien eliminarlo utilizando un utensilio especial, esta técnica requiere destreza. Otra opción es cortar el pelaje, pero esto hará que crezca más débil. El color más distintivo es «sal y pimienta», apariencia que resulta de alternar franjas claras con oscuras en pelos individuales que forman el pelaje del lomo. Si se corta el pelaje del Schnauzer miniatura en lugar de arrancarlo, podría provocar la pérdida del efecto de las franjas.

Cola elevada
La cola está en posición elevada

Muslos fuertes
Los muslos son musculosos y están situados en diagonal

Pies parecidos a los de los gatos
Se parecen a los de los gatos al ser pequeños y redondos con almohadillas negras

CARACTERÍSTICAS CANINAS		ANOTACIONES
Personalidad	Siempre alerta, de carácter sociable	
Medidas	Altura: 30 - 36 cm (12 - 14 in) Peso: 6 - 7 kg (13 - 15 lb)	
Ejercicios	No es muy deportista. Prefiere andar en lugar de corretear	Ejercítale lanzando una pelota para perseguirla
En el hogar	De pequeño tamaño, ideal para la mayoría de los hogares. Buen perro guardián	
Comportamiento	Relativamente tolerante con otros perros, puede que no se lleve bien con gatos y cazará cualquier roedor	Entrénale para que no sea territorial, cosa que entra dentro de su naturaleza
Cuidados	No muda el pelaje, pero necesita cuidados	Para mantener el pelaje cuidado, córtalo o arráncalo
Problemas de salud habituales	Compresión de la arteria pulmonar, un problema congénito, que viene indicado por una falta de energía y faltas respiratorias	Esta afección puede corregirse con cirugía

5. Braco alemán de pelo corto

Esta raza de perros de caza disfruta en ambientes rurales con su resistencia y entusiasmo en general por la vida, lo que indica que resultará una excelente elección para una familia con niños mayores. Por lo que respecta a otros perros de muestra (perdiguero), su entrenamiento es relativamente sencillo.

Historia

Los orígenes se remontan al siglo XVII. Esta raza se originó del cruce entre el relativamente lento Braco español y el perro alemán cazador de aves. Con el objetivo de obtener un compañero de trabajo más versátil, se llevaron a cabo cruces con el Braco inglés, más ligero y veloz, en el siglo XIX. La estandarización de la raza emergente ganó popularidad en 1870 con la introducción de un libro genealógico de la raza Kurzhaar, que recibe el nombre de su tierra natal.

Habilidades de trabajo

Estos perros de caza versátiles tienen montones de energía y su entusiasmo para trabajar con su dueño lo convierten en un compañero devoto. El Braco alemán de pelo corto aprende con rapidez. Disfruta de paseos por el campo donde podrá demostrar sus habilidades para indicar la presencia de animales de caza adoptando su singular postura rígida y también disfruta persiguiendo los juguetes que se le lancen. Sociable y entusiasta, el Braco alemán de pelo corto forma un estrecho vínculo con los miembros de la familia. Los ejemplares de esta raza de color blanco y de color marrón tienen una apariencia única bastante destacable aunque es posible obtener perros de un color marrón hígado.

Orejas anchas
Las orejas son anchas y se encuentran en la parte superior de la cabeza, cayendo planas

Color marrón hígado
Su coloración puede ser toda de un color hígado o de la combinación de hígado y blanco

Pies reducidos
La forma de los pies varía, pueden ser redondeados adoptando forma de cuchara y con dedos bien arqueados

A GRANDES RASGOS
- Perro de caza versátil
- Relativamente grande
- No es agresivo
- Pelaje de fácil cuidado
- Sensible con la gente
- Enérgico
- Normalmente obediente

CARACTERÍSTICAS CANINAS		ANOTACIONES
Personalidad	Inteligente, cooperante y sensible	
Medidas	Altura: 53 - 64 cm (21 - 25 in) Peso: 20,4 - 32 kg (45 - 70 lb)	Los machos pesan más que las hembras
Ejercicios	Altos niveles de energía; posee una gran resistencia. A veces necesita ir sin la correa	No sobre ejercites a los cachorros. Podría causar problemas de ligamentos a largo plazo
En el hogar	Disfruta cuando se le deja participar de la vida familiar	Asegúrate que las puertas están cerradas. Puede saltarlas y desaparecer si se aburre
Comportamiento	Muy obediente al entrenamiento. Es posible que sea destructivo si se aburre	Intenta involucrar a todos los miembros de la familia en el entrenamiento para animar al perro a construir un vínculo con cada uno de ellos
Cuidados	De cuidado sencillo gracias al suave pelaje	Cepíllale alguna vez
Problemas de salud habituales	Displasia de cadera que puede causar cojera	Asegúrate de que el veterinario examina a los cachorros para detectar displasia

6. Grifón vendeano pequeño

A menudo esta raza es indudablemente más conocida por sus iniciales del inglés «PBGV». El Grifón vendeano pequeño, extrovertido por naturaleza, se ha convertido en una de las razas de compañía más apreciadas.

Historia

La mayoría de las razas de perros de caza se originaron en Francia, incluyendo ésta. Es un miembro del grupo Grifón vendeano, formado por cuatro razas diferentes muy diferenciadas según su altura. Existen dos variantes de Basset, mientras que el Grifón es muy popular, su primo de tamaño algo mayor, el Gran Basset Grifón vendeano, es prácticamente desconocido fuera de su tierra natal. El término «Basset» hace referencia a sus patas cortas y «griffon» a su áspero pelaje. Sus parientes fueron criados en la región francesa de la Vendea y, en 1950, las dos variantes se separaron. Fueron vistos por primera vez en Inglaterra en 1969 y en la actualidad se encuentran en la gran mayoría de los países.

La popularidad

Estos perros son compañeros sociables e inquietos, demostrando tener un gran carácter. Siempre está dispuesto a integrarse en la vida familiar y disfrutará del ejercicio. Su pelaje alborotado y áspero es de fácil cuidado ya que se ha desarrollado para proporcionarle una buena protección contra la vegetación cortante cuando está correteando. Un simple cepillado será suficiente para eliminar el barro del pelaje una vez esté seco. En general, no es necesario recortarle el pelaje. Tradicionalmente se mantienen en grupos para cazar conejos y liebres por lo que no te sorprendas si sale disparado en busca de alguno de estos animales cuando pasee por el campo.

A GRANDES RASGOS
- Amistoso
- De gran personalidad
- Raza inquieta
- Se lleva bien con los pequeños
- De tamaño pequeño
- Necesita bastante ejercicio

CARACTERÍSTICAS CANINAS		ANOTACIONES
Personalidad	Cariñoso, de naturaleza independiente. Puede ser obstinado a veces; amistoso y sociable reflejando su linaje ancestral de perros de caza	Vigila el entrenamiento. Puede ser problemático debido a su naturaleza obstinada
Medidas	Altura: 33 - 38 cm (13 - 15 in) Peso: 14 - 18 kg (31 - 40 lb)	
Ejercicios	Muy enérgico, necesita una carrera sin correa al día	Importante que haga suficiente ejercicio. El aburrimiento puede activar una conducta destructiva
En el hogar	Puede resultar demasiado inquieto para los más pequeños	Vigílale cuando esté con niños pequeños y animales
Comportamiento	No es propenso a enfrentarse con otros perros cuando sale	
Cuidados	De cuidados mínimos, pelaje enmarañado, áspero de textura y de doble capa	Cepíllale cuando sea necesario
Problemas de salud habituales	Epilepsia, hipotiroidismo, infección de oído, puede ser propenso a problemas de piel	

Orejas bajas
De forma ovalada en las puntas, se posicionan en la parte inferior y están cubiertas de un pelaje largo

Cuello y lomo
El Grifón vendeano pequeño tiene un cuello robusto y alargado con un lomo alargado desde los hombros hasta la grupa

Patas robustas
Las fuertes patas del Grifón vendeano pequeño tienen una apariencia robusta y de buena estructura ósea

7. Bull Terrier

Esta raza es fácil de distinguir por su cabeza ancha y ovalada. Tienen un carácter resuelto que se corresponde con su complexión baja, fornida y bien musculada. Son muy leales pero no son muy amistosos con otros perros, en concreto con otros Bull Terrier.

A GRANDES RASGOS
- Vigorosos
- Juguetones
- Resueltos
- No muy sociables con otros perros
- De fácil cuidado
- Una raza muy tenaz

Cabeza característica
Su singular cabeza se curva hacia abajo desde la frente hasta la nariz

Cuello robusto
El cuello del Bull Terrier es largo, muy fuerte y arqueado sin ninguna indicación de excedente de piel

Complexión vigorosa
La zona de los hombros es extremadamente musculosa y su espalda de pequeño tamaño pero resistente da forma a la complexión del Terrier

CARACTERÍSTICAS CANINAS		ANOTACIONES
Personalidad	Sociable, puede ser enérgico	Es primordial entrenarle desde cachorro
Medidas	Altura: 53 - 56 cm (21 - 22 in) Peso: 24 - 28 kg (52 - 62 lb)	
Ejercicios	Camina tranquilo, no es un gran corredor pero tiene suficiente energía, vigoroso	Mantenle alejado de otros Bull Terrier
En el hogar	Disfruta jugando en casa	
Comportamiento	En general no es agresivo pero es poco probable que retroceda si se le reta. Suele sentirse seguro cerca de los gatos	No permitas que los niños le saquen a hacer ejercicio sin la supervisión de un adulto, aunque lleve correa
Cuidados	Su pelaje suave y lustroso significa que su cuidado es sencillo	Utiliza un guante para perros de caza
Problemas de salud habituales	Varios tipos de cáncer, en concreto los de pelaje predominantemente blanco	Vigila cualquier bulto sospechoso

Historia

Esta raza se creó originariamente como perro de pelea en el siglo XIX, al enfrentarse contra otros de su misma raza. Fue criado de cruces de Terriers negros y marrones con los Bulldog clásicos, más altos y atléticos que la raza actual. Su pelaje blanco a veces truncado por manchas negras, muy frecuente en la raza actual, proviene de los cruces con los Dálmatas *(ver pág. 95)* llevados a cabo en 1850 para contribuir a la resistencia del Bull Terrier. Los Terrier ingleses blancos, que dejaron de existir, también contribuyeron a su linaje. Una vez que las peleas de perros concluyeron, los Bull Terrier se volvieron populares en las competiciones.

Hogares con adolescentes

Es el más adecuado para familias con adolescentes. Esto se debe, sobre todo, a que es muy enérgico y debido a la fuerza que tiene, un Bull Terrier adulto puede resultar difícil de controlar por niños pequeños si éste empieza a tirar de la correa. Se recomienda castrarlos para disminuir cualquier instinto agresivo persistente hacia otros perros mientras que un entrenamiento riguroso y una adaptación a la sociedad a una edad temprana ayudarán a asegurar que el cachorro evolucione en un perro adulto adaptado y sociable. El Bull Terrier tiene un lado muy juguetón pero prepárate para buscar juguetes resistentes, ya que sus poderosas mandíbulas los destrozarán sin ninguna dificultad.

8. Shih Tzu

El nombre poco común de Shih Tzu significa «perro león», imagen reforzada por el hecho de que el color tradicional de esta raza es el dorado. Se formó puramente como perro de compañía en lugar de para ayudar en las tareas del trabajo.

A GRANDES RASGOS
- Ideales como compañeros urbanos
- Necesita poco ejercicio
- Sociable
- Paciente
- Necesita muchos cuidados

Historia

Los orígenes del Shih Tzu residen en la China imperial. El Dalái Lama, que reinaba en el Tíbet, introdujo al emperador de China a los perros Lhasa Apsos *(ver pág. 75)* y los llevó a la ciudad prohibida, que ahora es Pekín. Estos perros pequeños se aparearon con el perro Pekinés *(ver pág. 70)* que residía ahí y de estos cruces surgió finalmente el Shih Tzu hace más de cuatrocientos años. No se llegó a conocer en Occidente hasta los años treinta del siglo XX y se introdujo por primera vez en Estados Unidos transcurridos unos treinta años. La popularidad del Shih Tzu ha continuado creciendo significativamente desde entonces.

Vida urbana

Es una raza muy testaruda con un comportamiento decisivo y extrovertido. A pesar del tamaño reducido es un perro con una gran personalidad sobre todo si se adquiere desde cachorro, ya que resultará muy receptivo hacia sus dueños creando un fuerte vínculo con ellos. Es probable que esto sea debido a que ha crecido siempre rodeado de gente y, siendo una verdadera raza de perro de compañía, está bien adaptado para ser una mascota familiar. Disfrutará en zonas urbanas donde mantener a una gran camada no será una idea muy práctica. El único posible inconveniente para mantenerle es el tiempo que has de dedicar al cuidado de su abundante pelaje para evitar que se enrede. El pelo de la cabeza normalmente va recogido.

Colorido del Shih Tzu
Todos los colores están oficialmente reconocidos siendo frecuentes diferentes combinaciones de colores

CARACTERÍSTICAS CANINAS		ANOTACIONES
Personalidad	Sociable y juguetón, a pesar de que en ocasiones tiene un carácter reservado. Desconfiado con los extraños. Afectuoso	
Medidas	Altura: 20 - 28 cm (8 - 11 in) Peso: 4 - 7,2 kg (9 - 16 lb)	Es preferible el tamaño de rango mediano
Ejercicios	Feliz si se le deja corretear por el parque a diario. No es muy atlético pero le gusta explorar cuando se le saca a pasear	Ejercítale a diario y dale la oportunidad de explorar
En el hogar	Idóneo para la vida en un apartamento. A menudo disfruta observando por la ventana	Dedícale tiempo a sus cuidados para formar un vínculo
Comportamiento	Puede ser atrevido e incluso escalar sin miedo. A menudo es de naturaleza enérgica, buscará la compañía de su dueño	Entrénale para que no sea demasiado enérgico
Cuidados	Su cuidado requiere tiempo ya que su pelaje es denso	Ata el pelo en un moño encima de la cabeza si fuera necesario
Problemas de salud habituales	Problemas congénitos que afectan a los riñones y al sistema de coagulación sanguínea	Vigila irregularidades urinarias y coágulos sanguíneos

Ojos protuberantes
Los ojos están bien separados entre sí y son de color bastante oscuro

Pelaje de los cachorros
Es menos abundante que el de los adultos

9. Golden Retriever

El Golden Retriever es una de las pocas razas que se define por su color. Creado como perro de caza para trabajar estrechamente con la gente, los miembros de esta raza son instintivamente sociables y se adaptarán muy bien al ambiente familiar.

A GRANDES RASGOS
- Atractivos y de aspecto hermoso
- Compañero de confianza
- Muy receptivo
- Dócil
- Sociable
- Deseoso de tirarse al agua

Historia

Los orígenes son algo misteriosos. Lo único que se sabe a ciencia cierta es que esta raza fue creada en el condado del escocés Lord Tweedmouth cuyo objetivo era crear un perro cobrador de aves acuáticas. Empezó con este reto en 1865 con el cruce original de un Golden de pelo rubio y ondulado y uno de agua Spaniel Tweed del que obtuvo cuatro cachorros rubios. El Setter irlandés también hizo una contribución temprana a la línea sanguínea. A pesar de que esta raza se desarrolló en Estados Unidos, apareció primero en 1881 en Canadá nueve años antes de ser visto en Estados Unidos y no empezaron a tener un gran número de seguidores hasta los años 30 del siglo XX.

Juguetón

De naturaleza enérgica y entusiasta es una raza amoldable pero no una que se adapte bien a la vida urbana. Estos perros de caza necesitan espacio donde poder demostrar su lado más activo jugando con los miembros de la familia. Uno de sus juegos favoritos es perseguir un disco volador, de los que venden en las tiendas para animales, que pueden recuperar y devolvértelo para que se lo lances otra vez. Además de reforzar el vínculo entre el perro y el dueño este tipo de actividad también proporciona suficiente ejercicio para lo que es una raza bastante deportiva. Deberás dedicar tiempo a cepillar el pelaje de doble capa pero no es una tarea necesariamente laboriosa o que requiera mucho tiempo.

Color dorado
La coloración del cuerpo debería ser de un tono uniforme, ni demasiado clara ni demasiado oscura

Fuertes cuartos traseros
Los cuartos traseros son anchos y potentes y las patas son de un aspecto estirado si se observan por detrás

Pies compactos
Los pies de tamaño mediano, redondeados y compactos tienen almohadillas reforzadas

CARACTERÍSTICAS CANINAS		ANOTACIONES
Personalidad	Dócil, confiado con los desconocidos. Afectuoso	
Medidas	Altura: 53 - 61 cm (21 - 24 in) Peso: 25 - 34 kg (55 - 75 lb)	Los machos pesan más que las hembras
Ejercicios	Necesita un buen paseo diario sin correa para poder descubrir cosas por su cuenta	Evita sobre ejercitar a los perros jóvenes, sobre todo si les llevas a excursiones maratonianas
En el hogar	Disfruta jugando y es afectuoso también	Busca tiempo para jugar
Comportamiento	Se tirará de inmediato al agua si se presenta la ocasión. Buen nadador. Los cachorros pueden ser inquietos. Inteligente	
Cuidados	Necesita cepillado, peinado y un baño si se tira al agua. Los cachorros con el pelaje más corto necesitan menos cuidados que los adultos	Péinalo y cepíllalo con frecuencia y báñalo cuando sea necesario
Problemas de salud habituales	Propenso a displasia de cadera y varios problemas oculares	Asegúrate de que el veterinario examina a los cachorros para detectar la displasia

10. Hamiltonstövare

Esta raza escandinava es poco común ya que, mientras que muchos perros rastreadores persiguen a su presa en grupo, el Hamiltonstövare lo hace solo. Por ello, a diferencia de otras razas, crea un vínculo mucho más estrecho con su dueño y disfruta jugando, sobre todo persiguiendo la pelota.

A GRANDES RASGOS
- De aspecto atractivo
- Buena casta
- Inquieto y sociable
- Necesita bastante ejercicio
- Pelaje de fácil cuidado
- Poco común en Estados Unidos

Historia

Esta raza recibe su nombre gracias a su creador, el conde Adolf Hamilton que la desarrolló en 1880. Una gran variedad de razas europeas de perros de caza han contribuido a formar la saga del Hamiltonstövare, incluyendo los perros de caza alemanes y suizos, así como el Foxhound inglés con el que guarda más parecido hoy en día. Es una raza que presenta tres colores de pelaje, con un modelo de manchas relativamente constante. La parte del lomo de color negro hace contraste con la coloración marrón en el resto del cuerpo. Tiene también zonas blancas en la cara y en el pecho así como también en los pies, con la punta de la cola siendo a menudo blanca también, creando una apariencia atractiva.

De paseo

Se sitúa entre los más afectuosos de los perros olfateadores y, esta es otra razón subyacente de la creciente popularidad que ha adquirido fuera de su tierra sueca natal. Se adapta bien como mascota familiar siempre y cuando haga mucho ejercicio debido a su disposición atlética. Disfrutará en áreas rurales donde puede pasear a diario sin correa. El único problema es el entrenamiento ya que esta raza normalmente persigue un rastro con un solo propósito, a menudo ignorando nuestras órdenes. No hay malicia en este comportamiento instintivo a pesar de que significa que tendrás que concentrarte en las fases de «para y quieto» del entrenamiento. Son muy sinceros, con un entusiasmo natural que contribuye a su atractivo. No necesita mucho tiempo en cuidados ya que su pelaje es corto, lacio y brillante.

Cabeza ancha
Tiene una cabeza alargada y relativamente ancha, con las orejas posicionas elevadas y sus ojos son oscuros

Cuerpo robusto
El lomo es recto y robusto y los cuartos traseros son potentes

Coloración marrón y negro
Predomina junto con grandes manchas blancas, situadas en las extremidades

CARACTERÍSTICAS CANINAS		ANOTACIONES
Personalidad	Vigoroso	
Medidas	Altura: 48 - 61 cm (19 - 24 in) Peso: 22,7 - 27 kg (50 - 60 lb)	Los machos pesan más que las hembras
Ejercicios	Necesita correr a menudo	Paséale a diario sin correa
En el hogar	Necesita un jardín grande. No es una raza que disfrute de espacios confinados	Asegúrate de que el jardín es seguro y está bien vallado
Comportamiento	Disfruta relajándose y durmiendo tras una carrera. No es territorial y por lo general es feliz cuando hay otros perros cerca. Aullará con frecuencia, sobre todo en el exterior. Activo	Busca tiempo para jugar; le encantará la oportunidad de unirse a los juegos
Cuidados	Su cuidado es sencillo gracias a su pelaje lacio y brillante	Cepíllale o utiliza un guante para perros de caza para mantener el pelaje limpio
Problemas de salud habituales	No se han reconocido enfermedades contagiosas	

Tipos de perros para gente que vive sola, para todos aquellos impacientes por conocer a otros que compartan su pasión por los perros, para aquellos que valoran una vida relajada y para los que viven en la ciudad.

Spinone italiano

Buenas mezclas

Los perros que forman este grupo, que por lo general se llevan bien con otros miembros de su raza y con otros perros, son la elección ideal si lo que estás buscando es un perro que puedas sacar a pasear con seguridad en un espacio urbano, sin que se muestre agresivo hacia otros perros. Perros ideales para esta función serían el Bichón habanero y el Coton de Tuléar, que aunque es poco común, va aumentando su popularidad. Criados como animales de compañía, carecen de la agresividad característica de las razas de menor tamaño, como es el caso de la mayoría de perros Terrier, por lo que será poco probable que tengan un comportamiento agresivo. Esto significa que puedes dejarles corretear libres sin correa, sin preocuparte por su agresividad.

Algunas de las otras razas en este apartado, como el Lebrel escocés, sin lugar a dudas necesitan más espacio pero como hemos dicho en ocasiones anteriores si vas con frecuencia a pasear por el campo, puedes llevar al perro sin preocuparte de si se peleará con cualquiera que encuentre. Es importante que dejes que los cachorros dentro de esta categoría se mezclen libremente con otros perros una vez sea seguro que anden sueltos, después de haberlos vacunado. Esto asegurará que el cachorro crezca siendo amigable y muy sociable.

Cavalier King Charles Spaniel

1. Bretón

Aunque originariamente este perro se conoce como Spaniel bretón, la descripción de Spaniel se eliminó porque a pesar de su parecido, esta raza francesa se comporta más bien como un perdiguero. La longitud de la cola puede variar significativamente entre los ejemplares, al ser de características variables.

A GRANDES RASGOS
- De coloración y aspecto atractivo
- Buen perro guardián
- Es importante la socialización
- Ávido trabajador
- De naturaleza inquieta

CARACTERÍSTICAS CANINAS		ANOTACIONES
Personalidad	Cariñoso, pero decidido. Se adapta bien a otra gente	
Medidas	Altura: 46 - 53 cm (18 - 21 in) Peso: 14 - 18 kg (30 - 40 lb)	
Ejercicios	Necesita bastantes oportunidades para correr, tiene toneladas de energía	Busca tiempo para hacer con frecuencia gran cantidad de ejercicios
En el hogar	No es idóneo para la vida urbana. A menudo es muy activo	Buenos compañeros para salir a correr
Comportamiento	Receptivo y aprende rápido	Motívale para que sea sociable
Cuidados	Requiere cepillado; sin embargo el cuidado de su pelaje será más sencillo que el de otros spaniels	Cepíllale con regularidad y comprueba que sus orejas estén limpias
Problemas de salud habituales	A algunas líneas sanguíneas les pueden afectar coágulos de sangre	Asegúrate de que examinan a los cachorros

Historia

El Bretón, un perro de caza muy versátil, se desarrolló originariamente durante el siglo XVIII en la vecindad de los bosques de Argoat, en la región de Francia conocida como la Bretaña occidental. El perro indicará, hará salir a las presas y las traerá, concentrándose sobre todo en las aves de caza. Hay una pequeña diferencia aparente entre el aspecto del Bretón francés tradicional y el americano, el cual resulta ser de un tamaño mayor. Se conoce en su tierra natal como Épagneul bretón y se exhibió por primera vez en 1896.

Compañeros enérgicos

El Bretón es una raza a tener en cuenta si te interesa un perro de caza de tamaño reducido. Es un perro de naturaleza enérgica y necesita bastante ejercicio, lo que significa que no es un perro ideal para vivir en un ambiente urbano. Puede aburrirse y volverse arrollador y bajo estas circunstancias será desobediente. Es muy importante que el Bretón sea sociable desde pequeño, para que al crecer no se sea tímido y retraído. Por lo general se llevará bien con otros perros, así como con los miembros de su propia raza. El entrenamiento, tanto como de perro de caza como de perro de compañía es bastante fácil dado que el Bretón es muy receptivo. Mantener dos Bretones juntos significará que podrán jugar durante el día y esto ayudará a su desgaste de energía, aunque no debe verse como un sustituto para su paseo diario.

Cuartos traseros
Anchos y potentes cuartos traseros con las babillas bien dobladas hacia el interior

Alcance de los pies traseros
El alcance de los pies traseros debería llegar hasta la huella de la pisada delantera

Coloración del Bretón
Su coloración puede ser o bien de un tono anaranjado o de un color hígado mezclado con blanco. También pueden presentar manchas de color roano (una mezcla de blanco, gris y bayo)

Pies potentes
Los pies potentes tienen unos dedos arqueados y unas almohadillas bien acolchadas. No hay mucho pelaje entre los dedos

BUENAS MEZCLAS 35

2. Cavalier King Charles Spaniel

Estos maravillosos Spaniels en miniatura se han mantenido siempre como animales de compañía y por lo tanto están bien adaptados a la vida doméstica. La coloración habitual es negro y moreno, pero existen también otras variedades como el Blenheim (rojo y blanco), el Príncipe Carlos (tricolor) y el Rubí (todo rojo).

CARACTERÍSTICAS CANINAS		ANOTACIONES
Personalidad	Tolerante y cariñoso. No es agresivo	
Medidas	Altura: 30 cm (12 in) Peso: 5,4 - 8 kg (12 - 18 lb)	Controla su peso ya que es propenso a la obesidad
Ejercicios	Requiere poco ejercicio. Bastará con un paseo por el parque. No es especialmente aficionado a correr, prefiere deambular	Paséale con moderación
En el hogar	Se adapta bien al hogar. Bueno con los niños y buen perro familiar	
Comportamiento	Juguetón. Puede llegar a ser glotón con la comida, disciplinado con otros perros	Evita las comidas como premio de recompensa
Cuidados	Su pelaje sedoso requiere un peinado y cepillado frecuente	Cepilla, peina y comprueba las orejas con frecuencia
Problemas de salud habituales	Problemas cardíacos congénitos, luxación patelar que afecta las rótulas; siringomielia, que afecta a parte de la médula espinal cerca del cerebro. Algunos perros padecen de una rara enfermedad neurológica en la que el perro parece cazar moscas con la boca	La luxación patelar puede requerir cirugía correctiva

Historia

Esta raza es una recreación moderna del clásico Spaniel del Rey Carlos (conocido en Estados Unidos como el Toy Spaniel inglés), que ganó popularidad durante el reinado del rey Carlos II a finales del siglo XVII. Se originó durante la década de los años 20 del siglo XX como respuesta a un premio que creó un ferviente americano llamado Roswell Eldridge, tras su decepción al descubrir que la forma tradicional de la cara alargada de este Spaniel había ido desapareciendo durante la era victoriana. Esto conllevó a una situación en la que ambos ejemplares, el de cara recortada y el de cara alargada, eran expuestos juntos, cuando claramente se convertirían en dos razas bien diferenciadas. Finalmente, se separaron en 1945 y hoy en día el Cavalier es, sin lugar a dudas, la raza más popular. Desafortunadamente, al descender de una base genética tan reducida, el linaje puede ser propenso a una gran variedad de problemas de salud.

Patas y pies
Las patas alargadas quedan recogidas bajo el cuerpo del perro y acaban en unos pies tupidos con almohadillas bien acolchadas

Ideal para la vida urbana

La naturaleza dócil de estos Spaniels significa que no solo son grandes animales por sí solos, lo que los convierte en perros ideales para un hogar con niños, sino que también conviven en armonía juntos. Son también sociables y cariñosos con otros perros que se encuentran al pasear. Sus cuidados son bastante moderados ya que no necesitan mucho ejercicio y se sienten satisfechos con un simple paseo para deambular por el parque cada día. Debes asegurarte, sobre todo cuando se hacen mayores, de que no ganen peso ya que esto podría conllevar problemas cardíacos.

A GRANDES RASGOS
- Instintivamente amistoso
- Se adapta bien al hogar
- Convive bien con otros perros
- Necesita ejercicio moderado
- Propenso a enfermedades congénitas

Cuello y pecho
Su cuello relativamente alargado se extiende sobre su pecho moderadamente profundo

Orejas elevadas
Se sitúan elevadas en la cabeza y tienden a reposar inclinadas hacia delante cuando el perro está en estado de alerta

3. Clumber Spaniel

El Clumber es uno de los Spaniels de mayor tamaño. Tiene una cabeza peculiarmente grande y un cuerpo pesado. Se encuentra entre las razas originales que la asociación American Kennel Club (AKC) reconoció en 1883, a pesar de que no ha llegado a ser nunca una raza popular.

A GRANDES RASGOS
- Comportamiento de cazador
- Sociable por naturaleza
- Carácter tranquilo
- Complaciente y amistoso
- Dócil
- Raza poco común

CARACTERÍSTICAS CANINAS		ANOTACIONES
Personalidad	Auténtico, imperturbable, decidido e instintivamente sociable	
Medidas	Altura: 51 cm (20 in) Peso: 25 - 38,5 kg (55 - 85 lb)	
Ejercicios	Disfruta de largos paseos y muestra una gran resistencia	Escoge esta raza sólo si disfrutas de largos paseos al aire libre durante todo el año
En el hogar	Tranquilo. No es un perro guardián muy efectivo	
Comportamiento	Debido a sus labios holgados, a veces puede babear. Muy sociable con otros perros. No acostumbra a ladrar	Piensa en cubrir las sillas para protegerlas de las babas
Cuidados	Es necesario un cepillado frecuente del pelaje. Las orejas también necesitan un control	Si se ha metido entre la maleza, inspecciona su pelaje para encontrar espinas
Problemas de salud habituales	Ectropión: la membrana ocular cuelga de los ojos, puede llevar a infecciones	Esta afección puede corregirse con cirugía

Historia

Los orígenes del Clumber Spaniel podrían radicar en Francia, sus antepasados fueron entregados al duque de Newcastle por el Duc de Noailles a finales del siglo XVIII. Esta raza lleva hoy en día el nombre del estado del duque situado en el parque Clumber, en el condado inglés de Nottinghamshire. Ganaron bastante popularidad entre la aristocracia inglesa hasta bien entrado el siglo XX. Luego fue en declive ya que otros Spaniels más veloces sobre el terreno, como el Cocker, se convirtieron en favoritos, pero ha experimentado una recuperación en los últimos años, sobre todo en el ámbito de las competiciones. Se menciona al Basset Hound *(ver pág. 55)* como posible contribuidor de su desarrollo en alguna etapa, como se refleja en su aspecto de patas relativamente cortas.

Manchas en la cabeza
Las manchas blancas con reflejos amarillo limón o naranja resaltan especialmente en la cabeza

Los flecos del cuerpo
Algunos flecos son evidentes en la parte inferior de su cuerpo

Cabeza de gran tamaño
La cabeza de gran tamaño presenta unas orejas de forma triangular situadas en la parte baja de la cabeza

Trabajando juntos

El Clumber es poco usual para un Spaniel por el hecho de que trabajaba en grupo. Estos grupos se movían por las malezas haciendo salir las aves de caza. Incluso en la actualidad, puede desempeñar esta función en grupos pequeños y, naturalmente dado su pasado, se lleva bien con los de su especie y también con otros perros. Por naturaleza, es tranquilo y nada agresivo, y cuenta con la reputación de que trabaja de manera lenta y metódica. A pesar de que el Clumber se clasifica como una de las razas más extrañas del Spaniel, merece la pena buscarlo como animal de compañía ya que es la elección ideal si vives en el campo y estás buscando un perro o un par de perros inteligentes y sociables.

4. Italian Spinone

Estos perros de caza italianos de pelaje áspero son descendientes de un linaje antiguo de cazadores, pero recientemente se han empezado a considerar más bien como animales de compañía. Tienen una manera de andar pausada, lo que se suma a su atractivo.

A GRANDES RASGOS
- Rostro muy expresivo
- Tranquilo
- Cariñoso
- Trabajador habilidoso
- Responde bien cuando hay niños u otros perros
- Acepta con facilidad a los desconocidos

CARACTERÍSTICAS CANINAS		ANOTACIONES
Personalidad	Fiel, decidido. Pide afecto y no es agresivo	
Medidas	Altura: 56 - 69 cm (22 - 27 in) Peso: 32,2 - 37 kg (71 - 82 lb)	Los machos suelen ser más altos y pesados que las hembras
Ejercicios	Necesita ejercicio a diario, preferiblemente sin correa en espacios rurales	Paséale a diario, ya que la carencia de ejercicio puede resultar en aburrimiento
En el hogar	Necesita grandes espacios. Disfruta jugando	Dale la oportunidad de que juegue en el jardín
Comportamiento	Aprende rápido. Versátil	Motívale para que sea sociable
Cuidados	Esta raza se caracteriza por su pelaje despeinado y el poco cuidado que requiere. Su pelo áspero ayuda a protegerlo de cualquier herida al aire libre	
Problemas de salud habituales	Ataxia cerebelar que afecta a parte del cerebro y puede desarrollar un modo extraño al andar. Hinchazón	No los saques a pasear después de las comidas, les puede causar hinchazón

Historia

En el siglo XIII ya había perros que presentaban un gran parecido con el Spinone italiano y posiblemente con anterioridad, a pesar de que se desconocen los orígenes en concreto de la raza. Seguramente está asociada con el Segugio italiano de pelaje sedoso y el Barbet francés, que pueden haber tomado parte en su evolución. Aunque se desarrolló en primer lugar como perro indicador, el Spinone italiano puede resultar un buen perro cobrador. Su pelaje denso y rasposo y sus orejas en forma de péndulo le protegen cuando se aventura en áreas cubiertas de vegetación. A pesar de que todavía se preserva como un perro para trabajar, también se puede ver con mayor frecuencia en los concursos.

Convivir juntos

Esta es una raza de naturaleza tranquila y excelente, sobre todo para el hogar y es muy eficiente en el campo. Sin embargo debemos valorar su resistencia y ajustarnos a ella si queremos tener a uno de estos animales como mascota. Es vital que hagan ejercicio y puede ser de ayuda si mantienes al Spinone italiano junto con otro perro, ya que podrán jugar juntos. Otro miembro de la misma raza sería ideal dada la inteligencia innata de estos perros de caza puesto que serán una buena mezcla. Los cachorros deben entrenarse adecuadamente para que sean sociables en cualquier caso ya que, de lo contrario, pueden tender a ponerse nerviosos cuando crezcan. Su entrenamiento no es básicamente complicado dado que estos perros de caza aprenden con rapidez a pesar de que es necesario ser constante en este aspecto.

Cabeza grande
La cabeza es alargada con un perfil bastante peculiar, junto con una expresión inteligente

Pies grandes
Los pies son grandes y redondeados, con pelo corto y denso entre los dedos

Color del pelaje
La coloración puede ser blanca uniforme, el blanco y naranja, el blanco y marrón con matices

5. Coton de Tuléar

A GRANDES RASGOS
- Raza poco común
- Tranquilo pero a la vez juguetón
- No es agresivo
- Necesita cuidados diarios
- Sociable con los desconocidos y con otros perros

Este perro del tamaño de un juguete es una raza atractiva con un pelaje bastante característico. Hubo un tiempo en el que no era muy abundante y llegó a estar en peligro de extinción. A pesar de que ha reaparecido hace poco, deberás ser paciente si buscas un cachorro de esta raza.

CARACTERÍSTICAS CANINAS		ANOTACIONES
Personalidad	Relajado, gentil y confiado. Muy sociable con los desconocidos	
Medidas	Altura: 25 - 30 cm (10 - 12 in) Peso: 5,4 - 7 kg (12 - 15 lb)	
Ejercicios	Contento sólo con pasear por el parque junto con otros perros	Dale tiempo para que explore
En el hogar	Se adapta bien al ambiente urbano, será feliz viviendo en grupos reducidos	
Comportamiento	Disfruta jugando. Es un compañero tranquilo y un cobrador excelente	Busca tiempo para jugar
Cuidados	Su pelaje suave y sedoso requiere cuidados constantes	Dale cuidados cada día y báñale con frecuencia
Problemas de salud habituales	Las uñas demasiado largas pueden llegar a ser un problema. Por lo general saludable	Vigila las uñas que pueden necesitar frecuentes recortes

Ojos atractivos
El aspecto de los ojos contribuye significativamente al atractivo del perro

Rasgos afables
Su expresión animada ayuda a caracterizar la personalidad de esta raza tan sociable

Manchas aleatorias
Las manchas en el pelaje son aleatorias, pero las zonas con coloración normalmente están en la cabeza

Historia

Los orígenes se remontan a mediados del siglo XVIII cuando los colonos franceses trajeron con ellos a un grupo de perros Bichón de la isla de la Reunión, situada en el océano Índico. Se cree que sus antepasados cruzaron el puerto Tulear situado en la isla vecina de mayor tamaño de Madagascar camino hacia la isla de Reunión, lo que ayuda a explicar su nombre. Podrían haberse criado con perros originarios del lugar aunque indudablemente el parecido con la saga del Bichón es bastante evidente en la raza actual. El Coton de Tuléar permaneció aislado y prácticamente desconocido hasta mediados del siglo XX, hasta que varios ejemplares de la raza finalmente llegaron a Europa. Permanecieron desconocidos en Estados Unidos hasta 1974, pero desde entonces se han introducido unos cuantos ejemplares más de estos inusuales perros directamente desde su isla de origen.

Protegidos celosamente

«Coton» significa algodón y describe el aspecto blanco y esponjoso de esta raza, característico de los ejemplares del grupo Bichón. El Coton de Tuléar es inteligente, juguetón y muy sociable al haber sido criado en grupo durante siglos. Estos perros nunca se han preservado para propósitos de trabajo lo que ayuda a explicar el por qué son animales ideales de compañía. De hecho, eran tan valiosos en la isla de la Reunión que no sólo era difícil encontrar ejemplares para exportar, sino que incluso en la isla, la posesión de este perro se restringió sólo a los miembros de las familias regentes.

6. Setter inglés

Los antepasados de esta raza eran conocidos como los «Setting Spaniel». Estos perros acostumbraban a indicar la presencia de aves de caza al adoptar la posición «setting», antigua palabra de origen inglés que significa «sentarse». Sus anchos y alargados orificios nasales le ayudan a detectar a sus presas.

A GRANDES RASGOS
- Precioso y de apariencia elegante
- Receptivo
- Se lleva bien con otros perros
- Manchas individuales
- Activo

Historia

Tanto el Springer inglés como el Springer de agua, así como el Pointer español han contribuido a los antepasados del Setter inglés. A principios del siglo XIX acostumbraba a haber numerosas variedades locales del Setter inglés a las cuales se las conocía por sus denominaciones regionales. Unos, como el Setter Newcastle reflejaba el área del país donde se formaron, mientras que otros como la raza Llewellin que conmemoraba el nombre de su creador. Sir Edward Laverack se considera como el mayor responsable de la evolución del Setter inglés hacia la raza que es hoy en día tras el transcurso de medio siglo. Obtuvo su primer par de perros de caza en 1825.

Necesitan espacio

Estos perros elegantes tienen un aspecto moteado inconfundible, normalmente conocido como «belton». Son bastante atentos y receptivos al entrenamiento. Como animales de compañía, se llevan bien con otros de su especie e incluso con otras razas, como el Labrador Retriever *(ver pág. 11)*. El aspecto más importante de su cuidado es la necesidad de otorgarles el espacio suficiente para hacer ejercicio. Aparte de esto, pueden ser propensos a aburrirse y ser destructivos en un ambiente doméstico. Un gran jardín en un sitio rural será la zona recreativa ideal para un par de estos Setters y poder sacarlos a pasear por el campo a diario. Tiene un temperamento calmado, característico de los Pointer y que probablemente heredó en su linaje y, son afectuosos por naturaleza.

CARACTERÍSTICAS CANINAS		ANOTACIONES
Personalidad	Algunos ejemplares son enérgicos	
Medidas	Altura: 61 - 64 cm (24 - 25 in) Peso: 25,4 - 30 kg (56 - 66 lb)	
Ejercicios	Necesita un buen paseo a diario, y la oportunidad de hacer ejercicio sin la correa. Atlético	Asegúrate de que el perro recibe el ejercicio adecuado ya que es propenso a ganar peso
En el hogar	El entrenamiento para el hogar puede resultar a veces problemático. No es muy activo en casa y no se adapta bien a la vida urbana	Concéntrate tanto en el entrenamiento en casa como al aire libre desde cachorro
Comportamiento	Aprende rápido. Predispuesto a ladrar, lo que significa que se aburre. Disfruta interactuando con otros perros	Intenta mantener al perro ocupado para evitar que ladre
Cuidados	Requiere cepillado y peinado frecuente. El pelaje le protege contra los cambios climáticos	Vigila los enredos que puedan empezar a formarse en el pelaje
Problemas de salud habituales	Displasia de cadera	Asegúrate de que examinan a los cachorros para detectar displasia de cadera

Cuello robusto
El Setter inglés tiene un cuello largo y elegante a la vez que musculoso y delgado

Pecho profundo
El pecho es profundo con los cuartos delanteros extendiéndose hacia abajo al nivel de los hombros

Cola tersa
La cola se une al nivel de la espalda formando una línea recta continua estrechándose gradualmente a lo largo

7. Bichón habanero o Habanés

Estos perros pequeños, gentiles y sociables son descendientes del Bichón, como se ve reflejado en su apariencia. Lo que resulta difícil de explicar es cómo los antepasados del Bichón habanero llegaron a Cuba hace bastantes siglos.

A GRANDES RASGOS
• Raza inteligente
• Compañeros ideales
• Juguetón
• Sociables con otros perros
• Requiere cuidados a diario

Historia

Sus antepasados podrían haber llegado a Cuba justo después del descubrimiento del Nuevo Mundo, seguramente por los españoles procedentes de Canarias. Por otro lado, podrían descender del Bichón boloñés *(ver pág. 77)*, que representa otra rama del árbol de la familia del Bichón. Eran populares durante el siglo XVII en las cortes reales europeas. Sin embargo, en Cuba, la raza emergente del Bichón habanero pasó a ser popular entre los propietarios adinerados aunque la situación cambió tras la revolución de Fidel Castro en 1958. Cualquier símbolo del estilo de vida precedente, incluyendo al Habanés, dejaron de estar a la moda. Por suerte los refugiados llevaron a estos perros con ellos a Estados Unidos preservando, de esta manera, el futuro de esta raza.

Temperamento

Como corresponde a esta raza de compañía, el Habanés es la opción ideal como mascota, dado que se ha criado para este propósito durante de cientos de años. Se adapta bastante bien incluso en hogares relativamente pequeños. Sus necesidades de ejercicio son también bastante modestas, por lo que resulta idóneo para un entorno urbano, siempre y cuando haya un parque a una distancia prudente para ir a pasear a diario. Es muy sociable con otros perros y no es agresivo por naturaleza. Sin embargo, puede verse acechado por perros de mayor tamaño que podrían tratar de intimidarlo, así que asegúrate de vigilarle cuando se encuentre con un perro desconocido por primera vez.

Ojos grandes
Sus ojos marrón oscuro son bastante anchos y quedan bastante separados entre ellos

Colorido del Habanés
Todos los colores y combinaciones son aceptables para los concursos, incluso los ejemplares de colorido mezclado

Cola protuberante
La cola normalmente recae sobre la grupa provista de un largo mechón de pelo

CARACTERÍSTICAS CANINAS		ANOTACIONES
Personalidad	Crea vínculos estrechos con los miembros de la familia	Involucra al perro en la vida familiar
Medidas	Altura: 20 - 28 cm (8 - 11 in) Peso: 3 - 6 kg (7 - 13 lb)	
Ejercicios	Necesita un paseo diario pero no es una raza muy enérgica	Paseo diario
En el hogar	Activo en casa, se adapta bien a la vida en un apartamento	
Comportamiento	Aprende rápido, por lo que resulta bastante fácil de entrenar. Sociable y se lleva bien con otras mascotas, como gatos. No acostumbra a ladrar excesivamente	Vigílale cuando haya otros perros cerca
Cuidados	Los perros de compañía necesitan sólo un recorte pero para concursos necesitan muchos más cuidados. Rara vez se puede ver a cachorros con pelo corto. No acostumbran a mudar el pelaje	Péinale a diario y recórtale el pelo cuando sea necesario para mantener su pelaje cuidado
Problemas de salud habituales	Problemas oculares, como el prolapso de la glándula del ojo y cataratas. Sordera. Debilidad del esqueleto. Luxación patelar	Asegúrate de que examinan a los cachorros. La luxación patelar puede requerir cirugía correctiva

8. Lebrel escocés

Esta raza atlética y de enorme tamaño se convierte en un excelente compañero para correr y necesitan bastante espacio, no solo para hacer ejercicio sino también para acurrucarse y dormir. El Lebrel escocés tiene también una poderosa cola que puede derribar objetos de encima de la mesilla.

A GRANDES RASGOS
- Necesita mucho espacio
- Necesita bastante ejercicio
- Puede llegar a demostrar su instinto de cazador
- De naturaleza resistente
- Cariñoso

Historia

Descendiente de un grupo de pelaje áspero como el Galgo inglés, esta raza se utilizaba para fatigar y sobrepasar a los ciervos en las Tierras Altas de Escocia, pero dicho papel se convirtió en menos significativo cuando se empezaron a usar armas más extensamente a finales del siglo XVIII. Por suerte, la popularidad del Lebrel escocés se extendió por otros lugares, gracias al artista preferido de la reina Victoria, Sir Edwin Landseer, quien retrató a estos perros de caza en sus obras, hasta tal punto que se convirtieron en un símbolo de Escocia y logró así asegurar su supervivencia. Hoy en día se consideran grandes compañeros además de perros de exhibición. Los ejemplares más comunes tienen una coloración gris azulado oscuro.

Ojos oscuros
Los ojos deberían ser siempre oscuros con un reborde negro en los párpados

Coloración del Lebrel escocés
Es preferible la coloración de un gris azulado oscuro pero a menudo puede cambiar a un rojo arenoso, con el morro y las orejas negras

Pelaje largo
El pelaje en la espalda no sólo es largo sino también más grueso que en las partes inferiores

En el hogar

Es una raza muy afectuosa. Crea un estrecho vínculo con su dueño y se adapta bien a la vida en familia a pesar de que debido a su tamaño hay razas más pequeñas y más adecuadas para un hogar donde haya bebés. Su naturaleza sociable se extiende hacia otras razas y no solo hacia otros perros lebreles. Sin embargo, un aspecto a lamentar al poseer un perro de enormes dimensiones es que su esperanza de vida es bastante corta, normalmente no supera los diez años, mientras que las razas de menor tamaño sobrepasan la quincena.

CARACTERÍSTICAS CANINAS		ANOTACIONES
Personalidad	Cariñoso. Disfruta en compañía de las personas. Tiene su lado sensible	
Medidas	Altura: 71 - 81 cm (28 - 32 in) Peso: 34 - 50 kg (75 - 110 lb)	Los machos suelen ser más grandes
Ejercicios	Necesita una buena carrera a diario	Evita sobre ejercitar a los perros jóvenes
En el hogar	Hay que organizar el hogar de acuerdo con esta raza. Necesita mucho espacio	Raciona las comidas en tres pequeñas porciones al día
Comportamiento	Inclinado instintivamente a perseguir. Puede alcanzar mesas y encimeras para coger con facilidad la comida	Acuérdate de ponerle bozal cuando esté sin correa ya que perseguirá a otros animales
Cuidados	Su pelo largo y áspero le protege bien del clima	Peina regularmente y recorta el pelaje para mantenerlo limpio
Problemas de salud habituales	Propenso a hincharse	No le saques a pasear tras las comidas ya que puede causar hinchazón

9. Sabueso cazador de mapaches

En el sur de Estados Unidos se formaron un número de distintas razas de cazadores, siendo poco frecuentes en otros lugares. A menudo no son estándares y suelen usarse para propósitos de caza. Su linaje desciende de razas europeas.

Fuertes cuartos traseros
Los cuartos traseros son poderosos con los pies posicionados hacia atrás, tras el cuerpo cuando están en posición fija en terreno llano

Pecho profundo
Tiene un pecho profundo que se extiende hacia la parte inferior hasta llegar a la zona de los codos

Pelaje negro
Predomina la coloración negro carbón pero el morro, el pecho, las patas, las nalgas y la parte superior de los ojos son de un tono bronceado

A GRANDES RASGOS
- Aspecto interesante
- Fiel compañero de caza
- Pelaje de fácil cuidado
- Fuerte aullido para indicar la presa subida a un árbol
- Obediente

CARACTERÍSTICAS CANINAS		ANOTACIONES
Personalidad	Amistoso. Compañero inteligente. Crea un vínculo estrecho con su dueño	
Medidas	Altura: 58 - 69 cm (23 - 27 in) Peso: 25 - 34 kg (55 - 75 lb)	Las hembras son generalmente más pequeñas
Ejercicios	Necesita correr en zonas seguras lejos del tráfico	Vigila cuando no esté atado con correa ya que resulta difícil controlarle y puede arrancar a correr
En el hogar	Puede babear y a menudo presenta un aspecto cansado. Recobrará su vitalidad cuando esté al aire libre en el campo	Cubre las sillas para protegerlas de las babas
Comportamiento	Decidido y activo, puede llegar a ser terco	Entrénale para evitar un comportamiento obstinado
Cuidados	Gracias a su corto pelaje, necesita pocos cuidados	Utiliza un guante para mejorar el brillo natural de su pelaje
Problemas de salud habituales	Propenso a displasia de cadera, puede ganar peso con rapidez	Asegúrate que examinan a los cachorros para detectar displasia

Historia

Es la primera raza Coonhound originaria de Estados Unidos, cuya aparición se remonta al siglo XVIII en Virginia. Representa un cruce entre el Foxhound inglés y el Perro de San Huberto *(ver pág. 144)*. El Perro de San Huberto se utilizaba para encontrar esclavos fugitivos, mientras que los Foxhounds eran valorados simplemente por la caza de aves. Los cruces entre las dos razas han dado lugar a la creación de un sabueso cuyos rasgos faciales muestran un parecido similar al de los antepasados del Perro de San Huberto, a pesar de que presenta una constitución más atlética. Son cazadores nocturnos especializados en la búsqueda de mapaches y hoy en día son catalogados como la raza más común de entre los sabuesos.

Sociable con los de su raza

No es de extrañar que sean sociables por naturaleza. Los Foxhound se han mantenido en grupo durante siglos, mientras que los Perros de San Huberto trabajaban en parejas. Estos pueden correr deprisa y mostrar gran resistencia al perseguir su presa. Su intención no es matar a los mapaches sino lograr que trepen a los árboles. Los sabuesos luego lanzan su característico aullido desde la base del árbol donde se haya refugiado el animal.

10. Terrier tibetano

A GRANDES RASGOS
- Sociable
- Su pelaje necesita cuidado diario
- No es exactamente un Terrier
- Cariñoso e inteligente
- Perro resistente

Al contrario de lo que su nombre indica, esta raza asiática, a diferencia de otros muchos terriers, se originó como guardián de ovejas en lugar de como perro para cazar alimañas. En algunos aspectos, el Terrier tibetano parece una versión en miniatura del Bobtail *(ver pág. 61)*.

Historia

El Terrier tibetano guarda un vínculo estrecho con otra raza tibetana, el pequeño Lhasa Apso *(ver pág. 75)*, pero sus orígenes en particular son inciertos. Desafortunadamente la primera descripción occidental de esta raza publicada en 1895 lo describe como un Terrier basándose meramente en el hecho de su aspecto en general y este nombre erróneo ha perdurado. Fue únicamente durante la década de los años 30 del siglo XX cuando estos perros fueron trasladados a Occidente y no llegaron a Estados Unidos hasta 1956. En el Tíbet, su largo pelaje se recorta tradicionalmente al mismo tiempo que se esquila a las ovejas y posteriormente se mezcla con el pelo del yak para hilarlo en la tela. A pesar de que se cree que varios ejemplos de esta antigua raza fueron exterminados durante la era de la ley comunista china, es probable que todavía se encuentren Terriers tibetanos trabajando junto a las ovejas en las áreas más remotas del Tíbet.

Antepasados

A pesar de ser un perro para cuidar el rebaño, se considera sobre todo como perro para exhibiciones y como animal de compañía. Como perro para el trabajo, algunos ejemplares pueden llegar a saltar encima de las ovejas como método para controlarlas. Son dóciles, con buena predisposición con los de su especie, así como con otras razas de tamaño similar. El pelaje largo no necesita un corte, sólo hace falta dejarlo en su estado natural.

CARACTERÍSTICAS CANINAS		ANOTACIONES
Personalidad	Fiel, protector y sensible. Puede ser valiente si se le reta	
Medidas	Altura: 33 - 41 cm (13 - 16 in) Peso: 9 - 14 kg (20 - 30 lb)	
Ejercicios	Requiere una gran cantidad de ejercicio	Paséalo una vez al día
En el hogar	Perro guardián en alerta	
Comportamiento	Animado y activo, ágil. El clima caluroso no le afecta	No propicies que ladre en exceso
Cuidados	Dado a su pelaje largo requiere un cepillado frecuente	Cepilla cada dos días, recorta el pelaje alrededor de los orificios de las orejas. Pulveriza agua sobre el pelo, resultará más fácil
Problemas de salud habituales	Propenso a enfermedades oculares y problemas congénitos de los huesos, como la displasia de cadera y la luxación patelar lo que provoca una debilidad en las rodillas	Asegúrate de que examinan a los cachorros para detectar estas enfermedades. La luxación patelar necesita cirugía correctiva

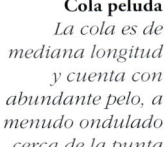

Cola peluda
La cola es de mediana longitud y cuenta con abundante pelo, a menudo ondulado cerca de la punta

Colorido del Terrier tibetano
Todos los colores son aceptables para los concursos, a veces algunos muestran las puntas de las orejas y de los pelos de la barba de un tono más oscuro

Pies grandes
Los pies son grandes y de forma plana, lo que les proporciona un agarre excelente

Tipos de perros para aquellos que viven solos y son menos activos, para parejas con un estilo de vida ajetreado e irregular, para los que viven en zonas urbanas cerca de un parque o para una familia siempre en movimiento con niños mayores.

Chin japonés

Pequeño Lebrel italiano

Perros de pocos cuidados

Manchester terrier

No podemos negar el hecho de que todos los perros necesitan que se les saque a pasear a diario y que se les cuide con cierta asiduidad. Sin embargo, algunas razas necesitan menos ejercicio y cuidados que otras, lo que te proporcionará más tiempo simplemente para disfrutar de la compañía de tu perro, sobre todo si llevas un estilo de vida ajetreado. La mayoría de las razas en este apartado se han criado y mantenido exclusivamente como animales de compañía a lo largo de los siglos, por lo que están instintivamente preparados para vivir en un entorno doméstico.

Los perros que se citan a continuación varían significativamente de tamaño. El Galgo inglés, por ejemplo, sobrepasa en tamaño al Chihuahua. El tamaño del perro es un factor de suma importancia a la hora de escoger una raza. Si el espacio es limitado, por lo general será más sensato escoger un perro pequeño. El coste de cuidar un perro puede condicionar también tu decisión. Las razas de mayor tamaño tienen más apetito que sus «primos» pequeños y las residencias caninas cobran más por cuidar de perros más grandes. Asegúrate de comparar las características de cada raza antes de tomar una decisión final.

Chihuahua

1. Chihuahua

En el transcurso de estos últimos años, los Chihuahuas se han vuelto muy populares debido a que son los animales de compañía predilectos de varios famosos. Esta raza se considera la más pequeña del mundo y debe su nombre al Estado mexicano de donde se cree que es originaria.

> **A GRANDES RASGOS**
> - La raza más pequeña del mundo
> - Inquieto
> - Muy ruidoso
> - Pelaje de fácil cuidado
> - Se adapta al entorno doméstico

Orejas grandes
Los Chihuahuas tienen las orejas grandes y erguidas. Éstas parecen más anchas y planas cuando están relajadas

Cráneo en forma de manzana
El cráneo en forma de manzana es de tamaño reducido y el morro es un poco puntiagudo

Coloración del Chihuahua
El Chihuahua puede ser de cualquier coloración, de un color uniforme, con manchas o incluso moteado

Historia

La explicación más probable sobre los orígenes del Chihuahua es que descienden de los perros nativos de los indígenas americanos en la época precolombina. Otros defienden que podrían venir de Europa y que los conquistadores españoles los llevaron al Nuevo Mundo, sin embargo, lo que sí se conoce con certeza es que estos perros pequeños empezaron a llamar la atención de los americanos que visitaban México desde 1880 en adelante y, por este motivo, se convirtieron rápidamente en animales de compañía muy deseados. Por aquel entonces tenían un aspecto diferente, en comparación con los Chihuahuas de hoy en día, con las orejas de mayor tamaño, la nariz más alargada y eran más parecidos a un cervatillo.

Con la cabeza bien alta

Se cree que algunas variedades originales del Chihuahua podrían haber tenido un pelaje suave a pesar de que hoy en día existe una variedad con pelaje largo. Para un cuidado más fácil, evidentemente será mejor seleccionar una de las variedades de pelo suave, ya que sus cuidados son mínimos. No es una buena opción para un hogar con niños pequeños debido a una peculiaridad anatómica asociada a esta raza. En la parte superior de la cabeza de algunos Chihuahuas, notarás un punto más blando y redondeado bajo su piel: es un orificio del cráneo conocido como mollera. Los bordes del orificio crecen y se juntan rápidamente, pero en la mayoría de los Chihuahuas esto no sucede, lo que les hace muy frágiles.

CARACTERÍSTICAS CANINAS		ANOTACIONES
Personalidad	Mucho más dominante y enérgico que lo que su tamaño puede sugerir, parecido a un Terrier en este aspecto	
Medidas	Altura: 15 - 23 cm (6 - 9 in) Peso: alrededor de 2,7 kg (6 lb)	Evita la obesidad, ya que conllevará a problemas respiratorios
Ejercicios	Feliz correteando por el parque	Ejercítale con cortos paseos y dale la oportunidad de explorar
En el hogar	Disfruta de la atención. Puede ser exigente con la comida	
Comportamiento	Puede temblar de emoción y coger frío con facilidad. Bastante ruidoso	No permitas que ladre
Cuidados	Requiere pocos cuidados	Cepíllale y péinale con frecuencia
Problemas de salud habituales	Hidrocefalia: acumulación de líquido en el cerebro que puede causar una hinchazón de la cabeza fuera de lo común. Puede conservar sus dientes de leche	Cepilla los dientes con asiduidad para mantenerlos en buenas condiciones

2. Bulldog francés

Esta raza tiene un aspecto muy singular. Por sus orejas grandes y elevadas a veces reciben el nombre de «orejas de murciélago» aunque, en sus orígenes, también pueden encontrarse ejemplares con orejas dobladas en forma de «rosa».

A GRANDES RASGOS
- Aspecto peculiar
- Amistoso y fiel
- Pelaje de fácil cuidado
- Tranquilo por lo general
- No es particularmente activo
- No es un gran nadador

Historia

Se creó como animal de compañía. Se cree que desciende de los cruces con los Toy Bulldog, opción popular entre los fabricantes de cordones en el condado inglés de Nottinghamshire. Algunos de estos artesanos emigraron a Francia llevándose consigo a sus perros y fue allí donde la raza actual evolucionó. Algunos Terriers del lugar podrían haber contribuido a su línea ancestral, así como, quizás también el Pug *(ver pág. 13)*. La raza emergente obtuvo buena fama como cazadora de ratas. Hacia finales del siglo XIX, el Bulldog francés empezó a ganar popularidad en París y consiguió captar la atención de los artistas de la época, como por ejemplo, Toulouse-Lautrec, quien los inmortalizó en sus obras. Desde entonces, esta raza se ha popularizado en el resto del mundo.

Qué esperar

Son perros pequeños y vigorosos que disfrutarán en ambientes urbanos. Sin embargo, es importante asegurarse de que no ganan peso en exceso ya que podría afectar a su respiración. Debido a su pequeña nariz, el Bulldog francés puede resoplar y llegar a roncar muy fuerte. Son perros muy juguetones, lo que les convierte en la elección ideal si tienes hijos, y a su vez pueden ser igual de devotos con dueños más mayores, además, su cuidado es sencillo. Su peculiar cola es normalmente corta y puede parecer un sacacorchos. Se les conoce cariñosamente como *Frenchie*. Esta raza es también bastante fácil de entrenar. A diferencia de la mayoría de perros de tamaño pequeño, no son ruidosos ni excitables y pueden llegar a ser perros guardianes muy útiles ya que siempre están alerta.

CARACTERÍSTICAS CANINAS		ANOTACIONES
Personalidad	Calmado y juguetón	
Medidas	Altura: hasta 30 cm (12 in) Peso: 13 kg (28 lb)	Controla el peso del perro
Ejercicios	Disfruta de un paseo por el parque, no es una raza atlética	Vigílale cerca del agua ya que muchos no saben nadar
En el hogar	Se adapta bien como animal de compañía	Enseña al cachorro a jugar con delicadeza
Comportamiento	Muy receptivo, no es propenso a ladrar. Puede llevarse mal con otros Bulldog	
Cuidados	Necesita un peinado ocasionalmente	Vigila posibles enfermedades de la piel
Problemas de salud habituales	Síndrome respiratorio braquiocefálico. Dolencia lumbar. Enfermedad de Von Willebrand (EvW): un desorden de coagulación sanguínea. Por el tamaño de la cabeza puede necesitarse una cesárea	

Orejas de murciélago
El Bulldog francés tiene «orejas de murciélago», anchas en la base y redondeadas en la punta

Cabeza grande
La cabeza es grande y de forma cuadrada con los ojos oscuros y redondeados situados en la parte baja del cráneo

Colores atigrados
Las combinaciones atigradas o atigradas con blanco son frecuentes en esta raza

3. Lebrel italiano

Dentro del mundillo canino, siempre ha habido una tendencia a reducir el tamaño de las razas y el Lebrel italiano es un ejemplo clásico. Es un buen compañero doméstico y hoy en día existe una gran variedad de coloración.

A GRANDES RASGOS
- Pelaje lacio y brillante
- Ideal para la vida urbana
- Cariñoso y silencioso
- Necesita una corta carrera a diario
- Propenso a dar saltos
- Sin olor

Historia

El linaje del Lebrel es uno de los más antiguos que existen e, incluso en el antiguo Egipto, ya se conocían pequeñas versiones de tales perros. Como atestiguan los restos momificados encontrados en las tumbas de los faraones, estaban muy bien considerados. Posteriormente, los lebreles en miniatura ganaron popularidad como perros de compañía en las cortes reales europeas y así aparece reflejado en las pinturas de la época. El afán por miniaturizarlos los llevó casi a su extinción a finales del siglo XIX, sin embargo una cría cuidadosa lo revitalizó y hoy en día el Lebrel italiano vuelve a prosperar otra vez.

CARACTERÍSTICAS CANINAS		ANOTACIONES
Personalidad	No se adapta de inmediato a los desconocidos	
Medidas	Altura: 33 - 38 cm (13 - 15 in) Peso: 3,6 kg (8 lb)	El Lebrel italiano es el más pequeño de estos perros de caza
Ejercicios	Puede llegar a alcanzar los 40 km/h (25 mph) en distancias cortas	Ejercítale a diario con una buena carrera
En el hogar	Necesita un ambiente cálido y acogedor. Puede resultar difícil de entrenar para el hogar	
Comportamiento	Atento, no es agresivo. Territorial por lo que a otros concierne	Incentívale para que sea sociable, para que no sea nervioso de mayor
Cuidados	Su cuidado es bastante sencillo, requiere cuidados mínimos por su fino pelaje. El pelo se debilita al hacer la muda y puede quedar casi pelado, sobre todo en la parte inferior	Cepíllalo cuando sea necesario
Problemas de salud habituales	Problemas oculares, problemas dentales, epilepsia, fracturas en las piernas	

Morro alargado
El morro es alargado y relativamente estrecho

Fuertes muslos
Los muslos son fuertes y musculosos con las patas traseras paralelas vistas desde atrás

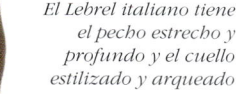

Pecho profundo
El Lebrel italiano tiene el pecho estrecho y profundo y el cuello estilizado y arqueado

Un atleta en miniatura

Prácticamente en todo, el Lebrel italiano es un galgo en miniatura, incluso en su manera de andar. Tiene la misma zancada eficaz, aunque obviamente por su estatura no es comparable a su «primo» de mayor tamaño en lo que respecta al ritmo. Al criarse como perro de compañía durante miles de años, sus instintos de caza son relativamente escasos mientras que su tamaño hace que se adapte bien a la vida urbana. No obstante, necesitará correr a diario por el parque sin correa. Susceptible al frío, debido a su pelaje corto, lacio y brillante, a la falta de una capa inferior y a su reducido tamaño, por lo que deberás protegerlo con un abrigo cuando hace mal tiempo. Es un perro tranquilo y muy cariñoso con aquellos que conoce bien.

PERROS DE POCOS CUIDADOS 49

4. Chin japonés

Esta excepcional raza enana llama la atención por el lado felino propio de su naturaleza. El Chin japonés se mueve con delicadeza, usa sus patas para lavarse la cara, como hacen los gatos, e incluso puede llegar a trepar al respaldo del sofá y dormir allí.

A GRANDES RASGOS
- Personalidad muy singular
- Juguetón
- Amistoso
- Ideal para la vida urbana
- Necesita cuidados

Historia

Se cree, por lo general, que los antepasados del Chin japonés se originaron en China y que se desarrollaron en Corea antes de llegar a Japón alrededor del año 732. Estos perros de pequeño tamaño rápidamente fueron codiciados por la nobleza japonesa como animales de compañía, haciendo hincapié en su tamaño. El Chin japonés era tan apreciado en su tierra natal que el robo de cualquiera de estos perros conllevaba a la pena de muerte. Llegó a Europa a mediados del siglo XVII, introducida por los marineros portugueses y llegó a Estados Unidos por primera vez en 1882 donde durante un período era conocido como el Spaniel japonés. Al final, tras la Segunda Guerra Mundial, fue necesario llevar ejemplares occidentales a Japón para asegurar la supervivencia de la raza en su tierra natal.

Un artista nato

El Chin japonés se crió como animal de compañía para que su dueño presumiese y entretuviese a los invitados, característica que todavía es visible en estos perros de pequeño tamaño que disfrutan siendo el centro de atención. Por eso el Chin japonés será la opción ideal para alguien que viva solo. Uno de sus comportamientos poco habituales es la llamada «Pirueta Chin» en la que el perro realiza piruetas en círculos. Se les conoce también por su llamada característica, muy diferente del ladrido o del gruñido normal. El Chin japonés es, por lo general, un perro tranquilo y normalmente acepta a desconocidos con rapidez aunque suele ladrar cuando llega una visita.

CARACTERÍSTICAS CANINAS		ANOTACIONES
Personalidad	Calmado y cariñoso. Le gusta la atención. Tiene un lado independiente a su naturaleza	
Medidas	Altura: 23 cm (9 in) Peso: 1,8 - 3 kg (4 - 7 lb)	Vigila la dieta del perro, ya que es propenso a ganar peso
Ejercicios	Necesita ejercicio moderado	Evita que haga ejercicio durante las horas más calurosas
En el hogar	Puede dar saltos y trepar	
Comportamiento	Aprende rápido lo que hace su entrenamiento sencillo. Puede ser un poco terco a veces	Vigila los ojos ya que son propensos a rasguños
Cuidados	Necesita cuidados frecuentes	Peina y cepilla el pelaje cada dos días
Problemas de salud habituales	Problemas de luxación patelar que afecta a rodillas y soplos en el corazón. Posibles alergias a derivados de los cereales	La luxación patelar puede suponer cirugía correctiva

Color del pelaje
El Chin japonés puede ser rojo y blanco o blanco y negro, a veces con partes oscuras

Cola peluda
La cola es bastante peluda, con pelo en forma de mechón

Patas delicadas
Desde atrás, las patas son estiradas y delicadas y acaban con unos pies similares a los de las liebres

5. Manchester toy terrier

Como su nombre indica, esta raza es una versión más pequeña del Manchester terrier. Esta versión reducida guarda un vínculo estrecho con el Toy terrier inglés. Sólo esta variedad tiene las orejas alzadas de forma natural y debido a su aspecto se las denomina «llama de una vela».

A GRANDES RASGOS
- Pelaje lacio y brillante de pocos cuidados
- Se adapta bien a la vida urbana
- Tamaño reducido
- Fiel
- Atento

CARACTERÍSTICAS CANINAS		ANOTACIONES
Personalidad	Gran personalidad. Travieso y alerta. Fiel y amistoso	Entrénalo con firmeza para evitar un comportamiento testarudo
Medidas	Altura: 38 cm (15 in) Peso: 5,4 - 10 kg (12 - 22 lb)	
Ejercicios	Disfruta andando e investigando en lugar de correr	Es esencial que lo pasees a diario
En el hogar	Fácil adaptación, ideal para personas mayores	
Comportamiento	Puede ladrar repetidamente si se aburre	Busca tiempo para jugar
Cuidados	Necesita cuidados mínimos	Cepíllale con un guante para mejorar su pelaje lacio y brillante
Problemas de salud habituales	Problemas oculares y cutáneos	Puede tener un problema cutáneo si se rasca repetidamente

Historia

El linaje de esta raza proviene de los Terrier de caza que se usaban para cazar ratas. Su peculiar coloración proviene del antiguo Terrier negro y tostado, popular al noroeste de Inglaterra, cerca de la ciudad de Manchester. A pesar de todo conservaron su instinto para cazar ratas y su miniaturización hizo que se utilizasen para competiciones en edificios públicos donde se apostaban, a veces, grandes cantidades de dinero. Se colocaba a un terrier en las «ratting pit» (trampas para ratas) y se cronometraba el tiempo que tardaba en matar 300 ratas, compradas a los exterminadores de ratas del vecindario. Los visitantes inexpertos con estos acontecimientos podían llegar a perder grandes cantidades de dinero, ya que estos perros pequeños y de aspecto débil eran bastante eficientes. Uno de los ejemplares más conocidos de esta raza es el llamado «Tiny the Wonder», que acabó con todas las ratas en menos de una hora.

Pequeño y amistoso

El cruce con otras razas, como el Lebrel italiano *(ver pág. 48)* ha creado, a día de hoy, una raza más amistosa pero no por ello de naturaleza menos obstinada, que disfruta del ambiente urbano al igual que sus antecesores. No te dejes engañar por su tamaño, ya que por su naturaleza terrier bastante tenaz acabará sin lugar a dudas con cualquier rata que se encuentre, en un instante. Refinado y atractivo, el pelaje lacio y brillante de esta raza necesita pocos cuidados. Le gusta investigar cuando se saca a pasear y disfrutará correteando a tu lado. A diferencia de otros Terrier, por lo general, se llevan bien con otros perros.

Figura esbelta
El Manchester toy terrier tiene un perfil esbelto con una coloración negra y bronce característica

Patas delanteras estiradas
Las patas delanteras son estiradas con unas almohadillas protuberantes «stopper»

Expresión vigorosa
La cabeza es larga con una expresión de alerta vigorosa en la cara

PERROS DE POCOS CUIDADOS 51

6. Terrier checo

Es una raza de aspecto poco común, conocida como Terrier checo, puesto que se originó en lo que hoy se conoce como la República Checa. Es muy amistoso, pero no es demasiado popular.

A GRANDES RASGOS
- Apariencia característica
- Buen compañero
- Pelaje de fácil cuidado
- Manso
- Bastante tranquilo comparado con otros Terriers

Historia

Esta raza refleja la visión de su creador, František Horák que residía en lo que antes se conocía por Checoslovaquia. Su intención era la de crear el perro ideal para cazar en los bosques de Bohemia. De hecho, esta raza se denomina también Terrier de Bohemia por este motivo. Empezó cruzando el Terrier escocés con el Terrier de Sealyham, con un programa que duró 10 años. Se cree que han contribuido otras razas como el Dandie Dinmont *(ver pág. 158)*, aunque en menor medida. Hubo otra fase de cruces en la década de los años 80 del siglo XX con el Terrier de Sealyham y esta raza ha pasado a reconocerse como el perro nacional de la República Checa.

Un Terrier distinto

El Terrier checo es relativamente raro hoy en día, pero es mejor compañero que sus predecesores. No es inquieto y es bastante paciente con los niños. Esta raza todavía conserva instintos de cazador de ratas y disfruta haciendo ejercicio. A diferencia de otros Terrier, el cuidado de su pelaje es bastante fácil. No es necesario despojarle del pelaje, solo recortarlo sobre su lomo y su cola, ya que es relativamente largo. El pelo facial y de la parte inferior del cuerpo no se recorta. Los cachorros tienen un aspecto diferente al de los adultos, pero no solo por su pelaje corto sino porque son todos negros al nacer.

	CARACTERÍSTICAS CANINAS	ANOTACIONES
Personalidad	Tenaz. Algo independiente. Fiel	
Medidas	Altura: 25 - 36 cm (10 - 14 in) Peso: 5,4 - 8 kg (12 - 18 lb)	
Ejercicios	Buena resistencia. No es una raza atlética	Ejercítale a diario
En el hogar	Guardián alerta	Ten cuidado ya que podría cavar en el jardín
Comportamiento	Tranquilo pero juguetón al aire libre. Un compañero de caza vigoroso	Vigílale al aire libre ya que acostumbra a perseguir roedores
Cuidados	Requiere que recortes y peines su pelaje. No es necesario despojarle de él	Cepilla el pelo largo cada dos o tres días
Problemas de salud habituales	*Scottie cramp* (rampa de los Scottie) debido a sus antepasados de Terrier escocés, esto afecta al movimiento, normalmente después de hacer ejercicio pero es de breve duración	Vigila por si aparece algún indicio de esta afección

Rasgos característicos
El Terrier checo tiene la cabeza alargada con una barba poblada peculiar y un bigote y unas cejas bien definidos

Patas y pies
Los muslos son robustos y musculosos. Las patas traseras son paralelas y los pies traseros son más pequeños que los delanteros

Tonos de gris a marrón café
La coloración es o bien de un tono gris azulado con contrastes o de un tono café claro

7. Galgo inglés

Como atleta prototipo del mundo canino, el Galgo inglés es un velocista en lugar de un perro corredor de resistencia. Tranquila y afectuosa, esta raza gentil se adaptará bien en un hogar sin gatos y con niños mayores.

> **A GRANDES RASGOS**
> - Le encanta hacer *sprint*
> - Carácter tranquilo
> - Se adapta bien a la vida urbana
> - Disfruta persiguiendo otros animales
> - Debe llevar bozal cuando sale a pasear

Potentes cuartos traseros
Los cuartos traseros proporcionan la propulsión para lograr la máxima velocidad

Pelaje del Galgo
Puede ser del todo negro, gris, rojizo o beige. También puede ser atigrado o moteado

Espolón
Comprueba que los espolones no crezcan más de lo normal

Historia

Las imágenes de los galgos pintadas en cuevas y en las antiguas tumbas egipcias, datan de hace más de cinco mil años. Su aspecto ha permanecido igual a través del tiempo. La alargada nariz de esta raza y su cabeza estrecha es la imagen típica de un galgo. Confía en su minuciosa vista para localizar y perseguir a su presa en vez de olfatear y seguir su rastro. Su nombre en inglés «greyhound» es bastante impreciso ya que no hace referencia a su coloración sino que deriva del significado «gris» del anglosajón que significa «antiguo» y hace referencia a los antepasados de estos perros de caza.

Rescata a un corredor

El popular deporte de las carreras de galgos empezó en Estados Unidos en 1912. En las carreras, se suelta a los perros de caza de sus caniles para perseguir a una liebre mecánica alrededor de la pista. Puede alcanzar una velocidad máxima de 69 km/h (43 mph) en distancias cortas pero muchos de ellos no llegan a estas velocidades. Como resultado siempre queda algún galgo retirado de las carreras que necesita un buen hogar. Puede llegar a ser una mascota excelente pero siempre debe llevar el bozal puesto, ya que es propenso a perseguir y agarrar a perros pequeños u otros animales.

CARACTERÍSTICAS CANINAS		ANOTACIONES
Personalidad	Dócil, no es especialmente extrovertido, afable y sociable. No es una raza posesiva	
Medidas	Altura: 69 - 76 cm (27 - 30 in) Peso: 27 - 32 kg (60 - 70 lb)	Los machos suelen ser más altos
Ejercicios	Es esencial dejarlo suelto sin correa a diario. No necesita largas carreras	Usa un abrigo al aire libre en la época de frío ya que no tienen una capa densa de pelaje
En el hogar	Adaptable a la vida urbana con un parque cercano, aunque necesitará espacio en casa para estirarse	Prepárate para perder un sillón
Comportamiento	Una vez arranca a correr, es difícil hacerlo volver aunque solo corre distancias cortas	
Cuidados	Necesita frecuentes cuidados	Usa un guante de goma semanalmente para eliminar el pelo suelto
Problemas de salud habituales	Propenso a hinchazones y a torsión gástrica. Tiene la reputación de ser una de las razas totalmente libres de displasia de cadera. Los perros que participaban en carreras podían sufrir parásitos pulmonares	No lo ejercites después de las comidas ya que esto le puede causar hinchazón y torsión gástrica

PERROS DE POCOS CUIDADOS 53

8. Teckel o Perro salchicha

Estos perros de caza pueden encontrarse en una gran variedad de tamaños, dos pesos y tres texturas de pelaje por lo que seguramente habrá un Perro salchicha para satisfacer el gusto de todos. Incluso existe una mayor variedad de coloración, hasta con motas y de color negro mirlo.

A GRANDES RASGOS
- Este perro necesita estar bajo control
- Uno de los perros familiares más populares
- Necesita pocos cuidados
- No se adapta bien a las escaleras

CARACTERÍSTICAS CANINAS		ANOTACIONES
Personalidad	Las variedades de pelo corto y largo son más calmadas y sensibles que las de pelo rizado. Los miniatura son más nerviosos	Proporciona liderazgo al perro
Medidas	Altura: 13 - 23 cm (5 - 9 in) Peso: 5 - 14,5 kg (11 - 32 lb)	Incluye a las variedades miniatura y estándar
Ejercicios	Necesita ejercicio con frecuencia y tiempo para jugar	Sácale a pasear con frecuencia y juega con él. No le incites a dar saltos y a jugar bruscamente
En el hogar	Disfruta de aventuras esporádicas al aire libre pero debería dormir fuera	
Comportamiento	A menudo crea estrechos vínculos con una persona y será distante con los demás	Desde el principio ayúdale a ser sociable
Cuidados	Los cuidados pueden variar en función del tipo de pelaje. No necesita tantos baños como otras razas	Despoja de pelaje a los de pelo áspero dos veces al año, cepilla a diario a los de pelo largo y frota con frecuencia a los de pelo suave
Problemas de salud habituales	Propenso a enfermedades del disco vertebral y obesidad	Mantenle con una dieta sana para evitar la obesidad. Realiza un test ocular con regularidad

Historia

El Teckel se originó en Alemania, por eso se le conoce como Perro tejón o incluso más a menudo como Perro salchicha. Criado originalmente para cazar tejones, sus patas han ido gradualmente disminuyendo. El Teckel encontró su sitio como un perro familiar ideal convirtiéndose en uno de los perros de caza más populares en Estados Unidos. Hoy en día es más probable que tu Perro salchicha persiga antes a tu mando a distancia que a un tejón.

Sé el dueño

Su naturaleza independiente y traviesa hace de estos perros de pequeño tamaño un reto para entrenarlos. Para evitar que desarrolle problemas de comportamiento como la ansiedad si se queda solo, mordisqueo, celos y que ladre en exceso, debes asegurarte de controlarlo. Los perros salchicha deberían adaptarse a los niños y a otros animales de compañía desde una edad temprana y deberías intentar asegurar que este primer encuentro sea una experiencia positiva. Enséñales quien manda y estos perros serán maravillosos animales familiares de excelente carácter.

Revisión de los ojos
Raza propensa a problemas oculares por lo que necesita frecuentes revisiones

Espalda expuesta a lesiones
La espalda está expuesta a lesiones, intenta evitar que dé saltos o que use las escaleras

Pelaje del Perro salchicha
Su pelaje puede ser de un tono rojizo, pardo negruzco o de un color crema. Los bicolores normalmente son de un color bronce con un tinte marrón o gris y los tricolores pueden ser una mezcla de blanco. Este es un ejemplar de pelo suave

Patas cortas
Algunas razas de Teckel en Europa tienen las patas más alargadas

9. Corgi galés

Existen dos razas de Corgi galés que llevan el nombre de los condados de Gales donde se criaron. A menudo pueden diferenciarse según su cola, ya que el Cardigan tiene la cola alargada y el de Pembroke acostumbra a no tener cola. El Cardigan es también de un tamaño ligeramente mayor.

A GRANDES RASGOS
- Dos razas diferentes con un carácter parecido
- No es aconsejable para niños pequeños
- Pelaje de fácil cuidado
- Sorprendentemente enérgico

Historia

Ambas razas del Corgi galés eran perros ordinarios de granja. Su función era la de recoger el rebaño mordisqueando las patas de cualquiera que se resistiera. Las patas cortas de estos perros les ayudaban a moverse por dentro y fuera del rebaño sin ser golpeados. Sus orígenes son un tanto desconocidos a pesar de que han existido durante más de un milenio. Se les conoce como Corgi en inglés por la palabra de origen celta para «perro». La raza Cardigan es un poco más grande que su pariente el Pembroke y tiene también las orejas más redondeadas. Durante su infancia, la reina Isabel II obtuvo un ejemplar Pembroke por primera vez en 1933.

No es apto para todos

Incluso la reina Isabel II padeció los instintos de este perro, aunque su ferviente compromiso con esta raza sirvió para difundirla. El Corgi galés todavía conserva su instinto por mordisquear si se siente frustrado por lo que no es recomendable en un hogar con niños pequeños. No es un comportamiento agresivo, sino una reacción impulsiva aunque puede llegar a ser, sobre todo para los niños, una experiencia bastante dolorosa y un poco traumática. Siempre y cuando tengas en cuenta este comportamiento y evites que tu perro se comporte de esta manera, será un perro excelente. Ten cuidado también al pasearlo ya que no son demasiado sociables con otros perros.

CARACTERÍSTICAS CANINAS		ANOTACIONES
Personalidad	Enérgico a pesar de su tamaño. Inteligente	Enseña a los cachorros a ir con correa y a soltar los juguetes cuando los muerden
Medidas	Altura (Pembroke): 25 - 30 cm (10 - 12 in) Peso (Pembroke): 11,3 - 14 kg (25 - 30 lb) Altura (Cardigan): 28 - 33 cm (11 - 13 in) Peso (Cardigan): hasta 15,5 kg (34 lb)	
Ejercicios	Necesita bastante ejercicio, preferiblemente en zonas rurales	Mantenle alejado de otros perros, ya que pueden enfrentarse. Evita las zonas donde haya ganado ya que puede intentar guiarlo
En el hogar	Disfruta jugando	No le animes a que salte o suba escaleras ya que le puede provocar una hernia discal
Comportamiento	Conserva instintos para el trabajo. Puede mostrar un lado independiente	
Cuidados	Bastará con un sencillo peinado	Cepíllale el barro cuando esté seco
Problemas de salud habituales	La atrofia progresiva de retina (PRA) es un problema en algunas líneas sanguíneas. Hernia discal	Asegúrate de que examinan los cachorros para detectar PRA

Cuartos traseros del Corgi
El Corgi tiene unos poderosos cuartos traseros a pesar de sus patas y pantorrillas cortas, que ayudan a su movilidad

Orejas de forma triangular
Las orejas triangulares resaltan su naturaleza predispuesta

Pecho ancho
El pecho es relativamente ancho con las costillas extendiéndose a lo largo de los laterales del cuerpo hasta la parte trasera

10. Basset hound

Es la raza mejor conocida de los perros Basset hoy en día; el Basset hound por sí solo es el único ejemplo que no ha evolucionado en Francia. Su nombre es originario de la palabra en francés «bas» que significa bajo y que describe la estatura de estos perros.

A GRANDES RASGOS
- Gran personalidad
- Activo con mucha energía
- Bueno con los niños pequeños
- Pelaje de fácil cuidado
- Ladrido atractivo
- No es excitable

Historia
La explicación para la aparición de estos perros de caza es una mutación de la raza de perros de caza de patas cortas que surgió en Francia. Sus precursores llegaron a Inglaterra en 1866 pero a diferencia de otras razas parecidas no existe una variedad correspondiente con patas largas en este caso. Se usaban sobre todo para cazar conejos y liebres, acompañando a los cazadores a pie. El cruce con el Perro de San Huberto ayudó a mejorar sus habilidades olfativas.

Como compañero
El Basset hound conserva la eficaz habilidad para seguir un rastro, esto puede llegar a ser un problema con los perros mascota ya que pueden moverse increíblemente rápido a pesar de sus patas de tamaño corto. Sin embargo, son animales de compañía excepcionales y poseen una llamada característica, que normalmente hacen cuando siguen un rastro. Esto permite a miembros del grupo a permanecer en contacto entre ellos cuando se desplazan entre la maleza del bosque. Este perro será el compañero ideal, siempre y cuando tengas en cuenta su tendencia a seguir el rastro. Son perros muy pacientes con los niños y debido a su pasado de perros que se han criado en grupo significa que se llevarán bien con otros de su misma raza o de otra raza. Su mayor vicio es la glotonería, pon especial atención a no dejar las bolsas de la compra en el suelo cuando llegues a casa, o de lo contrario es probable que te encuentres ¡que ha arrasado con la compra!

CARACTERÍSTICAS CANINAS		ANOTACIONES
Personalidad	Cariñoso, dócil y tranquilo. Disposición flemática. De confianza y de fiar	
Medidas	Altura: 36 cm (14 in) Peso: 22,7 kg (50 lb)	Vigila su peso, puede ser propenso a ganar peso sobre todo tras ser capados
Ejercicios	Necesita una buena carrera diaria sin la correa	Vigílale si está suelto sin correa ya que puede salir corriendo
En el hogar	Necesita pasear por el campo. Le gusta dormir en el sofá	
Comportamiento	Buen apetito	
Cuidados	Su cuidado es fácil, a veces necesita un cepillado. Con tendencia a desprender olor	Utiliza un guante de perro de caza para mejorar el brillo de su pelaje. Báñalo con frecuencia
Problemas de salud habituales	Hernia discal. Ectropión, cuando los párpados cuelgan de los ojos, esto puede causar infecciones	El ectropión puede necesitar cirugía

Cabeza grande
Tiene la cabeza grande, unas fosas nasales anchas y protuberantes. El cráneo es sin lugar a dudas arqueado

De la columna a la cola
La cola se prolonga desde la espalda hasta la altura de la espina dorsal pero se curva un poco en toda su longitud

Coloración y manchas
El pelaje puede ser tricolor o de un tono amarillo limón y blanco, con manchas sin distinción alguna

Tipos de perros para aquellos que disponen de bastante tiempo libre, para los que quieren aprender nuevas habilidades o que son muy laboriosos, para aquellos que buscan a un compañero para salir a correr, en función de la raza.

Samoyedo

Perros de muchos cuidados

Lebrel afgano

Los cuidados que necesitan las diferentes razas que se mencionan aquí varían, sobre todo, en función de sus orígenes. Las razas activas, como el Samoyedo, necesitan bastante ejercicio para evitar el aburrimiento y son potencialmente inquietos en el hogar. Uno de los factores más importantes a tener en cuenta antes de escoger una raza de este apartado, serán sus cuidados. Quizá sea irónico que todos estos perros se críen con fines laborales en lugar de animales de compañía que necesiten cuidados. Sin embargo, su crianza selectiva a lo largo de los años debido a su participación en las competiciones, ha modificado su aspecto, como por ejemplo el del Lebrel afgano, que ahora tiene pelo largo.

El pelaje de este grupo de perros servía para protegerlos del clima cuando trabajaban al aire libre. Hoy en día, mantener esta característica en óptimas condiciones es una destreza que quizás debas aprender, aunque para la mayoría de dueños será una cuestión de concertar una cita con la peluquería canina del barrio. Es posible que el pelaje del perro no necesite muchos cuidados de este tipo entre sesiones. Pero si estás interesado en hacer punto, probablemente un perro pastor inglés te resultará atractivo, ya que a menudo su pelaje se usa para prendas de ropa.

1. Lebrel afgano

Al ver a estos perros de caza elegantes es difícil ignorar el hecho de que detrás de tanta belleza hay una considerable cantidad de trabajo necesario para lograr un aspecto tan inmaculado. El entrenamiento supone también un problema, a pesar de que el Lebrel afgano es una raza excelente para sacar a pasear.

A GRANDES RASGOS
- Perro hermoso
- Veloz
- Difícil de entrenar
- Cuidado bastante exigente
- No siempre se lleva bien con otros perros

Historia

Los orígenes de estos elegantes perros de caza se encuentran en Afganistán. Estos perros se criaron en esta zona de terrenos abiertos y a menudo montañosos, para perseguir animales de caza como el antílope o el ciervo. Una de las características de esta raza es su pisada firme, que le permite maniobrar a buen ritmo sobre un terreno difícil. El Lebrel afgano llegó por primera vez a Occidente a finales del siglo XIX. Por aquel entonces existían diferencias notorias en su aspecto, entre las variedades de las regiones montañosas del país, de un color bastante oscuro y con un pelaje más abundante y entre las variedades que vivían en las zonas áridas y casi desérticas, de un color más claro y con un pelaje más corto. Hoy en día, estas diferencias se han perdido.

En el hogar

Requiere enormes cantidades de cuidados. Las variedades actuales tienen el pelaje más abundante que las que originalmente llegaron a Occidente. Tampoco es una raza para alguien inexperto, ya que estos perros de caza pueden resultar difíciles de entrenar. Normalmente no acuden si se les llama, sobre todo si persiguen algo. Pueden echar a correr tras pequeños animales, a veces incluso perros pequeños y lastimarlos. Por lo tanto, como precaución, puede ser buena idea ponerle bozal. Dado que el Lebrel afgano realmente necesita poder correr por el campo, alejado del ganado, una carrera con correa no será ejercicio suficiente.

Mechón de la cabeza
En la parte superior de la cabeza se observa un mechón de pelo sedoso

Coloración del pelaje
Cualquier coloración o combinación es aceptable

Pies peludos
Los pies están cubiertos de pelo grueso y largo

CARACTERÍSTICAS CANINAS		ANOTACIONES
Personalidad	Distante, no acepta de inmediato a los desconocidos	
Medidas	Altura: 61 - 71 cm (24 - 28 in) Peso: 22,7 - 27 kg (50 - 60 lb)	Los machos suelen ser más pesados
Ejercicios	Necesita una buena carrera sin correa a diario; esto es vital porque si se aburre puede ser destructivo dentro del hogar	Ejercítale a diario sin correa
En el hogar	Un jardín espacioso le proporcionará el espacio adicional para el ejercicio	Busca tiempo para jugar en el jardín
Comportamiento	Bastante independiente y difícil de entrenar; suele llevarse bien con los gatos de la casa pero perseguirá a los callejeros; puede mostrar instintos de cazador	Vigílale cuando haya otros perros y animales pequeños cerca
Cuidados	Es esencial un cuidado prolongado a diario de su pelaje sedoso	Cepíllale a diario y corta el pelo enredado
Problemas de salud habituales	Problemas oculares como cataratas. Pueden desarrollar «ojos azules» una reacción transitoria a la vacuna para la hepatitis canina infecciosa	

2. Löwchen

PERROS DE MUCHOS CUIDADOS — 59

El Löwchen, también conocido como el «pequeño perro león» por su parecido con el león cuando se le recorta la melena, no muda su pelaje por lo que puede ser una buena opción para aquellos que padecen alergias. También se le considera un miembro de la familia del Bichón.

A GRANDES RASGOS
- Aspecto bastante característico
- No muda el pelaje
- Raza poco frecuente
- Compañero ideal
- Pelaje de cuidados exigentes

Historia

Su nombre de origen germánico sugiere que podría haberse originado en Alemania, pero otros piensan que en realidad es una raza francesa. Se cree que sus orígenes se remontan a la Edad Media y, ya por el siglo XVI, estaban bien repartidos por Europa. Tradicionalmente llevaban el pelo cortado pero las razones para ello no quedan claras. Podría haber sido por razones estéticas, junto con la creencia de que si se parecía a un león, su constitución sería igual de fuerte. Por otro lado, se ha sugerido que el recorte de su pelaje significaba que el Löwchen podía servir para calentar los pies de sus dueñas en la cama. A pesar de esto, recientemente el futuro de los Löwchen se ha puesto en duda, ya que su número disminuyó hasta llegar a 65 ejemplares aproximadamente en 1973, convirtiéndola en la raza más rara del mundo por aquel entonces.

La raza en la actualidad

Desde 1973, el Löwchen ha experimentado un resurgimiento significativo y de nuevo vuelve a verse con más frecuencia. Esto es en parte debido al incremento del interés por las razas que no mudan su pelo. Mientras que todas las razas mudan algo de pelo, el Löwchen lo hace a una velocidad más lenta que las demás. Su popularidad es también un reflejo de su aspecto único y de sus lazos históricos. Sin embargo, el cuidado de su pelaje es más exigente que el de otras razas por lo que es probable que necesite un cuidado profesional. En los concursos, sólo se acepta el corte de pelo parecido al de un león. El pelaje es suave al tacto y es ondulado de manera natural.

CARACTERÍSTICAS CANINAS		ANOTACIONES
Personalidad	Enérgico. Afectuoso por naturaleza	
Medidas	Altura: 25 - 33 cm (10 -13 in) Peso: 4 - 8 kg (9 - 18 lb)	
Ejercicios	Necesita un buen paseo diario. Bastante activo	Los perros esquilados necesitarán una prenda de abrigo cuando hace frío
En el hogar	Disfruta de la compañía de las personas. No suelta pelo en casa	Asegúrate de pasar bastante tiempo con él
Comportamiento	Bastante extrovertido, pero no es excitable o ruidoso	
Cuidados	Pelaje de una sola capa, necesita un recorte y un cepillado	Recórtale el pelo cada ocho semanas y cepíllale a diario
Problemas de salud habituales	No se ha diagnosticado ninguna enfermedad congénita contagiosa	Revisa sus orejas para cualquier infección

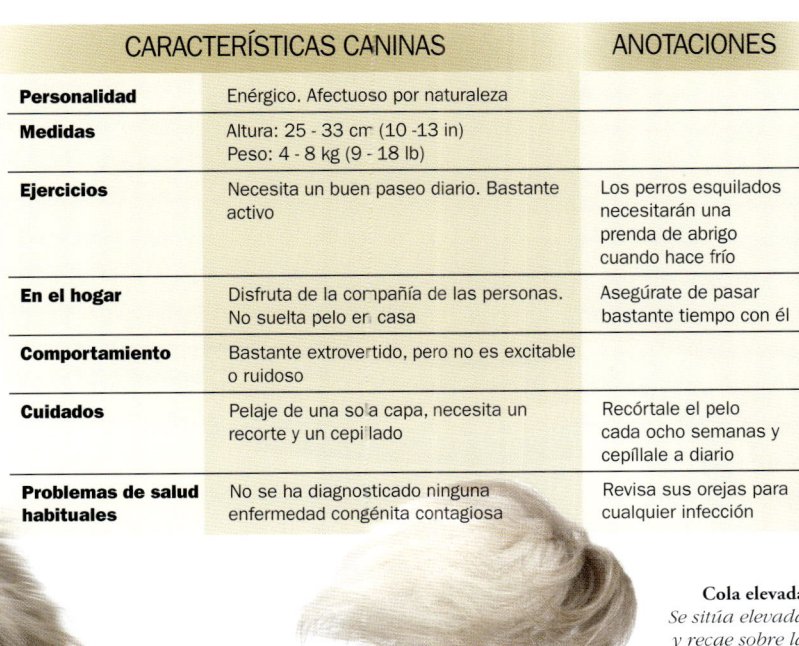

Cola elevada
Se sitúa elevada y recae sobre la espalda, pero puede reposar baja cuando está de pie

Corte de pelo
El corte conocido como «el corte león» puede ser una característica de esta raza, como en algunos Caniches. El pelo largo en la parte delantera del cuerpo da la impresión de ser una melena de león; de ahí su nombre

Combinación de colores
Todos los colores y combinaciones del Löwchen son aceptables, no se excluye ninguna

Pies de tamaños diferentes
Los pies delanteros son de mayor tamaño que los traseros, siendo ambos bien arqueados

3. Chow Chow

Esta antigua raza asiática es poco común por varias razones, incluyendo su lengua azulada. Su nombre proviene del cantonés que significa «comestible», por lo que refleja el hecho de que estos perros se criaban mayoritariamente en China como fuente de alimento.

A GRANDES RASGOS
- Su entrenamiento requiere tiempo
- Necesita cuidados frecuentes
- Disfruta de buenos paseos
- Fiel
- Raza histórica
- No es idóneo para familias

Lengua azulada
De un tono azul oscuro es una de las características de la raza, independientemente del color del pelaje

Ceño del Chow Chow
La piel acolchada sobre la zona de las cejas da la impresión de que frunza el ceño

Las tonalidades del color
El Chow Chow puede ser de color crema, rojizo (de pelirrojo a caoba), con reflejos de color canela, además de azul y negro

Historia
Se desconocen los orígenes del Chow Chow, pero hay indicaciones de que podría descender de los cruces con el Mastín tibetano *(ver pág. 89)* y el Samoyedo *(ver pág. 66),* aunque es cuestionable. Esta raza fue vista por primera vez cuando una pareja de perros llegó desde China a Inglaterra en 1780. Más adelante, en 1828, el Zoo de Londres adquirió otra pareja, que pasó a mostrarse al público en general. Sin embargo, el Chow Chow se convirtió en una mascota muy popular, cuando la reina Victoria adquirió un ejemplar durante ese siglo. En su tierra natal, además de ser criados como alimento, el Chow Chow servía como perro guardián y de caza y también para tirar de carretillas.

Comprender a los dueños
El Chow Chow no es una raza propensa a ganar una competición de obediencia ya que posee un lado bastante independiente. Esto hace que el entrenamiento sea difícil y el problema se acreciente por el hecho de que no se lleva bien con los de su raza o los de otras razas. No es necesariamente una raza adecuada para un dueño inexperto, por lo que si decides tener uno, necesitarás tiempo suficiente para concentrarte en su entrenamiento. Los cuidados también requieren tiempo, sobre todo con los de pelaje más largo. Ten en cuenta que el aspecto facial del Chow Chow puede afectar a su comportamiento; por ejemplo la posición profunda de sus ojos significa que no pueden ver bien desde los lados por lo que puede alterarse si nos acercamos desde este ángulo.

CARACTERÍSTICAS CANINAS		ANOTACIONES
Personalidad	Independiente, fiel. No es una de las razas más afectuosas. Atento, sobre todo con las visitas. Protector por naturaleza	Vigila al perro cuando haya otros perros cerca
Medidas	Altura: 46 - 56 cm (18 - 22 in) Peso: 22,7 - 32 kg (50 - 70 lb)	
Ejercicios	Activo	Intenta ejercitarlo lejos de otros perros
En el hogar	Muy independiente	
Comportamiento	No es una raza muy juguetona. Su naturaleza terca puede causar problemas	Es vital que te asegures de proporcionarle un buen entrenamiento
Cuidados	Los machos tienen una melena más abundante	Cepíllale y péinale
Problemas de salud habituales	Propenso a problemas que afectan a los párpados y a las pestañas	Esta condición puede corregirse con cirugía

4. Bobtail

A pesar de que su nombre denota antiguo (Antiguo perro pastor inglés) no es una raza particularmente antigua, ni tampoco es la típica raza que cuidaba ovejas. Por su excelente naturaleza se ha convertido en el perro más popular y en un compañero ideal. De aspecto característico y manera de andar muy pausada.

A GRANDES RASGOS
- Bastante nervioso
- Cuidado bastante exigente
- Sociable y juguetón
- Muy enérgico
- Su entrenamiento requiere paciencia

CARACTERÍSTICAS CANINAS		ANOTACIONES
Personalidad	Extrovertido y exuberante	
Medidas	Altura: 53 - 64 cm (21 - 25 in) Peso: 27 - 29,4 kg (60 - 65 lb)	
Ejercicios	Necesita mucho ejercicio, ya que dispone de bastante energía, lo que es característico de un perro de granja	Ejercítale con una buena carrera cada día
En el hogar	En casa, puede alterarse si se le pone nervioso. Buen perro guardián. Por su tamaño, no es recomendable para una casa con bebés	Vigílale si hay niños cerca
Comportamiento	Tiene un aire independiente. Juguetón pero a la vez nervioso. Extrovertido	Ten paciencia con el entrenamiento
Cuidados	Su cuidado es exigente si no se corta el pelo. El pelaje cortado es más cómodo para el perro en verano	Cepíllale a diario y recorta su pelo para mantenerlo limpio
Problemas de salud habituales	Cataratas hereditarias. Relativamente libre de enfermedades congénitas	

Historia

El Collie barbudo podría haber jugado un papel importante en los orígenes del Bobtail, seguramente junto con el perro pastor ruso Ovtcharca, de mayor tamaño y originario de Ucrania. También habrían formado parte de su desarrollo, perros que dirigían el ganado, procedentes del oeste de Inglaterra donde se creó la raza. Recibe el nombre de Bobtail porque su cola supuestamente estaba atada para mostrar que era un perro de trabajo. El Antiguo perro pastor inglés en realidad trabajaba principalmente con el ganado, agrupándolo de una explanada de campo a otra y también en el mercado. En común con las ovejas, se les esquilaba anualmente y su pelo se usaba para hacer ropa.

Muy enérgico

Tiene una cantidad de energía espectacular y necesita las oportunidades suficientes para hacer ejercicio. En el hogar, puede ser un poco patoso, sobre todo si se pone nervioso. Su tamaño es otro factor, ya que puede derribar fácilmente cualquier objeto. El entrenamiento no es especialmente sencillo, debido a su naturaleza agitada y activa y no se adaptan muy bien a la vida urbana. Como podría preverse, su pelaje requiere bastante tiempo. A no ser que le mantengas para concursos, puedes cortar su pelaje. Esto supondrá un alivio para tu mascota, que puede llegar a producir hasta 2,2 kg (5 lb) de pelo.

Forma de la cabeza
El Bobtail tiene una cabeza cuadrada con los ojos marrones o azules, o uno de cada color

Coloración del perro
Su pelaje puede ser gris, pardo, azul o azul mirlo, con o sin tonalidades de blanco

Pies y patas
Los cuartos traseros son redondeados y robustos con los pies pequeños y redondeados también

5. Terrier azul de Kerry

A pesar de su nombre, esta raza es en realidad de una tonalidad gris, con las extremidades de su cuerpo bordeando el negro. El matiz de la coloración puede variar hasta cierto punto entre ejemplares y por lo general, algunos son más oscuros que otros.

A GRANDES RASGOS
- De aspecto bastante característico
- Su pelaje necesita cuidados
- No es compatible con otras mascotas
- Se adapta bien como perro familiar

CARACTERÍSTICAS CANINAS		ANOTACIONES
Personalidad	Testarudo, inteligente, puede ser obstinado	
Medidas	Altura: 43 - 51 cm (17 - 20 in) Peso: 15 - 18 kg (33 - 40 lb)	
Ejercicios	Buena resistencia	Ejercítalo a diario con un buen paseo. Intenta evitar el contacto con otros perros
En el hogar	Está, a menudo, ansioso por jugar. Le gusta perseguir la pelota. Buen perro guardián	Busca tiempo para jugar
Comportamiento	Tiene fama de no gustarle los gatos	Entrénalo para que supere su fobia
Cuidados	Su cuidado es exigente. Pueden aconsejarte de su cuidado en un salón canino con experiencia	Cepíllale a diario y córtale el pelaje cuando sea necesario
Problemas de salud habituales	Los adultos pueden padecer tumores que afectan al folículo piloso; aparecen como inflamaciones en la base del pelo	Vigila cualquier indicio de esta condición

Historia

Este Terrier del condado de Kerry, al suroeste de Irlanda, se considera el perro nacional de Irlanda. Se desconocen sus orígenes, a pesar de que son descendientes de los perros que sobrevivieron a un naufragio en la bahía de Tralee. Si creemos que esta historia es cierta, podrían ser descendientes de un Terrier Bellington, pero los orígenes concretos del Terrier azul se desconocen. Otros Terrier originarios de Irlanda tomaron parte también como por ejemplo el Wolfhound irlandés *(ver pág. 88)*. Durante mucho tiempo, estos Terrier se criaban como perros de granja, para cazar alimañas y nutrias. En ocasiones su versatilidad se extiende hasta el punto de vigilar el ganado e incluso hasta como perros cobradores.

Pequeñas orejas
Tiene las orejas pequeñas, en forma de «V» y reposan hacia delante en la parte superior del cráneo

Pelaje grisáceo
La coloración puede variar de un azulado grisáceo a un gris azulado, variando del color pizarra hasta un gris azul claro

El Terrier azul como animal de compañía

La popularidad del Terrier azul de Kerry no es tanto como acostumbraba a ser en su época de alza en 1920 tal vez por su naturaleza tan decidida, aún así es un perro de compañía inteligente, siempre listo para aprender. Sin embargo, estos Terrier pueden ser testarudos y algunas veces un poco revoltosos, sobre todo hacia otros perros. El pelaje necesita cuidados exigentes y es probable que necesites la ayuda de un profesional. Todos los cachorros son de color negro al nacer y su coloración tarda un par de años en aclararse. Este cambio se describe según los criadores como «aclarado».

Patas delanteras rectas
Vistas desde un ángulo frontal y lateral, las patas delanteras son rectas

PERROS DE MUCHOS CUIDADOS

6. Wheaten terrier

Esta es otra raza variante del Terrier irlandés. Estos perros eran necesarios para llevar a cabo una variedad de tareas en las granjas donde vivían y a menudo trabajaban por su cuenta. Recientemente, se han adaptado también para los concursos.

Historia

Los Terrier labradores parecidos al Wheaten terrier han sido populares en zonas de Irlanda durante más de dos siglos y es probable que esta sea la más antigua de las cuatro razas de Terrier nativas de Irlanda. Sin embargo, hasta hace poco el énfasis residía firmemente en sus habilidades para el trabajo, por lo que no fue estandarizado para los concursos. Permaneció sin reconocimiento por la asociación irlandesa *Irish Kennel Club* hasta 1937 y llegó a Estados Unidos por primera vez en 1946. Incluso hoy, esta raza resulta bastante escasa en América.

Apariencia y personalidad

A diferencia de otros Terrier, el Wheaten terrier tiene un pelaje sedoso y suave, idealmente en color como el trigo blanco. Los cachorros tienen el pelaje más oscuro y pueden llegar a tardar unos 18 meses hasta obtener la coloración de un adulto y de un solo color. El cuidado de esta raza resulta más fácil que el de otros Terrier, ya que no es necesario despojar o cortar su pelaje para los concursos. Sin embargo necesita un cuidado diario, incluyendo además las orejas y las uñas. Es importante prestar especial atención al pelo sobre los ojos, por lo que deberás encontrar a un cuidador que tenga experiencia con esta raza para lograr el mejor resultado. Por lo que respecta a su personalidad, estos Terrier disfrutan persiguiendo y son habilidosos para saltar. Su entrenamiento es posible, pero resulta más exigente que en el caso de otras razas.

CARACTERÍSTICAS CANINAS		ANOTACIONES
Personalidad	Inteligente e inquieto. Muy independiente lo que hace el entrenamiento difícil. Amistoso	Ten paciencia con su entrenamiento
Medidas	Altura: 43 - 48 cm (17 - 19 in) Peso: 14 - 18 kg (30 - 40 lb)	Los machos son más pesados
Ejercicios	Tendencia a tirar de la correa	Es esencial pasearlo a diario
En el hogar	Ideal para un hogar con niños mayores. Perro guardián	
Comportamiento	Bastante juguetón	Trabaja duro para entrenarlo desde cachorro
Cuidados	Pelaje de textura sedosa. Son necesarios cuidados diarios	No descuides sus orejas
Problemas de salud habituales	Puede padecer displasia renal, un desarrollo anormal del riñón y la enfermedad de Addison que afecta a las glándulas adrenales	Es posible controlarlo

Cabeza rectangular
Tiene una cabeza rectangular y relativamente alargada con unos ojos marrones o marrón rojizo bien espaciados

Juguetones
La reverencia característica de esta raza, con las patas delanteras a ras del suelo, resalta su naturaleza juguetona

Patas poderosas
Las patas delanteras son estiradas y potentes con almohadillas negras en los pies

A GRANDES RASGOS
- Compañero inteligente
- Sociable con la familia
- Bastante adaptable en muchos aspectos
- Pelaje característico
- El entrenamiento puede resultar problemático

7. Puli

Esta raza cuenta con un pelaje inconfundible parecido a una cuerda, aunque en Estados Unidos existe la tendencia reciente por mostrar al Puli con su pelaje lanoso peinado.

A GRANDES RASGOS
- De aspecto inconfundible
- Necesita bastante ejercicio
- Cuidado bastante exigente
- Es muy importante entrenarlo desde pequeño
- Se adapta bien a los desconocidos

Historia

Los ancestros del Puli podrían ser originarios del Tíbet y se cree que podría haber una conexión ancestral entre esta raza y el Terrier tibetano *(ver pág. 43)*. De hecho, el Puli ha existido en su forma actual durante más de mil años. Se usó como guardián de ovejas, siendo el negro el color preferido de su pelaje, junto con un grupo de otros guardianes como el Komondork (forma plural para Komondor) *(ver pág. 156)*, de pelaje blanco como contraste y cuya tarea era la de proteger a las ovejas de los ataques de los lobos o de los ladrones. El pelaje en forma de cuerda de esta raza era impermeable, proporcionándole buena protección en invierno. En primavera, se esquila como se hacía con las ovejas con las que trabajaban, por lo que les mantenía frescos durante los veranos de las praderas de Hungría.

Cuidado del pelaje

Un cachorro de Puli tiene el pelaje con mechones, pero éste cambiará de manera natural. La capa gruesa interior empezará a mezclarse con la capa exterior, por lo que creará el aspecto de cuerda característico de esta raza. Las tiras en sí tendrán un aspecto relativamente fino y en proporción, parecido al de una cuerda, y es necesario un cuidado delicado para mantener su buen aspecto. Desde que empezó a participar en los concursos, el pelaje es más abundante que el de los perros para trabajar y puede llegar a tocar el suelo. Además, se ve una mayor variedad de colores, a pesar de que el pelaje negro es propenso a perder intensidad si se expone al sol durante un largo período de tiempo.

CARACTERÍSTICAS CANINAS		ANOTACIONES
Personalidad	Fiel e inteligente	
Medidas	Altura: 36 - 48 cm (14 - 19 in) Peso: 9 - 18 kg (20 - 40 lb)	
Ejercicios	Necesita ejercicio cada día dado que es un perro activo	Evita que se acerque a las ovejas ya que querrá perseguirlas
En el hogar	Guardián siempre alerta	
Comportamiento	Rápido, receptivo, ágil, hábil en anticiparse a los acontecimientos. Juguetón, puede ser testarudo. Disfruta en competiciones de agilidad y de obediencia	Entrénale desde cachorro
Cuidados	Los cuidados son exigentes y requieren tiempo, esto hace referencia también a su pelaje lanoso	Cuida su pelaje a diario para formar las cuerdas o cepíllalo para formar un pelaje lanoso
Problemas de salud habituales	Displasia de cadera, aunque no es una enfermedad seria para esta raza	Asegúrate de que examinan a los cachorros para detectar la displasia de cadera

Coloración de las tiras
Se aceptan todas las tonalidades de gris, negro oxidado y negro, además de negro y blanco

La cola del Puli
La cola se fusiona con la línea de la espalda y se posiciona por encima

Pies acolchados
Los pies bien redondeados están acolchados con almohadillas gruesas y los dedos son bien arqueados

8. Gordon setter

El Gordon setter se conoce también como Setter negro y bronce debido a su coloración tan especial. Sin embargo, estos perros de caza son menos frecuentes en la actualidad que en el pasado, lo que puede ser un reflejo de su naturaleza tan activa y diligente.

A GRANDES RASGOS
- De bonita coloración
- Posee gran resistencia
- Muy cariñoso
- Temperamento equilibrado
- Perro cumplidor en el trabajo

CARACTERÍSTICAS CANINAS		ANOTACIONES
Personalidad	Aplicado, trabajador diligente. Afectuoso	
Medidas	Altura: 58 - 69 cm (23 - 27 in) Peso: 20,4 - 36 kg (45 - 80 lb)	Los machos son más pesados que las hembras
Ejercicios	Necesita largos paseos en espacios rurales	Paséale a diario y permite que explore sin la correa
En el hogar	Su tamaño significa que esta raza es mejor para niños mayores	
Comportamiento	De confianza y calmado. Responde al entrenamiento y aprende rápido. Es complaciente	
Cuidados	Necesita un cepillado frecuente y un peinado del pelaje más largo en patas, cola y orejas	Cepíllale y péinale con frecuencia y no descuides sus orejas
Problemas de salud habituales	Atrofia progresiva de retina (PRA) que puede resultar en ceguera, puede ser congénita	Asegúrate de que examinan a los cachorros para detectar la PRA

Orejas bajas
Las orejas están situadas bajas al nivel de los ojos y cerca de la cabeza

Hocico alargado
El hocico es relativamente alargado, pero no acaba en punta

Coloración oscura
El Gordon setter tiene manchas negras y bronce bien definidas

Historia

El Gordon setter recibe su nombre por el duque de Richmond y Gordon, responsable de crear esta raza en 1820. Su propósito era desarrollar un perro de caza que fuera más robusto y que tuviera mayor resistencia que otros Setters que existían por aquel entonces. De entre las razas que usó había varios Collies y esto llevó al temprano Gordon setter a perseguir aves de caza cuando las detectaba, al igual que lo hacían los perros guardianes de ovejas, antes de «sentarse» para indicar su presencia.

Necesita mucho ejercicio

El Gordon setter es muy atractivo y todavía conserva la resistencia buscada en el plan original de cría del duque, por lo que es un perro increíblemente activo. Necesita bastante ejercicio y no deberías considerarlo si vives en las cercanías de un pueblo o de una ciudad. Incluso en el campo, son imprescindibles largos paseos diarios si no quieres que se aburra y se convierta en un animal potencialmente nervioso. En el ambiente adecuado y con mucho ejercicio, estos perros de caza pueden llegar a ser excelentes compañeros y muy receptivos. Hoy en día existe una pequeña variación, como sucede con la mayoría de los perros de caza, entre la variedad que se observa en las pruebas de campo y la variedad un poco más grande, que se ve en los concursos.

9. Samoyedo

A pesar de que el Samoyedo se distingue en parte por su aspecto elegante, se desarrolló originalmente como una raza trabajadora a lo largo de los siglos, logrando sobrevivir a un clima bastante duro. Se conoce en Occidente desde hace relativamente poco.

A GRANDES RASGOS
- Aspecto atractivo
- Muy activo
- Es necesario controlarle las comidas
- Cuidado bastante exigente
- Sociable

Coloración de tonos claros
El pelaje puede ser blanco, color crema, marrón claro o blanco y marrón claro

Cabeza y hocico
La cabeza es de forma triangular, con el hocico va disminuyendo gradualmente

Orejas triangulares
Las orejas son erectas, triangulares y de tamaño mediano, bien separadas y con las puntas redondeadas

CARACTERÍSTICAS CANINAS		ANOTACIONES
Personalidad	Decidido y amistoso. Seguro en los concursos	
Medidas	Altura: 48 - 61 cm (19 - 24 in) Peso: 22,7 - 29,4 kg (50 - 65 lb)	Controla su peso ya que es propenso a engordar
Ejercicios	Necesita bastante ejercicio a diario, ya que es una raza activa de perro trabajador. Bastante fuerte físicamente	Evita sobre todo que se acerque a las ovejas ya que querrá perseguirlas
En el hogar	Puede aburrirse sin el ejercicio adecuado y es propenso a empezar a morder las cosas y a causar destrozos	
Comportamiento	Puede llegar a ser muy independiente por lo que el entrenamiento podría hacerse difícil. Bastante sociable con otros perros	Ten paciencia al entrenarlo
Cuidados	Los perros machos tienen melenas más prominentes alrededor del cuello	Cepíllale y péinale a diario
Problemas de salud habituales	Vulnerable a la *diabetes mellitus* (de azúcar)	Esta condición puede controlarse con inyecciones frecuentes de insulina

Historia

Recibe el nombre de la tribu Samoyedo, originaria del norte de Siberia. Es una raza característica del tipo Spitz, con un parecido similar al de un zorro por sus rasgos faciales, incluso con sus orejas alzadas y un collar de pelo largo alrededor del cuello, que se prolonga entre las patas delanteras. La cola poblada se extiende hacia delante sobre la espalda, con el pelo cayendo hacia un lateral del cuerpo. Como sucede con razas similares, sirvió originalmente como perro de trineo, por lo que proporcionaba un medio de transporte vital a la población nativa de la región antes de la industrialización. También se utilizaba para agrupar ciervos.

La vida en climas más templados

Como su pasado indica, es una raza inquieta, por lo que debes asegurarte de que satisfaces todas sus necesidades en este aspecto. Es también muy fuerte, por lo que debes entrenarlo adecuadamente, sobre todo para que no tire de la correa al pasear. Se dice que los Samoyedos sonríen: esto sucede si observamos el perfil de su boca cuando están muy concentrados. La base genética de esta raza en Occidente es muy pequeña, procedente de una docena de perros llevados a Inglaterra a finales del siglo XIX. Debido a su metabolismo, su predisposición a ganar peso en el entorno doméstico, será un problema frecuente. Esto a su vez puede aumentar el riesgo a que desarrolle *diabetes mellitus*, dado que son propensos a ello.

10. Borzoi

Su nombre en realidad significa «veloz», derivado de la palabra rusa «borzyi». Es un perro de caza típico, como indican su cabeza estrecha y alargada y su constitución parecida a la de un Galgo y, muestra elegancia al correr. También se le conoce como el Galgo ruso.

A GRANDES RASGOS
- Raza activa, necesita correr
- Sociable
- Necesita cuidados
- Bastante grande
- Puede necesitar bozal

Historia
Es probable que estos perros de caza aristocráticos sean descendientes, al menos en parte, de los Galgos que probablemente llegaron a Rusia de los países vecinos de Oriente Medio. Los Borzois han existido en una forma reconocible durante más de quinientos años y eran los preferidos del zar de Rusia. Estos perros de caza iban en pareja o en tríos y eran capaces de sobrepasar al lobo y arrastrarlo por el cuello, lo inmovilizaban en el suelo en lugar de matarlo. Las cacerías con los Borzois eran un gran evento ceremonioso. Estos perros de caza se ofrecieron como regalos a otros dirigentes en Europa y esto ayudó a asegurar su supervivencia tras la Revolución rusa. La asociación con las familias aristocráticas destronadas produjo un drástico descenso en número de esta raza en Rusia en 1917 después de la Revolución rusa.

Corriendo
Si dispones del espacio necesario para el ejercicio de estos perros, resultará increíble observarlos cuando corren con un estilo elegante. Sin embargo, esto sólo puede lograrse en un ambiente rural. Tienen una resistencia superior a la de su ancestro, el Galgo, gracias a los cruces durante su desarrollo con los perros nativos de pelo largo en Rusia. Los Borzoi se llevan bien entre ellos y también en compañía de otros perros de tamaño y aspecto similar, como los Galgos, ya que se han criado en parejas. Su pelo largo y sedoso es otro factor a tener en cuenta antes de adquirir uno de estos perros de caza, ya que necesitarán frecuente atención.

Cabeza grande
La cabeza del Borzoi es estrecha, alargada y un poco arqueada, con una nariz grande y prominente

Pecho y piernas
De pecho estrecho pero profundo; las patas delanteras son rectas

Pelaje sedoso
Cualquier coloración o combinación de colores puede exhibirse, pero el pelaje debe ser sedoso, no lanoso

CARACTERÍSTICAS CANINAS		ANOTACIONES
Personalidad	Sociable con aquellos que conoce pero distante con los desconocidos. Sensible	
Medidas	Altura: 66 - 71 cm (26 - 28 in) Peso: 27 - 48 kg (60 - 105 lb)	Los machos son más pesados que las hembras
Ejercicios	Necesita bastante ejercicio diario sin la correa. Más propenso a regresar que algunos perros de caza	Ejercítale a diario con una buena carrera
En el hogar	Se adaptará bien si se le permite correr con frecuencia. No es un buen perro guardián	Vigila la presencia de gatos ya que sobre todo los cachorros intentarán perseguirlos
Comportamiento	Tranquilo. No acostumbra a ladrar	
Cuidados	Requiere que le cepillen y que le peinen a menudo	Acuérdate de comprobar las orejas
Problemas de salud habituales	Algunos Borzoi nacen sin premolares, esto no afecta a su salud o a sus hábitos alimenticios	Si deseas participar en concursos, comprueba su boca por si le faltan dientes ya que se considera una falta grave

Tipos de perros para personas mayores, los que viven en la ciudad y personas con poca movilidad pero que aun así quieren tener un perro.

Pomeranio

Silky Terrier

Perros pequeños

Solo porque un perro sea pequeño, no quiere decir que carezca de carácter y personalidad. De hecho, la mayoría de las razas que se muestran en esta sección se han desarrollado especialmente como perros de compañía a lo largo de cientos de años, por lo que se han adaptado muy bien al hogar. Sus necesidades de ejercicio son más bien modestas y, como resultado, son ideales para la vida en la ciudad. Su mayor inconveniente es, quizás, que no suelen ser tan fuertes como las razas más grandes, aunque examinar a los cachorros cuando nacen ayudará a que crezcan sanos.

Los cuidados de algunas de estas razas pequeñas requieren poca dedicación, pero si se establece una rutina desde que son cachorros, las tareas serán más sencillas. Aunque son razas sociables con personas de todas las edades, no son aconsejables para familias con niños pequeños puesto que podrían ser sometidos a tratamientos bruscos. La mayoría de estas razas se usan como perros guardianes, alertando de los desconocidos que se acerquen, puesto que sus ladridos sugieren que su tamaño es significantemente mayor de lo que en realidad son.

Pekinés

1. Pekinés

Esta raza recibe su nombre de la capital china de Pekín, nombre que recibía originalmente esta ciudad y conocida ahora como Beijing. El Pekinés también se conoce con el diminutivo de Peke y su aspecto es característico.

A GRANDES RASGOS
- Ojos saltones
- Puede ser un poco terco
- El aumento de peso puede ser un problema
- No encaja en familias con niños pequeños
- Necesita largas sesiones de cuidados

Historia

Los orígenes del Pekinés probablemente son similares a los del Spaniel tibetano *(ver pág. 14)*, al que se parecía cuando fue visto por primera vez en Occidente en la década de 1860. Desde entonces, la apariencia del Pekinés ha cambiado considerablemente, con una cara mucho más chata vista de perfil y con un pelaje más abundante. Estos perros eran los favoritos en la Corte imperial del emperador chino y su cuidado quedaba a cargo de un eunuco. Su robo estaba penado con la muerte. El Pekinés fue una de las primeras razas que se pudieron ver en Inglaterra tras el derrocamiento de la dinastía china, después de que se le obsequiase a la reina Victoria con un ejemplar, ya que era una gran amante de los perros. Prácticamente todos los perros que se usaron para el desarrollo de las líneas sanguíneas occidentales, se obtuvieron a finales del siglo xx. Tras la muerte de la emperatriz viuda Cixí, que se encargaba de criar a estos perros, la raza comenzó a disminuir en su tierra natal.

Un verdadero compañero

Estos pequeños perros juguetones también eran conocidos como «Sleeve Dogs» o perros de manga ya que, por su pequeño tamaño, los cortesanos chinos podían esconderlos en el interior de sus anchas mangas. Además, otra acepción que se usaba en los orígenes de esta raza era «Lion Dog» o perro leonado que hace referencia a la larga melena de pelo que tiene alrededor de la cara y que sigue teniendo en la actualidad. Lo que parece que no se ha alterado de forma significativa es el mal genio de estos perros pequeños. Siguen siendo animales de compañía estupendos, excepto para hogares con niños pequeños, pero son ideales para las personas mayores que apreciarán su lealtad.

CARACTERÍSTICAS CANINAS		ANOTACIONES
Personalidad	Decidido, leal, terco y bonachón	
Medidas	Altura: hasta 23 cm (9 in) Peso: hasta 6,3 kg (14 lb)	Vigila su peso
Ejercicios	No debería correr en exceso por el parque	Evita pasearle en las horas más calurosas para evitar una insolación
En el hogar	Es feliz correteando por la casa junto con gente y en parques cercanos	No le animes a que salte ya que podría provocarle un deslizamiento de los discos
Comportamiento	Valiente: no se retractará fácilmente una vez que lo haya decidido	
Cuidados	Hay que peinarlo y cepillarlo bastante	Cepíllale a menudo y limpia las lágrimas con un algodón limpio
Problemas de salud habituales	Afecciones en sus ojos saltones, incluyendo el prolapso del globo ocular y arañazos. Dificultades respiratorias asociadas a su nariz chata	

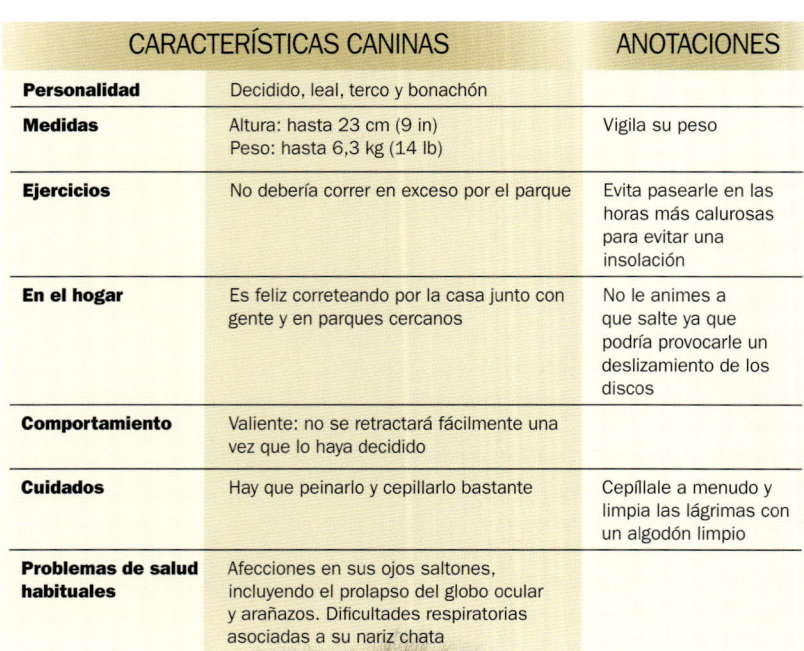

La cara del Pekinés
La cara es muy grande y ancha, con un hocico chato

Coloración del pelaje
Se aceptan todos los colores y tonos pero algunas zonas, como la nariz, deberían ser negras

Pelaje áspero
El pelaje presenta una textura relativamente áspera, creciendo bajo una suave capa corporal

Patas delanteras
Cuando el Pekinés está de pie o en movimiento, sus patas delanteras están levemente inclinadas hacia fuera

2. Yorkshire terrier

A pesar de que originariamente servía con fines laborales, el Yorkshire terrier, que recibe el nombre del condado inglés donde se crió, en la actualidad se conserva exclusivamente para los concursos y como mascota. Su pequeño tamaño es lo que le ha ayudado a ganar más popularidad.

A GRANDES RASGOS
- Raza pequeña con mucho carácter
- Requiere cuidados exhaustivos
- Hecho para la vida urbana
- Fuerte personalidad
- Necesita poco ejercicio

Historia

Los orígenes de esta raza radican en las localidades molineras del norte de Inglaterra en donde sus ancestros cazaban roedores. Probablemente varios Terrier contribuyeron a su linaje, incluyendo el ya extinguido Leeds terrier y el Manchester terrier, cuya herencia puede observarse en su coloración. Otras razas que jugaron un papel activo en su desarrollo incluyen el Dandie Dinmont *(ver pág. 158)* y el Skye terrier, aunque a menor escala. Otras dos razas escocesas como el Terrier de Clydesdale y el de Paisley, influyeron en el ancestro del Yorkshire terrier antes de que se extinguieran. En aquella época llegaron a desplazarse al sur, gracias a aquellos que buscaban trabajo en los molinos. El miembro más famoso de esta raza emergente, nacido en 1865, fue un macho llamado *Huddersfield Ben*, al que a menudo describen como el padre fundador de la raza.

Cambio de perspectiva

El Yorkshire terrier originario era un magnífico cazador de ratas y de mayor tamaño que el actual. Poco después, la tendencia a crear pequeños «Yorkies» pronto se hizo patente. Al principio, se hicieron muy famosos entre las damas, en parte debido a su largo y suave pelaje, que caía por los lados del cuerpo. Un Yorkshire terrier necesita cuidados constantes para tener el mejor aspecto posible. El pelaje que crece en la parte superior de la cabeza suele sujetarse con uno o dos lazos, para impedir que caiga sobre los ojos.

CARACTERÍSTICAS CANINAS		ANOTACIONES
Personalidad	Inteligente, valiente, tenaz e intrépido	
Medidas	Altura: 23 cm (9 in) Peso: 3 kg (7 lb)	
Ejercicios	Le gusta corretear y explorar, no es una raza a la que le guste correr	Busca tiempo para jugar
En el hogar	Compañero atento y travieso	
Comportamiento	Siempre dispuesto a investigar. Todavía mantiene una capacidad innata para cazar roedores	Entrénale para que no ladre innecesariamente
Cuidados	Cuidados diarios exigentes	Mantén el pelaje alrededor de los labios cuidado para evitar infecciones
Problemas de salud habituales	Luxación patelar que afecta a las rótulas y que causa cojera	La luxación patelar necesita cirugía correctiva; asegúrate de que ambos testículos cuelgan del escroto, de lo contrario consulta al veterinario

Cuerpo azul
La coloración azulada se extiende a lo largo de la espalda hasta la base de la cola. La intensidad del azul de la cola es más oscura que la del cuerpo

Cuerpo firme
El cuerpo está bien proporcionado y es firme

Color de los cachorros
Al nacer, los cachorros son negros y canela, reemplazando más tarde el negro por el azul. Las sombras azules deberían ser oscuras y consistentes. El pelaje canela se suaviza en toda su longitud

Pies pequeños
Los pies son redondeados con unas uñas oscuras

3. Bichón maltés

Estos preciosos perros blancos de pelaje suave han sido muy apreciados durante siglos como perros de compañía. Incluso hoy siguen siendo muy populares, no solo por su aspecto atractivo sino también por su cautivadora personalidad.

> **A GRANDES RASGOS**
> - Aspecto atractivo
> - Sociable
> - Compañero siempre alerta
> - Longevos
> - Muy cariñosos
> - Pasado interesante

Hocico refinado
Su agudo hocico cuenta con una nariz de color negro

Pelo largo
El pelo largo de la cabeza puede sujetarse en un moño

Ojos oscuros
Los ojos son muy oscuros, redondeados y con un borde negro

Orejas peludas
Las orejas cuelgan bajas a los lados de la cabeza y están repletas de pelo

Historia

Como su nombre sugiere, el Bichón maltés está inevitablemente relacionado con la isla de Malta, en donde sus antepasados vivieron durante cerca de quinientos años. Es posible que originariamente se conservasen para que los marinos fenicios los comerciasen en el Mediterráneo. Los griegos y los romanos los conocían y los protegían, conservando más tarde su popularidad como perros de compañía de las damas de las cortes reales europeas. A lo largo de este período, el Bichón maltés ha cambiado relativamente poco. Desde el siglo XIX en adelante, la raza ha pasado a ser una de las más conocidas que en la actualidad cuenta con bastantes seguidores.

Aspecto

Hoy en día, casi todos los ejemplares de esta raza son blancos, pero pueden presentar tonos rubios y tostados en las orejas, mientras que en el pasado, su coloración era más variada. El aspecto de su pelaje también ha cambiado. Los retratos antiguos lo representan con un pelaje más enmarañado y ondulado, mientras que ahora es más largo y suave con una textura sedosa. Posee una única capa de pelo, sin rastro de capa interior y se extiende hasta el suelo y alrededor del cuerpo ocultando las patas y los pies. El pelaje de la cabeza suele recogerse con un lazo, para proteger sus ojos negros y saltones. Este pelo se mezclará en la parte posterior de la cabeza con el pelo largo de las orejas.

CARACTERÍSTICAS CANINAS		ANOTACIONES
Personalidad	Muy cariñoso y manso. Disfruta en compañía de los humanos	
Medidas	Altura: 25 cm (10 in) Peso: 1,8 - 2,7 kg (4 - 6 lb)	Algunos ejemplares pueden pesar más
Ejercicios	Necesita poco ejercicio y es feliz con un paseo por el parque	Cuida del pelaje cuando esté fuera ya que puede ensuciarse
En el hogar	Crea estrechos lazos con los miembros de la familia	
Comportamiento	Aprende muy rápidamente y es valiente	Dedícale tiempo para su correcto desarrollo
Cuidados	Posee una partición a lo largo de la espalda	Péinale a diario
Problemas de salud habituales	Pestañas retorcidas, en donde la fricción de estas con el globo ocular producen irritaciones graves	Esta afección puede necesitar cirugía correctiva

4. Pomeranio

A lo largo de los siglos, la miniaturización de razas grandes ha sido algo común en la cría de perros, y esto explica los orígenes del Pomeranio. Descienden del Spitz de mayor tamaño y se ha convertido en un compañero muy popular.

A GRANDES RASGOS
- Raza miniatura del Spitz
- Mucho genio
- Disponible en una amplia gama de colores
- Disfruta de atención
- Leal
- Carácter fuerte

Historia

En la antigüedad, el Pomeranio ha estado siempre muy ligado a las cortes reales europeas y, en última instancia, se convirtió en una de las favoritas de la reina Victoria, que introdujo a sus amados perros en el concurso canino de Cruft en 1891. También se dice que cuando murió, su Pomeranio negro llamado *Turi* se recostó en su cama a su lado. A estas alturas, la raza había sufrido una reducción considerable de su tamaño desde los primeros ejemplares que la reina Charlotte llevó a Inglaterra en la década de 1760. Además de reducirse el tamaño, también aumentó la longitud de su pelaje, haciendo que se les conozca en la actualidad como «Puffball» (bola de pelo) por su aspecto abultado.

Reducido a escala

El Pomeranio es el miembro más pequeño del grupo de los Spitz, cuyos miembros son mejor conocidos por su fuerza, dado que en muchos casos se usaban como perros de trineo en el norte. Mantiene algunos rasgos de este grupo, como su aspecto de zorro de orejas erguidas o un pelo más largo por todo el cuerpo, mientras que el pelo de las patas es más corto y con una cola que reposa sobre el cuerpo. Además posee una melena de pelaje que le encuadra la cara y que se extiende hacia las patas, aunque esto es menos perceptible en el Pomeranio dada la longitud de su pelaje. Es un compañero juguetón y especialmente valioso como perro guardián, al igual que sus antecesores, siempre está alerta a la llegada de desconocidos.

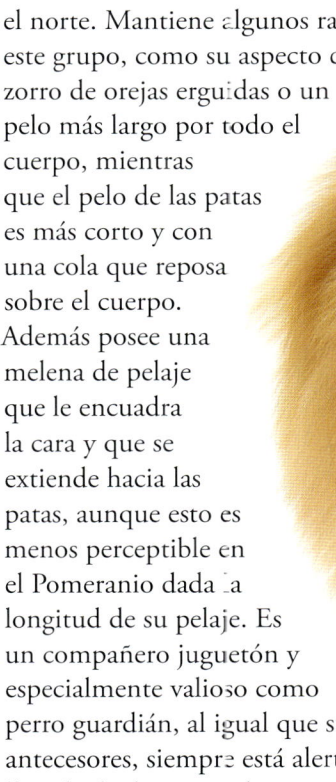

CARACTERÍSTICAS CANINAS		ANOTACIONES
Personalidad	Juguetón y cariñoso	
Medidas	Altura: 28 cm (11 in) Peso: 1,8 - 2,2 kg (4 - 5 lb)	
Ejercicios	Disfruta de un paseo diario en el parque	Para evitar insolaciones, paséale temprano por la mañana y por la tarde cuando hace más fresco
En el hogar	Le gusta ser el centro de atención y es el compañero ideal para personas que viven solas, sobre todo personas mayores	
Comportamiento	Puede ser ruidoso y enérgico	Entrénale para que no ladre en exceso
Cuidados	Es importante acicalarlo	Péinale y cepíllale a diario, limpiándole las lágrimas con un algodón limpio
Problemas de salud habituales	Luxación patelar que afecta a la rótula	Esta afección puede necesitar cirugía correctiva

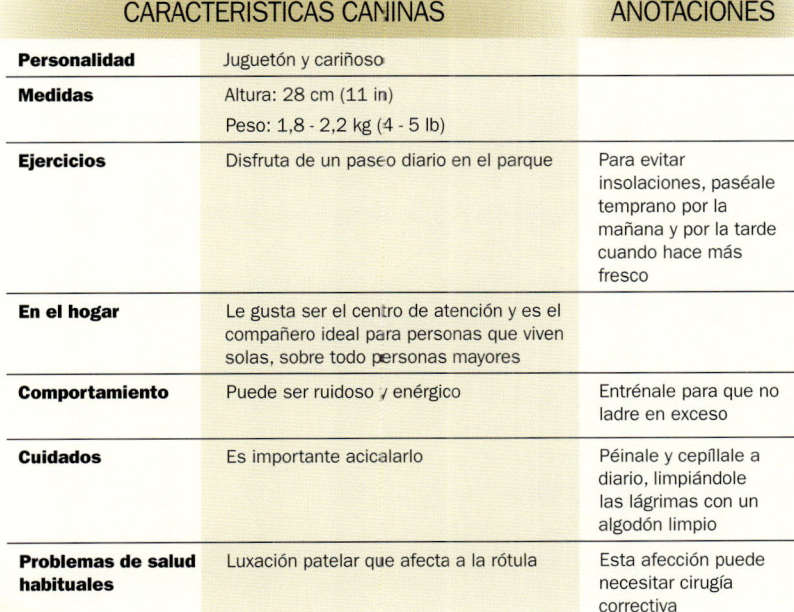

Cola inconfundible
La cola tiene un pelaje largo, liso y diseminado

Cuerpo consistente
La espalda es corta y está nivelada

Colores y tonos
Se pueden apreciar colores como el negro y bronce, rayado o blanco en parte

Capas de pelaje
Tiene una capa exterior de pelaje largo, lacio y brillante junto con una capa interior densa y mucho más suave

5. Silky terrier

Esta popular raza australiana se originó meramente como mascota, más que como un Terrier de trabajo. En la actualidad estos perros son muy populares para ambos cometidos y en todos los concursos del mundo, gracias a su aspecto cautivador y a su carácter juguetón y amigable.

A GRANDES RASGOS
- Pequeño Terrier encantador
- Pelaje muy característico
- Receptivo
- Los cuidados son importantes
- Fuerte a pesar de su tamaño

Historia

Esta raza apareció a finales del siglo XIX, creada principalmente de cruces entre Terrier australianos y Yorkshire terrier *(ver pág 71)*, originario de Inglaterra, de mayor tamaño. Se hizo popular en los estados australianos de Victoria y Nueva Gales del Sur, centrándose sobre todo en la ciudad de Sydney. Es probable que usasen a los Skye terrier, como reflejan las orejas de las razas de Silky terrier más grandes. Esta raza comenzó a conocerse en Estados Unidos después de la Segunda Guerra Mundial alcanzando popularidad, pero son menos comunes en Reino Unido, donde el Yorkshire terrier sigue siendo la más popular.

Herencia

En sus orígenes, estos Terrier se criaban tanto con las orejas erguidas como caídas. Desde entonces, los perros de orejas erguidas son los más dominantes, aunque en la actualidad, algunos cachorros presentan orejas caídas. Aunque el Silky terrier puede tenerse como mascota en casa, disfruta mucho si sale al jardín, más que si sólo le sacas de paseo. El pelaje del Silky terrier no es tan abundante como el del antecesor del Yorkshire terrier, pero también necesita muchos cuidados para evitar que se le enmarañe. Hay que bañarlo cada dos o tres meses usando un champú especial para perros para que conserve su magnífica apariencia y asegurando que el pelaje se mantiene en buenas condiciones.

CARACTERÍSTICAS CANINAS		ANOTACIONES
Personalidad	Típico Terrier: curioso y atento	
Medidas	Altura: 23 cm (9 in) Peso: 3,6 - 4,5 kg (8 - 10 lb)	Su cuerpo es relativamente largo
Ejercicios	Le gusta explorar sin correa	Paséale a diario y déjale suelto
En el hogar	Cazará roedores si tiene la posibilidad. Le gusta correr tras la pelota	Busca tiempo para jugar
Comportamiento	En general, se asusta con los truenos y con ruidos fuertes inesperados. Se lleva bien con otros perros	Dedícale toda tu atención para que disfrute
Cuidados	Su pelaje sedoso necesita muchos cuidados. El de los cachorros es menos abundante	Acicálale a menudo y dale un baño cada dos meses
Problemas de salud habituales	Luxación patelar que afecta a la rótula. Epilepsia	La luxación puede necesitar cirugía correctiva. La epilepsia requiere frecuente medicación preventiva para evitar convulsiones

Orejas en forma de V
Tiene unas orejas relativamente pequeñas, erguidas en la parte superior de la cabeza

Pelaje azulado
Las tonalidades de color pueden variar desde el azul plateado pasando por el azul grisáceo hasta el azul pizarra para contrarrestarlo con el tono canela

Piernas robustas
Los cuartos traseros son robustos con un pelaje corto en las patas

Pies de gato
Los pies son pequeños y parecidos a los de los gatos con uñas oscuras y almohadillas gruesas

6. Lhasa apso

El nombre de esta singular raza tibetana significa «perro león peludo». El Lhasa apso se crió en relativo aislamiento a lo largo de los siglos. Se usaba como perro de compañía y como perro guardián.

A GRANDES RASGOS
- Suelen vivir largo tiempo
- Es muy leal con su dueño
- Bastante juguetón
- Necesita cuidados frecuentes
- Pequeño perro guardián

CARACTERÍSTICAS CANINAS		ANOTACIONES
Personalidad	Por lo general tranquilo, protector, cariñoso y alerta con los visitantes	Vigílale cerca de otros perros
Medidas	Altura: 23 - 28 cm (9 - 11 in) Peso: 6 - 7 kg (13 - 15 lb)	
Ejercicios	No es especialmente activo	Paséale a diario
En el hogar	Se relaciona muy bien con la gente y no le gusta quedarse solo	Entrénale desde cachorro para evitar ansiedad al quedarse solo
Comportamiento	Juguetón y tranquilo	
Cuidados	Su pelaje de doble capa requiere mucho cuidado, algunos cuidadores no aprueban que se le despoje del pelaje. No le gusta que le bañen	Acicálale a menudo y habitúale a ello desde cachorro
Problemas de salud habituales	Hernia inguinal	Esta afección podría necesitar cirugía

Historia

Esta raza está vinculada a la del Terrier tibetano *(ver pág. 43)* y se encontraba en los monasterios tibetanos, donde se protegían celosamente, ya que se creía que eran la reencarnación de monjes ya fallecidos. Se protegieron de los extranjeros durante siglos, aunque el líder espiritual tibetano, el Dalái Lama, envió algunos ejemplares a la casa imperial china como regalo. En Occidente no supieron de la existencia del Lhasa apso hasta comienzos del siglo XX y, de hecho, casi desaparecieron a finales de la Primera Guerra Mundial. Un grupo reducido de ejemplares de esta raza se llevó a Inglaterra en 1928 y poco después a Estados Unidos. Pero no fue hasta casi finales del siglo XX cuando esta raza se estableció de forma sólida. A pesar de todo, hoy en día escasean bastante en su tierra natal.

Evolución de la raza

Normalmente esta raza tiene el pelaje largo, pero puede darse el caso de salir ejemplares de pelo corto en alguna camada. Un estudio realizado desveló que una media de 6 de cada 100 ejemplares tenía el pelaje corto. De ahí el apodo de «Prapsos». Los de pelo corto suelen ser más raros. Muchas características del aspecto van ligadas al entorno donde se desarrolló. Su grueso pelaje les protege del aire gélido nocturno, mientras que el pelo de las patas les proporciona amortiguación sobre suelos rocosos. Su cuerpo relativamente largo le ofrece una buena capacidad pulmonar, ayudándole a respirar el aire de las montañas de su tierra natal.

Ojos marrones
Sus ojos de mediano tamaño y de color marrón son muy expresivos

Cuerpo alargado
El cuerpo es más largo comparado con su altura y cuenta con un pelaje pesado y muy abundante

El color del pelaje
Puede presentar varios colores con tonos oscuros en las puntas de las orejas y en la barba

Patas delanteras rectas
Las patas delanteras son rectas y cubiertas de pelaje largo

7. Pinscher miniatura

Esta raza alemana se conoce afectuosamente como Min Pin aunque en su tierra natal se conoce como Zwergpinscher. La palabra «pinscher», significa Terrier, en referencia a la forma de las orejas, puesto que se parecen al Terrier en cuanto a aspecto y comportamiento.

A GRANDES RASGOS
- Aspecto lustroso
- Atrevido y leal
- Guardián atento
- Necesita pocos cuidados
- Perro pequeño de gran personalidad

CARACTERÍSTICAS CANINAS		ANOTACIONES
Personalidad	Atrevido, decidido y juguetón. Bastante osado	
Medidas	Altura: 25 - 30 cm (10 - 12 in) Peso: 5,4 kg (12 lb)	Controla su peso
Ejercicios	Necesita un paseo diario e indagar sin correa en una zona segura y cerrada	Para evitar problemas, entrénale para que regrese en cuanto le llames
En el hogar	Le gusta formar parte de la familia. Se adapta mejor a hogares con niños mayores	
Comportamiento	Curioso y rápido cuando juega con la pelota	Busca tiempo para jugar
Cuidados	Cuidados sencillos y mínimos, gracias a su pelaje corto y lustroso	Cepíllale solo cuando lo necesite
Problemas de salud habituales	Hombros dislocados, suele ser un perro sano	Esta afección puede necesitar cirugía correctiva

Potentes cuartos traseros
Los cuartos traseros son musculosos y los muslos fuertes

Dedos y uñas
Los dedos bien arqueados cuentan con almohadillas gruesas y uñas espesas, dando a los pies una apariencia felina

Pelaje rojizo
El color del pelaje puede ser rojizo o rojo con tinte marrón en donde se entremezcla pelo de color negro, o negro y chocolate con manchas rojizas

Patas rectas
Las patas delanteras son rectas y paralelas, que le dan su peculiar caminar

Historia

Esta es otra de las razas miniaturizadas durante décadas para crear unos perros más pequeños y refinados. Se cree que el Teckel de pelo suave *(ver pág. 53)* y el Pequeño lebrel italiano participaron en el desarrollo de los cruces del Pinscher alemán. Se reconoció oficialmente como raza en 1895 en su tierra natal y fue visto por primera vez en Estados Unidos en 1920. Su majestuoso porte y su pequeña estatura hicieron que se les apodara cariñosamente «rey de los juguetes». Su función originaria era la de cazar roedores en las granjas pero en la actualidad es una mascota doméstica muy popular.

La vida con un Min Pin

Una de las características de esta raza es su manera de andar, que es parecida al trote de un caballo. Estos perros pueden parecer delicados, pero realmente, suelen ser atrevidos y decididos. Resultan ser animales de compañía excepcionales, con una gran personalidad, aunque necesitan que se les entrene con cuidado. Si no, podrías encontrarte con que tu perro se enfrenta a perros de mayor tamaño en el parque, dado que suelen ser poco temerosos. Aunque estos perros pueden estar dentro de un apartamento, les gusta explorar fuera de los límites del jardín. Además suelen ser grandes expertos en escaparse por lo que deben estar en zonas bien cerradas. Su pequeño tamaño les permite deslizarse bajo las verjas o colarse por los huecos.

8. Bichón boloñés

Como miembro del grupo de los bichones, destacable en parte por su color blanco, el Bichón boloñés ha sido durante siglos una mascota muy popular. Quizá sea el típico perrito faldero, gracias a su linaje, su pequeño tamaño y su carácter amigable.

A GRANDES RASGOS
- Aspecto atractivo
- Sociable
- Se lleva bien con los niños y otras mascotas
- Raza poco común
- Guardián eficiente

Historia

A lo largo de los siglos, estos pequeños perritos falderos han atraído a los dirigentes europeos. La reina María Teresa I de Austria (1717-1780) amaba tanto a su Bichón boloñés, que cuando murió, pasó a manos de un disecador y en la actualidad puede verse expuesto en un museo de Viena. Además se solía mimar mucho a estos perros y muchas veces se les daba de comer en boles de oro. Aunque guardan un vínculo con la ciudad italiana de Bolonia, los orígenes de esta raza no son muy claros. La explicación más probable es que descienden del Bichón maltés *(ver pág. 72)*, dado que se trasladó a sus ancestros de Malta a Italia, en donde se hicieron cada vez más populares. Más tarde, la actriz Marilyn Monroe cayó bajo el encanto de este perro.

Características inconfundibles

Esta raza todavía se encuentra entre los bichones menos frecuentes, diferenciándose de una forma bastante característica de sus parientes. Su pelaje se describe como «pelo de algodón», siendo especialmente suave, de una sola capa y sin capa interior. El pelaje es rizado, más alargado en el cuerpo que en la cara. No muda el pelaje de una forma convencional, por lo que podría ser el perro ideal para aquellos que padecen algún tipo de alergia, más que cualquier otra raza de perro pequeño. La coloración característica que presenta su pelaje contrasta con sus expresivos ojos oscuros y con su nariz de color negro. Anteriormente se podían apreciar dos coloraciones en estos perros: el blanco y el blanco y negro.

Ojos expresivos
Los ojos oscuros, redondos y expresivos y con el borde oscuro acentúan su atractivo

Orejas que cuelgan
Para hacer más hincapié a la anchura de las orejas, éstas se encuentran altas suspendidas a los lados de la cabeza

Nariz negra
La nariz negra contrasta con el pelaje blanco

Pelaje largo
El pelaje largo, que no se riza, cubre todo el cuerpo

CARACTERÍSTICAS CANINAS		ANOTACIONES
Personalidad	Inteligente, leal, tolerante con los niños, no acepta a los visitantes a la primera	Vigílale cuando haya otros perros alrededor
Medidas	Altura: 25 - 30 cm (10 - 12 in) Peso: 2,2 - 4 kg (5 - 9 lb)	
Ejercicios	Juguetón pero no especialmente enérgico cuando sale	Necesita un pequeño paseo diario
En el hogar	Excelente compañero	Busca tiempo para jugar
Comportamiento	Alerta pero no es ruidoso, ladra cuando alguien se acerca	Entrénale para que no ladre innecesariamente
Cuidados	Peinar a menudo. El pelaje no debe cortarse	Cepíllale a menudo para que no se le enmarañe
Problemas de salud habituales	No se han registrado problemas	

9. Affenpinscher

El nombre de esta raza significa «mono terrier», aludiendo a sus características faciales, parecidas a las de un primate. El Affenpinscher tiene unas cejas muy pobladas y una barba y su pelaje es bastante áspero al tacto siendo más corto en los cuartos traseros.

A GRANDES RASGOS
- Aspecto singular
- Juguetón e intrépido
- Longevo
- Relativamente fácil de entrenar
- No suele llevarse bien con otros perros

Orejas simétricas
Las orejas pueden estar erguidas, semierguidas o caídas pero han de ser simétricas

Pelaje corto
El pelo de la cabeza y de la parte inferior del cuerpo es más corto y menos áspero que el resto

Pelaje negro
Estos ejemplares pueden presentar tonalidades rojizas. El pelaje puede ser también plateado, gris, rojo, crema o negro y canela

Historia
Se desarrolló en los alrededores de Munich, al sur de Alemania hace doscientos años. Los terrier originarios formaron parte de este desarrollo, pero la razón por la que su cara llegó a tener este aspecto no está claro, dado que no hay ninguna raza alemana de la que pudiese haberla heredado. Esta peculiaridad podría haberse desarrollado debido a los cruces con alguna raza asiática, o como resultado de alguna mutación. Desde entonces, se ha intentado perfeccionar este rasgo o bien por cría selectiva o por cruces con el Grifón de Bruselas.

Arnés de seguridad
El Affenpinscher disfruta saliendo a pasear, pero al igual que la mayoría de las razas de esta sección, es más seguro si lleva un arnés en vez de un collar. Incluso si tira, no corres el riesgo de hacerle daño en la tráquea causándole una afección denominada colapso traqueal, que causa ataques de tos e incluso náuseas. Los perros obesos son más propensos de sufrir esta afección.

CARACTERÍSTICAS CANINAS		ANOTACIONES
Personalidad	Curioso y terco. Poco temeroso	
Medidas	Altura: 25 - 30 cm (10 - 12 in) Peso: 3 - 3,6 kg (7 - 8 lb)	Vigila su peso
Ejercicios	Le gusta explorar cuando pasea. Buena resistencia y enérgico	Ten cuidado porque podría enfrentarse a perros más grandes
En el hogar	Tranquilo pero nervioso en ocasiones. Posesivo con los juguetes y poco adaptable a hogares con niños. Territorial, se lleva mal con otros perros	Vigílale cerca de otros perros
Comportamiento	Responde al entrenamiento. No le perturba viajar	
Cuidados	Su pelaje áspero necesita pocos cuidados	
Problemas de salud habituales	Desviación de las rodillas, lo que afecta a las patas traseras. Los ojos saltones pueden dañarse	Para la desviación de la rodilla podría ser necesaria cirugía

PERROS PEQUEÑOS

10. Border terrier

El Border terrier es una raza activa y un buen animal de compañía para aquellos a los que les gusta disfrutar del aire libre. Aunque es un perro pequeño, tiene mucha energía y disfrutará en entornos donde pueda hacer bastante ejercicio.

A GRANDES RASGOS
- Muy afable
- Inteligente
- El pelaje requiere cuidados profesionales
- Activo
- Excavador entusiasta
- Muy enérgico

Orígenes

Los orígenes del Border lo diferencian de los demás Terrier, lo que ha influido en la personalidad de la raza en la actualidad. Se desarrolló en la frontera de Inglaterra con Escocia, hace más de cuatrocientos años, siendo muy popular en la región de Northumberland. Su propósito era el de correr con las jaurías de sabuesos para ahuyentar a los zorros que se acercaban furtivamente. Como resultado, esta raza no solo muestra su gran resistencia sino que se relaciona mejor con otros perros, comparado con cualquier Terrier.

El modo de vida del Border

El Border terrier no es una raza ideal para un apartamento y hay que tener en cuenta que pueden ser grandes maestros del escapismo. No tendrán problemas para colarse por el hueco de una valla ayudándose de sus fuertes patas, retorciéndose y desapareciendo. No lo dejes en el jardín sin supervisión durante mucho rato, ya que es probable que se aburra y que comience a escarbar y a dañar las plantas. Los Border terrier no se llevan bien con los gatos, pero si tienes un caballo, aprenderá pronto a correr a tu lado mientras montas, siempre y cuando dispongas de una zona segura para poder entrenar a ambos animales. Los Border terrier son muy juguetones, por lo que esta raza de gran adaptación pronto sacará ventaja en competiciones de pelota y agilidad.

Orejas en forma de «V»
Las pequeñas orejas caen hacia las mejillas

Ojos color avellana
Los ojos de tamaño mediano y de color avellana resaltan la inteligencia natural de esta raza

Hocico corto
El hocico relativamente corto cuenta con una nariz abultada

Patas rectas
Cuenta con unas patas delanteras rectas con pequeños pies

CARACTERÍSTICAS CANINAS		ANOTACIONES
Personalidad	Leal, sociable y terco. Puede ser reservado con los desconocidos	
Medidas	Altura: 25 cm (10 in) Peso: 5,4 - 7,2 kg (12 - 16 lb)	
Ejercicios	Le gusta jugar al aire libre y disfruta con los paseos largos, incluso con mal tiempo. Compañero ideal para un excursionista entusiasta. Muy enérgico	Dale largos paseos
En el hogar	Le gusta formar parte en la vida familiar	Busca tiempo para jugar
Comportamiento	Responde muy bien al entrenamiento	Entrénale para que no cace gatos
Cuidados	Doble capa de pelaje resistente a las condiciones climatológicas, necesita cepillado y cuidados profesionales al menos dos veces al año	Cepíllale a diario
Problemas de salud habituales	Puede nacer con un orificio en el corazón, lo que hace que la sangre fluya entre las cavidades en vez de bombear correctamente	El veterinario puede detectar esta afección con una revisión rutinaria, asegúrate de examinar a los cachorros

Tipos de perros para aquellos con una casa grande y espacio de sobra, para los que no les preocupen las facturas de la comida para perros, para parejas sin hijos y para aquellos que viven en zonas rurales.

Malamute de Alaska

Perros grandes

El tamaño no es lo único que diferencia a las razas grandes de sus parientes más pequeños. Obviamente son más fuertes por lo que controlarlos con la correa requiere gran fortaleza. Es por ello que no son adecuados para niños o para personas mayores y delicadas. Algunos de estos perros grandes son bastante enérgicos por naturaleza y requieren un entrenamiento firme desde cachorros para asegurarse de que no dominan en casa.

Sin embargo, inevitablemente también necesitan espacio suficiente en el interior por lo que no es aconsejable mantenerlos en un sitio sin acceso a un gran jardín donde puedan hacer algo de ejercicio durante el día. También necesitan un buen paseo diario, aunque no se debe sobre ejercitar a los cachorros. La mayoría cuenta con una gran resistencia, como el Perro pastor de Anatolia, que se utilizaba para el trabajo en granjas al aire libre. Este apartado incluye las dos razas más altas en el mundo, el Gran danés y el Lobero irlandés pero lo que es lamentable es que estos perros grandes normalmente duran menos que sus parientes de menor tamaño, por razones que todavía se desconocen.

San Bernardo

1. Gran danés

Este perro alemán grande y sociable era habitualmente de menor tamaño, aunque ahora lo podemos encontrar entre las razas de perros más altos del mundo. La altura de los perros siempre se ha medido desde la parte más elevada de los hombros hasta el suelo.

A GRANDES RASGOS
- Posiblemente la raza más alta
- Sociable y cariñoso
- De gran apetito
- Fácil de cuidar
- Sociable

Historia

En la Edad Media, los antepasados del Gran danés se mantenían en grupo como perros de caza que, por aquel entonces tenían fama de ser más feroces. Después, durante el siglo XIX, esta raza pasó a ser más alta, ligera y mucho más sociable y fue reconocido como el perro nacional de Alemania en 1876. Durante la década siguiente, ganó popularidad tanto en Inglaterra como en Estados Unidos como perro de compañía y para concursos. En Estados Unidos, le recortaron las orejas dándole un aspecto de estar más alerta. Las orejas sin recortar, que es lo habitual en Europa, cuelgan de los laterales de la cabeza y algunos dicen que les da un aspecto más sociable.

Vivir con un gigante

A pesar de que el Gran danés mantiene el récord por ser el perro más alto del mundo, por lo general acostumbran a ser más pequeños que el Lobero irlandés *(ver pág. 88)*. El Gran danés es un gigante espléndido y sociable aunque por su tamaño y su potente ladrido puede intimidar un poco. De carácter digno, con un aire aristocrático. A pesar de que se lleva bien con los niños, su tamaño puede asustarles. No es una opción ideal para espacios confinados, si se les excita pueden derribar objetos con su potente y larga cola.

Cabeza rectangular
Su cabeza es alargada, los machos tienen un aspecto más masculino

Fuerte pectoral
El pecho es ancho, profundo y reforzado

Manchas de arlequín
Tiene manchas de arlequín, las de color negro se reparten aleatoriamente sobre su cuerpo blanco

CARACTERÍSTICAS CANINAS		ANOTACIONES
Personalidad	Disfruta en compañía de gente. Enérgico	
Medidas	Altura: 71 - 81 cm (28 - 32 in) Peso: 45 - 54,4 kg (100 - 120 lb)	El Gran danés más alto medía 106 cm (42 in) y pesaba 108 kg (238 lb)
Ejercicios	Le gusta correr sin la correa. Elije una zona alejada de la gente si es posible	Evita largos paseos si son jóvenes para evitar problemas de cadera
En el hogar	Se adapta bien pero ocupa mucho espacio. Requiere sitio para estirarse en el suelo	
Comportamiento	Dócil. Le gusta jugar. Corre a base de pequeños arranques. Puede ser demasiado grande para los niños	Busca tiempo para jugar
Cuidados	Solo necesita que lo cepillen de vez en cuando	Habitúa a los cachorros a los cuidados desde pequeños
Problemas de salud habituales	«Síndrome Wobbler» que causa la pérdida de equilibrio. La artrosis puede afectar a los perros adultos así como el cáncer de huesos. Hinchazón	Estas enfermedades pueden necesitar cirugía. No lo pasees tras las comidas, puede causar hinchazón

2. Perro pastor de Anatolia

Originario de Turquía, existen al menos tres variedades diferentes. Conocido con distintos nombres, como por ejemplo el perro Akbash, que puede encontrarse en las zonas occidentales del país, a pesar de que estas variedades no han sido muy reconocidas en su tierra natal.

Historia

Los antepasados de esta raza han permanecido recluidos y evolucionado aislados durante siglos en Turquía. Esto explica la diversidad de colores y aspectos que existe entre las diferentes líneas sanguíneas. Como perros guardianes, defendían las ovejas y las cabras de los ataques de los lobos. Sin embargo, permanecieron desconocidos en Occidente justo hasta 1967 cuando Robert Ballard, un oficial americano, consiguió dos cachorros en un área rural cerca de Ankara, la capital turca. Esta raza se desarrolló como perro para concursos en Estados Unidos, a pesar de que al principio, no se apreciaban diferencias regionales.

La raza en Occidente

Hoy en día, la predilección por esta variedad va en aumento y se realizan más esfuerzos para establecer las variedades regionales, según su coloración. La mayoría son del tipo Kangal, populares en Turquía central. Estos perros tienen el rostro negro, en comparación con la variedad Akbash, que tiene el pelo de la cabeza de color blanco. El Kars, ejemplar mucho más raro y sin haber hecho contribución alguna a las líneas de Occidente, se sitúa en un área remota al este de Turquía y su coloración en general es significativamente más oscura. Ninguno de estos perros sería recomendable para gente inexperta ya que necesitan un entrenamiento exigente para que se integren bien en la familia.

A GRANDES RASGOS
- Muy fuerte y poderoso
- Una mezcla de variedades locales
- Muy decidido
- Resistente
- Necesita bastante espacio
- Raza inusual

Colores variables
Coloración y manchas variables

Orejas en forma de «V»
Las orejas caen a los lados de la cabeza

Cuello robusto
Combina piel y pelo para crear una melena protectora

CARACTERÍSTICAS CANINAS		ANOTACIONES
Personalidad	Obstinado y testarudo. No se retractará fácilmente si se le reta. Reacio con los desconocidos	
Medidas	Altura: 69 - 81 cm (27 - 32 in) Peso: 36 - 68 kg (80 - 150 lb)	Hay variaciones regionales
Ejercicios	Necesita ejercicio a diario, aunque no es un gran corredor	Mantenle alejado de otros perros y del ganado, ya que querrá perseguirlos
En el hogar	Bastante protector	
Comportamiento	Atento, valiente y leal. Puede suponer un riesgo si no se le controla adecuadamente	Vigílale cerca de otros perros
Cuidados	Necesita un cepillado frecuente. A veces puede tener dos espolones en los pies de las patas traseras	
Problemas de salud habituales	Displasia de cadera, una debilidad en los ligamentos de las caderas que conlleva cojera. Entropión, cuando los párpados se pliegan hacia el interior y rozan con la superficie del ojo. Problemas cutáneos. El cáncer puede suponer un problema en perros adultos	Asegúrate de comprobar a los cachorros para evitar la displasia. Puede necesitar cirugía para corregir el entropión

3. San Bernardo

Es una de las razas más conocidas del mundo, gracias al famoso cuadro de Sir Edwin Landseer, que muestra al San Bernardo con un barril de coñac alrededor del cuello, que usaba para reanimar a los viajeros perdidos en la nieve.

A GRANDES RASGOS
- Raza de gran tamaño, sociable
- Muy popular entre la clase obrera
- Originario de los perros Mastín
- No son longevos
- Pelaje de varias longitudes

CARACTERÍSTICAS CANINAS		ANOTACIONES
Personalidad	Sociable y enérgico. Bueno con los niños. Con un aire independiente	
Medidas	Altura: 66 - 71 cm (26 - 28 in) o más Peso: 50 - 91 kg (110 - 200 lb)	
Ejercicios	Necesita pasear y rastrear sin correa	No le ejercite de joven. Evita pasear durante las horas de más calor
En el hogar	A menudo parece patoso, sobre todo en espacios reducidos. Puede babear sobre los muebles	Cubre las sillas para protegerlas de las babas
Comportamiento	Con buen sentido del olfato. Normalmente no es agresivo con otros perros	
Cuidados	El cuidado es más sencillo si es de pelo suave	Acuérdate de peinar su cola poblada
Problemas de salud habituales	Embolias. Problemas en los párpados al rozar el ojo ocular. Osteosarcoma, cáncer de hueso que afecta las patas, es común en perros adultos	Ante la duda, realiza una prueba para detectar embolias. Los problemas con los párpados pueden necesitar cirugía

Ojos oscuros
Los ojos son medianos y de color marrón oscuro

Pabellón auricular
Las orejas se sitúan elevadas en la cabeza, el pabellón auricular es triangular y con las puntas redondeadas

Pecho arqueado
El pecho muestra un arco bien definido y no llega más abajo de los hombros

Patas fuertes
Las patas delanteras son muy potentes y musculosas, con la parte inferior recta y robusta

Historia

Esta raza se asocia indiscutiblemente al hospicio fundado, en el siglo x, por San Bernardo de Menthon en los Alpes suizos. Su propósito era el de ayudar a la gente perdida y retenida por el mal tiempo en esta región. Para mejorar su olfato, los monjes usaron ejemplares del grupo Mastín y podría haberse cruzado con el Perro de San Huberto, a pesar de que en principio se preservaban como perros guardianes. El San Bernardo más famoso era un perro llamado *Barry,* el cual tenía la reputación de haber salvado cuarenta vidas entre 1800 y 1812. Tras fallecer pasó a manos de un disecador y hoy puede encontrarse en el museo histórico nacional en Berna. En total, estos perros probablemente han rescatado a dos mil personas en los Alpes, que de lo contrario hubieran fallecido.

El legado de la raza

Debido a las duras condiciones climatológicas del invierno en los Alpes, se pensó que un pelaje más grueso podría ayudar al San Bernardo, por lo que a principios del siglo xix se realizaron algunos cruces con ejemplares del Terranova y aún hoy puede comprobarse el legado de aquella época. No es de extrañar que algún San Bernardo muestre un pelaje más grueso y largo que otros, lo que refleja ese período en el pasado de esta raza. Son compañeros de confianza, pero no son guardianes especialmente eficaces.

4. Perro de los Pirineos

También conocido como el Gran Pirineo por su tierra natal, la región que separa Francia de España. Está bien protegido del frío gracias a su denso pelaje con un subpelaje que atrapa el aire caliente cerca de la piel.

A GRANDES RASGOS
- Hermosa apariencia con manchas individuales
- Raza resistente
- Se ha adaptado bien a la vida doméstica
- Guardián leal
- Espolones poco comunes

Historia

Este perro se crió originariamente como perro pastor con una coloración blanca que le permitía mezclarse entre los rebaños de ovejas que protegía de los lobos. El rey Luis XIV (1638-1715) le concedió el título de «perro real de Francia» por su coraje. La única defensa que estos perros tenían para luchar contra el ataque de los lobos o, incluso de osos feroces, era un collar de metal con púas. Sin embargo, con el tiempo se exterminaron tanto lobos como osos, dejando al perro de montaña de los Pirineos con un futuro incierto. Su aspecto atractivo los llevó a participar en concursos. Sin embargo, se usaban tradicionalmente para el contrabando en los Pirineos moviéndose por rutas inaccesibles para los humanos.

Salvado del fracaso

Una característica poco común de esta raza es la presencia de espolones dobles en la parte trasera de los pies. No tienen una función significativa, pero estas uñas deberán cortarse con frecuencia para prevenir que penetren en las almohadillas. Esto requiere un par de tijeras para espolones y será más conveniente si lo realiza tu veterinario ya que si los espolones se recortan demasiado cortos podrían sangrar. Como sucede con las razas de gran tamaño, estos perros no se adaptan a una casa llena de gente y necesitan bastante espacio a su alrededor. También necesitan un jardín bien vallado, ya que pueden escaparse. A pesar de que no son muy enérgicos, gozan de bastante resistencia y necesitarán largos paseos a diario para no aburrirse.

CARACTERÍSTICAS CANINAS		ANOTACIONES
Personalidad	Sociable. Distante con los desconocidos. Controlador	
Medidas	Altura: 64 - 81 cm (25 - 32 in) Peso: 38,5 - 45 kg (85 - 100 lb)	Los machos pesan más que las hembras
Ejercicios	Necesita largos paseos por el campo	Evita el ganado ya que querrá perseguirlo
En el hogar	Necesita espacio y un jardín. Disfruta en un hogar estable. Se adapta a la familia	Dale tiempo para que explore el jardín
Comportamiento	Alerta y complaciente. Ha perdido la energía de algunas razas similares	
Cuidados	Doble pelaje. Su cuidado es más exigente en primavera cuando muda el pelo	Cepíllale con frecuencia
Problemas de salud habituales	Displasia de cadera que conlleva cojera. Problemas con los párpados. Hinchazón	Asegúrate de que examinan a las crías para evitar la displasia. Los problemas del párpado necesitan cirugía. Pasearle tras las comidas puede causar hinchazón

Pelaje blanco
El pelaje puede ser de color blanco, blanco con manchas grises, marrón rojizo, de color tejón o con matices bronceados

Caja torácica ovalada
La caja torácica se extiende hasta los hombros

Pelo largo
La parte posterior de ambas patas delanteras y de los muslos tiene un pelaje más largo

Espolones dobles
Tiene unos espolones dobles en sus pies traseros y los dedos están bien arqueados

5. Gran boyero suizo

Conocido en su tierra natal como Grosser Schweizer Sennenhund y es pariente cercano del Boyero de Berna *(ver pág. 90)*. Aunque su coloración es idéntica, el Gran boyero suizo puede distinguirse fácilmente del de Berna por su gran tamaño y su pelaje suave.

A GRANDES RASGOS
- Hermosa apariencia
- Buen perro familiar
- Necesita pocos cuidados
- Muy receptivo al entrenamiento
- Protector

Manchas simétricas
Éstas se encuentran en la cabeza y en el resto del cuerpo

Mancha blanca
Una destacable mancha blanca se extiende entre los ojos y se ensancha sobre el morro

Expresión singular
La expresión enérgica es singular de esta raza. Los ojos deberían ser marrón oscuro

Patas fornidas
Las patas delanteras son largas, rectas y fornidas con unos pies redondeados y robustos

Historia

Criado en los Alpes suizos con unos antepasados seguramente vinculados al Mastín. Tenía varias funciones, pero la principal era la de empujar carretillas como medio de transporte. Sin embargo, a finales del siglo XIX, ante la gran industrialización, empezó a escasear hasta llegar al borde de la extinción. Gracias a los esfuerzos del profesor Albert Heim, esta raza se salvó y es ahora más popular, llegando a Estados Unidos por primera vez en 1968.

Para la familia

Esta raza puede ser un excelente perro familiar siempre y cuando tenga espacio. Tampoco deberías ser un amante de un hogar impecable ya que babeará por toda la casa. Evita sobre ejercitarlo de pequeño para evitar problemas de cadera. Bastará con un par de paseos cortos a diario en vez de una larga caminata. Como sucede con todas las razas grandes no le des de comer antes de salir a pasear ya que puede crearle gases e hinchazón del estómago, lo que podría resultar letal.

CARACTERÍSTICAS CANINAS		ANOTACIONES
Personalidad	Relajado, fiel y protector. Reservado con los desconocidos	
Medidas	Altura: 61 - 74 cm (24 - 29 in)	
	Peso: 59 - 61 kg (130 - 135 lb)	
Ejercicios	Necesita un buen paseo diario en vez de una corta carrera	Dale un buen paseo
En el hogar	Raza familiar. Prefiere climas moderados. Bueno con los niños	Ayúdale a integrarse en la familia
Comportamiento	Madura con lentitud como la mayoría de perros grandes. Normalmente bueno con otros perros y con los gatos	
Cuidados	Necesita cepillado con más frecuencia cuando muda el pelo	Utiliza un guante para resaltar el brillo del pelo
Problemas de salud habituales	Displasia de cadera que conlleva cojera. Distiquiasis, presencia de extra pestañas. Hinchazón	Asegúrate de que examinan a los cachorros para evitar displasia de cadera. La Distiquiasis puede requerir cirugía. Pasearle tras las comidas puede causar hinchazón

6. Dogo de Burdeos

Su papel protagonista en la película «Socios y sabuesos» *(Turner and Hooch)* junto a Tom Hanks en 1989 hizo que esta singular raza francesa se conociese a nivel internacional. En Francia simplemente se la había descrito como el Dogo durante muchos años.

A GRANDES RASGOS
- Con una potencia impresionante
- Colorido atractivo
- Sociable con los miembros de la familia
- Gran apetito
- Es importante el ejercicio adecuado

Historia

Descendiente del Mastín, el Dogo ha existido durante siglos. Originalmente, se mantenían como una raza de peleas. Luego evolucionó como perro guardián y también sirvió como perro de caza. Los ejemplares de esta raza trabajaron como guías para los carniceros, llevando el ganado al mercado. Esto permitió sobrevivir en la época de la Revolución francesa, a pesar de que muchos de los perros que hacían a veces de guardianes fueron eliminados. Más tarde se cree que se cruzaron con perros más pequeños para incrementar su número. Recientemente, esta raza se ha hecho popular en Francia y en el resto del mundo como animal de compañía.

El Dogo moderno

Las arrugas de la cara sugieren que estos perros siempre están frunciendo el ceño, mientras que la forma en que las orejas se sitúan en la parte trasera, indica que es una raza con un pasado de perro de peleas. La coloración es bastante característica, variando del beige al rojizo, a veces con una máscara negra o con manchas blancas en el pecho. Su físico refleja la fortaleza del Dogo y, a pesar de que se ha calmado considerablemente, en realidad no resulta adecuado para un dueño inexperto.

Hocico del Dogo
El Dogo tiene un hocico fuerte, grueso y relativamente corto, de mandíbula ancha

Color del pelaje
El color varía de un tono beige rojizo claro a oscuro, a menudo con una pequeña mancha blanca en el pecho

Pecho resistente
El pecho es muy musculoso y fornido y se extiende debajo de los hombros

Pies fuertes
Sus robustas piernas acaban en unos pies con uñas gruesas y curvadas

CARACTERÍSTICAS CANINAS		ANOTACIONES
Personalidad	Fiel con la familia	Entrénale para que obedezca dentro de la familia
Medidas	Altura: 58 - 76 cm (23 - 30 in) Peso: 36 - 54,4 kg (80 - 120 lb)	
Ejercicios	Necesita un buen paseo pero el ejercicio mental con juegos también es necesario	Evita el ejercicio durante la franja más calurosa del día ya que existe riesgo de insolación
En el hogar	Babea sobre los muebles y a menudo ronca, sobre todo los adultos. Normalmente se lleva bien con los pequeños de la familia. Perro guardián dedicado	
Comportamiento	Relajado pero sensible y notará el estado de ánimo de su dueño	Intenta que se relacione con otros perros desde cachorro
Cuidados	El pelo corto no necesita muchos cuidados aunque necesita un cepillado más frecuente durante la muda	Lava los pliegues de piel con frecuencia ya que pueden infectarse
Problemas de salud habituales	Displasia de cadera que conlleva cojera. Enfermedades del corazón. Epilepsia. Por el tamaño de su cabeza necesitará cesárea	Asegúrate de que examinan a las crías para evitar la displasia de cadera. La epilepsia puede controlarse con medicamentos

7. Lobero irlandés

Estos perros enormes son más altos que otros pero son relativamente ligeros, comparados con los mastines. Pueden coger velocidad cuando trotan y andan a grandes zancadas lo que les permite recorrer grandes distancias a cada paso.

A GRANDES RASGOS
- Un verdadero gigante en el mundo canino
- Magnífico
- Pelaje impermeable
- Costoso de mantener
- No es un perro guardián
- Poca longevidad

CARACTERÍSTICAS CANINAS		ANOTACIONES
Personalidad	Afable, dócil y afectuoso	
Medidas	Altura: 76 - 86 cm (30 - 34 in) Peso: 41 - 54,4 kg (90 - 120 lb)	Puede llegar a medir más de 213 cm (84 in) de alto si reposa sobre sus patas traseras. Los machos pesan más
Ejercicios	Necesita una buena carrera diaria	Evita el ejercicio de pequeño ya que puede conllevar problemas de cadera
En el hogar	Ocupa mucho espacio. Una caseta para el perro sería lo ideal	Prepárate para perder tu sillón
Comportamiento	Los cachorros pueden parecer torpes a veces, su coordinación mejorará con el tiempo. Puede llevarse bien con perros pequeños	Involucra al perro con la familia
Cuidados	Su pelaje alborotado es muy impermeable	Cepíllale con frecuencia
Problemas de salud habituales	Displasia de cadera que conlleva cojera. Atrofia progresiva de retina (PRA) que conlleva ceguera. Cardiomiopatía, degeneración del músculo del corazón. Osteosarcoma, tumores en los huesos de las largas extremidades de los perros adultos. Hinchazón	Asegúrate de que examinan a las crías para detectar la displasia de cadera y la PRA. Pasearle tras las comidas puede causar hinchazón

Hocico puntiagudo
Tiene un hocico alargado y un poco puntiagudo y el cráneo es relativamente estrecho

Coloración típica
El pelaje es beige, rojizo, gris, negro o rayado, e incluso a veces blanco integral

Hombros y pecho
Los hombros musculosos resaltan su pecho ancho y bastante hondo

Fuertes patas delanteras
Las patas delanteras son rectas y fuertes con unos pies relativamente grandes

Historia

Los orígenes de esta raza pueden remontarse a los lebreles que llegaron hace más de tres mil años a la región mediterránea de las Islas Británicas. Estos perros se entrecruzaron con los mastines originarios del lugar. Los primeros perros loberos eran tercos, no solo al defender a las ovejas de los ataques de las manadas de lobos, sino que también podían perseguirlos. A finales del siglo XVIII, esta raza tenía un futuro incierto ya que el lobo empezó a desaparecer de dichas islas.

Tiempos modernos

El Lobero irlandés moderno es un resurgimiento de la antigua línea ancestral. Para aumentar su número, el capitán escocés George Graham usó ejemplares que habían sobrevivido al cruzarlo con su pariente, el Lebrel escocés *(ver pág. 41)* y otras razas de gran tamaño como el Borzoi *(ver pág. 67)* e incluso el Mastín tibetano *(ver pág. 89)*. El resultado del programa de cría de Graham es un perro sociable, atlético que resulta ser un gran compañero si dispones de espacio. Al igual que los lebreles, puede ser desobediente y no regresar si se le suelta de la correa.

8. Mastín tibetano

El Mastín tibetano, criado en la región del Himalaya, es una raza con una larga historia. Su aspecto se acerca más a los ejemplares originarios que cualquier otra raza en la actualidad, a los que sirvieron como base de todas las líneas del Mastín.

A GRANDES RASGOS
- Raza enorme y potente
- Inusual, pies parecidos a los de los gatos
- En celo sólo una vez al año
- Muy fiel y protector
- Intimida sobre todo al ladrar

CARACTERÍSTICAS CANINAS		ANOTACIONES
Personalidad	Protector del hogar y desconfiado con los desconocidos	Vigílalo de cerca
Medidas	Altura: 64 - 71 cm (25 - 28 in) Peso: 54,4 - 63,5 kg (120 - 140 lb)	Los machos son más grandes que las hembras
Ejercicios	Es vital un paseo diario	Asegúrate de controlarle, sobre todo debido a su fuerza
En el hogar	No es aconsejable para dueños inexpertos. Se adapta bien a los niños	
Comportamiento	Tarda en madurar. Las hembras entran en celo una vez al año en vez de dos, esto limita la posibilidad de cachorros. No se lleva bien con otros perros	Asegúrate de entrenarlo desde cachorro
Cuidados	Cepillar bien y con frecuencia su pelaje. Esto creará un vínculo con el perro	Lava las orejas para evitar infecciones
Problemas de salud habituales	Neuropatía hipertrófica (CIDN) una enfermedad paralítica progresiva letal a los cuatro meses. Displasia de cadera, conlleva cojera. Problemas de tiroides que afectan el metabolismo	Asegúrate de que examinan a las crías para detectar la displasia de cadera

Las orejas del Mastín tibetano
Las orejas en forma de «V» y de tamaño mediano recaen hacia delante a los lados de la cabeza

Color del pelaje
El pelaje puede ser un gris azulado, marrón o negro, a menudo con manchas bronceadas o de un color dorado

Longitud del pelaje
Los machos tienden a tener el pelaje más largo y más denso que las hembras

Manchas blancas
Las manchas blancas en el pecho y en los pies son frecuentes

Historia

Se cree que el Mastín como grupo se originó en Asia. El tibetano ganó importancia a finales del siglo XVIII, donde se mantenía como perro guardián aterrador tanto para la casa como para el ganado. Esta raza fue vista por primera vez en 1828, cuando se exhibió uno de estos perros en el zoo de Londres, después de que se lo obsequiasen a George IV (1762-1830). Mientras que el blanco y bronce es el color favorito, sus dueños en el Tíbet buscaban ejemplares que tuviesen una mancha blanca en el pecho en la «zona del corazón» como símbolo de valentía.

En casa con el Mastín tibetano

Se desconocen sus orígenes a pesar de que no cabe duda de la participación de los Spitz, en los que se destaca su cola rizada reposando sobre la espalda. Lo que está claro es que hoy en día el Mastín tibetano es más pequeño de lo que era originalmente, aunque sigue siendo grande y fuerte. Son instintivamente guardianes de personas y hogares y necesitan un entrenamiento adecuado antes de soltarles sin correa. Cabe recordar que se acostumbraba a atar a sus antepasados fuera y que emiten un fuerte ladrido en lugar de atacar, rasgo todavía vigente.

9. Boyero de Berna

Tal y como sugiere su pasado de perro de labranza cuenta con una buena constitución y por ello es fuerte, sin embargo, hoy en día, se mantiene como animal de compañía y para concursos. Se les conoce mejor en Suiza como Berner Sennenhunds, al estar estrechamente relacionados con la zona de Berna.

A GRANDES RASGOS
- Preciosa coloración
- Responde al entrenamiento
- Se adapta bien al ambiente familiar
- Cuidado poco exigente
- Raza impresionante

CARACTERÍSTICAS CANINAS		ANOTACIONES
Personalidad	Tolerante, diligente y calmado. Seguro, sociable y cariñoso	
Medidas	Altura: 58 - 71 cm (23 - 28 in) Peso: 38,5 - 41 kg (85 - 90 lb)	
Ejercicios	Necesita un buen paseo diario. Camina más que corre	Paséale a diario
En el hogar	Se adapta bien a los miembros de la familia	
Comportamiento	Aprende rápido y es complaciente	Entrénale desde joven
Cuidados	Necesita un peinado frecuente del pelaje de doble capa pero no necesita cuidados muy exigentes	Necesitará más cuidados en primavera cuando mude el pelo
Problemas de salud habituales	Displasia de cadera que conlleva cojera. Atrofia progresiva de retina (PRA) que conlleva a la ceguera. Enfermedad de Von Willebrand, anomalía congénita en la coagulación. Los cachorros pueden nacer con una fisura palatina o una fisura labial. Cáncer	Asegúrate de que examinan a las crías para detetar la displasia de cadera, PRA y la enfermedad de Von Willebrand.

Historia
En su tierra natal suiza, se confiaba en esta raza para llevar a cabo una serie de tareas, como por ejemplo actuar como perros de granja, guiar y vigilar el ganado y la propiedad. Su papel más importante era el de tirar de carretillas y transportar mercancías. Cuentan con una larga historia en la región y se cree que descienden del antiguo Mastín romano. Sin embargo, en 1890, en común con otras razas de boyeros estrechamente vinculadas, el Boyero de Berna empezó a escasear, ya que su papel en el trabajo disminuyó considerablemente. Por suerte, fue en ese momento cuando un casero del lugar decidió intentar rescatarlo de su extinción empezando un programa de recuperación.

¿Por qué Berna?
La coloración viva y de contrastes junto con sus manchas simétricas ha ayudado a resaltar su popularidad. Es actualmente la más popular de entre las cuatro razas de boyeros y puede resultar un buen animal de compañía. También han demostrado ser muy versátiles. Participan en una variedad de actividades, sobre todo en competiciones de obediencia y agilidad, así como también en eventos para dirigir el ganado y como perros rastreadores. Su buena naturaleza los hace ideales para tratamientos terapéuticos.

Hocico recto
El hocico recto y fuerte no tiene papada pronunciada

Manchas distintivas
Tiene una coloración tricolor muy distintiva, con un dibujo simétrico

Pies y patas
Las patas delanteras son rectas y fornidas con los pies redondeados y de forma compacta

Muslos robustos
Los muslos son robustos y musculosos

PERROS GRANDES

10. Malamute de Alaska

El Malamute de Alaska recibe su nombre de la tribu Inuit conocida como Mahlemut, que reside en el noroeste de Alaska cerca del Kotzebue Sound. Es una raza de trineo inmensamente poderosa y, como sucede con otras razas similares, aúlla igual que un lobo en vez de ladrar.

A GRANDES RASGOS
- Acostumbrado a la fuerte jerarquía de la manada
- Decidido
- Un perro trabajador
- Características del lobo
- Entrenamiento riguroso
- Muy poderoso

Historia
Sus orígenes se remontan a los perros domesticados en Alaska hace miles de años. Desde entonces, ha resultado ser una ayuda vital como medio de transporte en la región. Trabajan en grupos, tirando de los trineos cargados de mercancías y controlados por un conductor, «musher» (que viene de la orden «adelante»).

Naturaleza *vs* crianza
Pocas razas están tan bien adaptadas a su ambiente como el Malamute de Alaska. Sus fuertes hombros, junto con su cuerpo resistente le proporcionan la energía necesaria para tirar del trineo, mientras que su ancho pecho le proporciona una buena capacidad pulmonar, ayudándole a obtener oxígeno vital para la sangre y los músculos. Dado que trabaja en un frío glacial cuando la temperatura puede llegar a caer bajo cero, necesita tener un pelaje interior denso de hasta 5 cm (2 in) de espesor, lo que ayuda a atrapar el aire caliente cerca de la piel. El pelaje externo es resistente al tiempo. Por último, sus patas poderosas le ayudan a no hundirse en la nieve. Estos perros necesitan entrenamiento firme ya que de lo contrario pueden volverse bastante pasivos. Es importante castrarlos para mantener la actitud dominante inherente en los machos que puede conllevar a un comportamiento agresivo hacia otros perros. Los ejemplares de esta raza, tienden por instinto, a querer ser el perro en cabeza y si no se mantiene bajo control, este instinto puede desencadenar serios problemas.

Ojos en forma de almendra
Los ojos son oblicuos, de color marrón y con forma almendrada

Cuello y pecho
El cuello de estructura fuerte se une al pecho musculoso.

Color Alaska
El color del pelaje varía de un gris claro a negro, del pardo negruzco al rojo, con el blanco siendo el color predominante. También los hay completamente blancos

Patas poderosas
Las fuertes patas traseras le proporcionan la propulsión de salida

CARACTERÍSTICAS CANINAS		ANOTACIONES
Personalidad	Dominante, firme, y determinado. Se percatará de cualquier punto débil	Sé firme con el perro
Medidas	Altura: 58 - 64 cm (23 - 25 in) Peso: 34 - 38,5 kg (75 - 85 lb)	Los machos son un poco más pesados que las hembras
Ejercicios	Tiene una resistencia impresionante, por lo que son necesarios buenos paseos. Aún se usa para carreras de trineos que pueden hacerse sobre asfalto con trineos adaptados	Debido a su pelaje grueso, no lo ejercites durante la franja más calurosa del día, para evitar insolaciones
En el hogar	Puede ser inquieto pero formará un buen vínculo. Por instinto es un perro de «un solo dueño». No es idóneo para inexpertos	
Comportamiento	Su comportamiento puede ser retador	Es vital entrenarlo desde cachorro
Cuidados	Requiere cepillado intenso. Muda más pelo en primavera	
Problemas de salud habituales	Insuficiencia renal. Hemeralopía, incapacidad de ver con luz brillante. Displasia de cadera. Enanismo o acondroplasia, cuando nacen con las patas cortas	Asegúrate de que examinan a las crías para detectar la displasia de cadera

Tipos de perros para gente que disfruta haciendo ejercicio tanto si es andando como corriendo al aire libre, para aquellos que quieren participar en carreras de trineos y para aquellos que buscan un perro de caza para entrenar.

Pastor belga (Groenendael)

Lurcher

Dálmata

Husky siberiano

Perros que adoran correr

Muchas razas son atléticas y, al igual que sucede con las personas, pueden clasificarse entre los que hacen *sprint* y resistencia o los que participan en maratones, corren durante un rato y luego reducen su ritmo para volver a correr. Los lebreles, como el Saluki, son velocistas capaces de acelerar con tal rapidez que adelantarán y reducirán a su presa. Otros siguen el rastro, por lo que son más lentos, pero pueden seguir sin pausa durante largas distancias.

Otros, como el Husky siberiano, se crían para tirar de trineos en grupo por lo que muestran un instinto de manada y una resistencia increíbles. El Dálmata pertenece a una raza que en el pasado también se asoció con el transporte, tras adoptar un papel protector al correr al lado de los carruajes de caballos para disuadir a cualquier salteador de caminos.

A pesar de que todas las razas en este apartado están bien preparadas para correr, varían considerablemente en temperamento, reflejando así sus orígenes. Es algo que debes tener en cuenta, así como también debes disponer de un lugar cercano para poder pasear adecuadamente a unos perros tan activos.

1. Husky siberiano

Este perro juega un gran papel en la historia de Estados Unidos. Hacia 1925, un equipo con trineos y sus Huskies siberianos rescató la ciudad de Nome, en Alaska, de una epidemia de difteria tras llegar allí llevando un cargamento vital de suero bajo condiciones climatológicas muy adversas.

A GRANDES RASGOS
- Decidido
- Sociable
- Robusto
- Gran resistencia
- Muy enérgico
- Fuertes instintos de manada

Expresión afable
Tiene una expresión atenta y afable. Los ojos en forma de almendra son marrones, azules o uno de cada color

Coloración del Husky
El pelaje puede ser de cualquier coloración y, a menudo, presentan manchas en la cabeza

Muslos robustos
Los muslos son fornidos y su corvejón se sitúa relativamente bajo a nivel del suelo

Patas estiradas
Vistas de frente, las patas delanteras parecen paralelas y rectas

Historia

Los orígenes de esta raza se remontan más de tres mil años en la región de Yakutsk, en Siberia. Conocido originariamente como el Chukchi, se cree que su nombre deriva de la tribu del mismo nombre, que los usaban como medio de transporte. Estos perros eran la salvación para los nativos y para criarlos, los Chukchi sólo usaban sus mejores perros. Además, al crecer con niños, desarrollaron un carácter sociable que ha perdurado hasta el día de hoy. A pesar de que puede llegar a ser la raza de trineos más pequeña, es también la más rápida y puede mostrar una resistencia admirable. Llegó a Estados Unidos a principios del siglo xx.

Raza para carreras

Actualmente, es una de las razas de perros de trineos más extendidas seguramente por su tamaño y su carácter sociable. El Husky siberiano es muy activo y se cría en parejas o en grandes manadas ya que es un perro sociable, aún así hay un orden jerárquico visible dentro del grupo. En muchos países no es posible hacer carreras de trineos por falta de nieve pero las carreras de *carts* son un pasatiempo popular y ayudan a demostrar la fuerza y la determinación de esta raza. Son perros tranquilos, a pesar de que aún guardan un parecido asombroso con los lobos y prefieren aullar en vez de ladrar. Los más comunes son los ejemplares de ojos azules.

CARACTERÍSTICAS CANINAS		ANOTACIONES
Personalidad	Receptivo, sociable, a veces terco. Aprecia el orden de la manada	
Medidas	Altura: 51 - 61 cm (20 - 24 in) Peso: 16 - 27 kg (35 - 60 lb)	
Ejercicios	Es vital que haga mucho ejercicio a diario. Pueden usarse para tirar de trineos	Paséalo al menos una vez al día
En el hogar	Se adaptará bien siempre y cuando haga ejercicio	Deja que juegue en casa para evitar el aburrimiento
Comportamiento	Independiente, por lo que es importante el entrenamiento	Entrénalo a diario, incluso de mayor
Cuidados	Pelaje denso y grueso que lo protege del clima	Cepíllalo semanalmente
Problemas de salud habituales	Enfermedades oculares congénitas, como la atrofia progresiva de retina (PRA)	Asegúrate de que examinan a las crías para detectar problemas oculares

PERROS QUE ADORAN CORRER 95

2. Dálmata

Por su aspecto moteado, el Dálmata es una de las razas más características. Gracias al libro de Dodie Smith, *101 Dálmatas,* del que también se han hecho versiones cinematográficas, pasó a ser muy conocido y fácil de reconocer.

A GRANDES RASGOS
- Aspecto singular asombroso
- Muy activo y lleno de energía
- Pelaje de fácil cuidado
- Buen guardián
- Sin manchas al nacer

Historia

A pesar de que recibe su nombre por la costa de Dalmacia, en la región europea de los Balcanes, parece ser que hay un vínculo muy pequeño con esta zona. Mientras que se desconocen sus orígenes, su aspecto sugiere que desciende de la saga de los sabuesos. Si remontamos hasta mitad del siglo XVII, el primer indicio proviene de los Países Bajos. Luego, fue muy popular en Inglaterra, donde de manera singular se usaba como perro protector por su resistencia. El Dálmata evolucionó como perro de carruaje corriendo a su lado o a veces al lado de un jinete a caballo, protegiéndolo ante cualquier ataque. En Estados Unidos se usó junto con los coches de bomberos tirados por caballos. Fue también un ejemplar popular en los primeros concursos, en la década de 1890.

Sin manchas al nacer

Una característica, poco habitual, es que son completamente blancos al nacer y sólo desarrollan sus manchas a partir de las dos o tres semanas. El moteado es bastante individual, los jueces prefieren aquellos con manchas repartidas y bien definidas. Las manchas (y la nariz) pueden ser o bien de color marrón hígado o bien negras, pero no ambos. Además de ser atractivos, los Dálmatas son muy activos y necesitan correr sin correa.

CARACTERÍSTICAS CANINAS		ANOTACIONES
Personalidad	Protector, fiel, inteligente y adaptable. Reservado con los desconocidos	Vigílalo cuando haya desconocidos cerca
Medidas	Altura: 48 - 58 cm (19 - 23 in) Peso: 22,7 - 25 kg (50 - 55 lb)	
Ejercicios	Prefiere el campo abierto en vez del bosque	Ejercítalo con una buena carrera a diario sin correa
En el hogar	Alerta. Buen guardián	
Comportamiento	Mantiene su instinto de cazador, cazará ratas. Se ha usado como perro cobrador de presas	Vigílalo cerca de animales pequeños
Cuidados	El pelo corto necesita un buen cepillado. Pueden encontrarse ejemplares de pelo largo	Cepíllalo cuando sea necesario
Problemas de salud habituales	Por su deficiencia metabólica es propenso a piedras en el riñón y en la vesícula que le pueden causar gota. Los dálmatas de ojos azules pueden padecer sordera	

Patas resistentes
Las patas delanteras son fuertes, estiradas y de aspecto macizo

Pelaje moteado
Las motas del pelaje lacio y brillante deberían estar bien definidas

Cola del Dálmata
La cola se prolonga desde la espalda afinándose hacia la punta y curvándose un poco hacia arriba

Pies de tamaño reducido
Los pies son redondeados y de tamaño reducido con unas almohadillas gruesas y unos dedos bien arqueados

3. Braco de Weimar

El aspecto del Braco de Weimar es único, gracias en parte a su coloración gris que puede variar de un sombra plateado a un gris ratón más oscuro. Sus ojos expresivos pueden variar del color ámbar hasta el gris.

> **A GRANDES RASGOS**
> - Aspecto asombroso, lacio y brillante
> - Coloración inusual
> - Fiel
> - Sociable
> - Bastante fácil de entrenar
> - Cuidados mínimos necesarios

Orejas largas
Las orejas en forma de lóbulo y un poco dobladas se sitúan elevadas

Rasgos faciales
Los ojos bien separados le dan una expresión de inteligencia y entusiasmo y varían en color desde el ámbar claro, el azul grisáceo y el gris

Pelaje gris
El pelaje de la cabeza y de las orejas es normalmente más claro que del resto del cuerpo

Pies firmes
Los pies son firmes y reducidos, los dedos están bien arqueados y muestran una membrana entre los dedos

Historia

A principios del siglo XIX, el gran Duque Karl August de Weimar en Alemania creó esta raza al intentar desarrollar una raza de caza que destacara en todos los aspectos. Se cruzaron el Pointer alemán con el perro de San Huberto y con los sabuesos franceses para lograr una mejora en sus habilidades olfativas, de velocidad y resistencia. En esta temprana etapa del Braco de Weimar, el coraje también era importante puesto que se usaban para cazar jabalíes e incluso osos. Sin embargo, desde entonces ha evolucionado para cazar aves. Los perros eran tan preciados que no se permitía criarlos libremente y hasta principios de los años 30 se impusieron controles de propiedad estrictos.

Un compañero versátil

El Braco de Weimar es un perro de caza muy versátil. Combina todos los puntos fuertes de sus ancestros, al tener características de pointer así como también de rastreador e incluso de cobrador de presas. Hoy en día es muy buscado por su versatilidad. Además, es popular en los concursos por su sorprendente aspecto y por su andar elegante. Es ideal como perro de compañía, sobre todo en áreas rurales donde disfrutará si se le da la oportunidad de hacer ejercicio con largos paseos. Es ideal para un hogar con niños enérgicos ya que también disfruta jugando. Es necesario un jardín grande para que pueda jugar a coger discos voladores y corretear enérgicamente persiguiendo la pelota.

CARACTERÍSTICAS CANINAS		ANOTACIONES
Personalidad	Sociable	
Medidas	Altura: 58 - 69 cm (23 - 27 in) Peso: 32 - 39 kg (70 - 86 lb)	
Ejercicios	Disfruta de largos paseos. Muestra gran resistencia. Atlético	Vigílale cerca del agua ya que será propenso a tirarse
En el hogar	Es destructivo si se aburre	Busca tiempo para jugar
Comportamiento	Enérgico	
Cuidados	Su cuidado será sencillo. Existe una rara variedad de pelo largo	Cepíllale cuando sea necesario
Problemas de salud habituales	Los cachorros pueden sufrir hernias umbilicales. Propenso a enfermedades cutáneas	Asegúrate de que examinan a las crías por problemas umbilicales, pueden necesitar cirugía

4. Vizsla o Braco húngaro

El nombre proviene de una antigua raza húngara. Su coloración es muy singular, siendo tradicionalmente de color dorado oxidado. Su nariz debería ser siempre rojiza mezclándose con el color de su pelaje, tal y como lo hacen sus ojos y uñas.

A GRANDES RASGOS
- Disfruta en climas cálidos
- Sociable
- Popular compañero para el deporte
- De fácil cuidado
- Enérgico

Historia

Se cree que los orígenes del Vizsla se remontan a más de novecientos años y que su nombre conmemora a un antiguo poblado situado cerca del valle Danubio. Sin embargo, a finales del siglo XIX, esta raza estuvo a punto de extinguirse, con sólo una docena de ejemplares. Los cruces con perros Pointer fueron probablemente los que aseguraron su supervivencia aunque volvió de nuevo a estar en peligro a causa de la Primera y de la Segunda Guerra Mundial. Sin embargo, en la década de los años 40 del siglo XX, los refugiados que huyeron de Hungría se llevaron algunos ejemplares y desde entonces han sido más populares.

Problemas de entrenamiento

El Vizsla es un perro muy adaptable como refleja el hecho de que era considerado un Pointer inicialmente, trabajando con halcones, convirtiéndose desde entonces en un cobrador de presas muy eficiente. Forma un vínculo estrecho con la familia cercana pero tendrás que asegurarte de que no se convierta en un perro «de una sola persona», aún así responderá por igual a todos los miembros de la familia. Esta posible dificultad puede sobrellevarse en una etapa temprana asegurándote de que más de un familiar esté involucrado en el entrenamiento desde joven. Dado que es una raza criada para cazar en las praderas húngaras, necesita bastante ejercicio.

CARACTERÍSTICAS CANINAS		ANOTACIONES
Personalidad	Gentil pero a la vez protector. Disfruta con gente alrededor. Fiel, sensible y afectuoso	Mantenle siempre motivado
Medidas	Altura: 53 - 61 cm (21 - 24 in) Peso: 22 - 30 kg (49 - 66 lb)	
Ejercicios	Prefiere el campo abierto. Posee mucha resistencia	Déjale correr sin correa
En el hogar	Feliz en un hogar con niños	
Comportamiento	Se adapta y responde bien al entrenamiento. Animado	Involucra a toda la familia en su entrenamiento
Cuidados	El cuidado del pelo corto es sencillo	Cepíllale cuando sea necesario
Problemas de salud habituales	Hemofilia, enfermedad de la sangre que afecta a los machos, una debilidad genética que se asocia a ciertas líneas sanguíneas	

Cuello musculoso
El cuello es relativamente largo y se ensancha a la altura de los hombros

Pecho ancho
El pecho ancho llega a la altura de los codos

Patas largas
Las patas delanteras largas y estiradas acaban en unos pies redondeados, parecidos a los de los gatos

Muslos fornidos
Los muslos están bien formados, con las patas traseras paralelas vistas desde atrás

5. Setter irlandés

En cualquier concurso de perros, el Setter irlandés podría ser fácilmente el ganador, gracias a su increíble pelaje rojo avellana y a su elegante caminar. Se le conoce como Setter rojo por su aspecto. Es un perro cariñoso y una buena elección para familias con adolescentes.

A GRANDES RASGOS
- Aspecto precioso
- Puede ser desobediente
- El entrenamiento puede ser a veces problemático
- Sociable
- Coloración singular

Historia

Durante un período de tiempo, este Setter criado en Irlanda, de cruces entre el Pointer español y los Spaniels, se conocía como Spaniel rojo. En el siglo XVIII, era una de las tres variedades que podía salir de una misma camada. La variedad roja era en realidad menos popular que la del Setter irlandés rojo y blanco cuyas manchas blancas lo hacían más llamativo. La variedad menos común era la llamada Hail, simplemente porque el color rojo de su cuerpo no era uniforme con unas motas blancas que parecían piedras de hielo. Hoy en día está extinto aunque en alguna ocasión puede salir algún ejemplar de una camada. A principios del siglo XX, se usaron cruces ocasionales con el Borzoi *(ver pág. 67)* para crear un Setter irlandés más alto y de aspecto más salvaje.

De naturaleza activa

Los cruces con el Borzoi probablemente no hicieron nada para mejorar la naturaleza desobediente de esta raza. Sin embargo, el Setter irlandés ha demostrado ser un perro de caza bastante competente, con su entusiasmo natural muy evidente en acción. Es muy importante no dejarse seducir por esta raza de aspecto atractivo sin olvidar que como animal de compañía, necesitará ejercicio. Los perros jóvenes tardan más en entrenarse que la mayoría de los perros de caza. Si se aburren serán destructivos en el hogar y, es probable, que desobedezcan si se les deja ir sueltos sin correa, a menudo desapareciendo en la distancia.

CARACTERÍSTICAS CANINAS		ANOTACIONES
Personalidad	Sociable y exuberante. Trabajador dedicado	
Medidas	Altura: 64 - 69 cm (25 - 27 in)	
	Peso: 27 - 32 kg (60 - 70 lb)	
Ejercicios	Necesita correr	Escoge una zona segura lejos de la carretera por si se escapa
En el hogar	Le encanta jugar	Busca bastante tiempo para jugar
Comportamiento	Puede ser propenso a escaparse. No aprende rápido pero es un trabajador dedicado	Sé paciente con el entrenamiento
Cuidados	Los de pelo largo necesitan cuidados frecuentes	Cepíllale y péinale con frecuencia
Problemas de salud habituales	Los cachorros pueden presentar problemas al tragar, asociados con su debilidad muscular	

Cabeza alargada
El Setter irlandés tiene la cabeza alargada, midiendo el doble entre los ojos y con anchos orificios nasales

Orejas colgantes
Las orejas se sitúan bajas en la parte trasera colgando en los laterales

Muslos bien formados
Los muslos son anchos con largas patas traseras

Pies pequeños
Los pies son relativamente pequeños con dedos juntos arqueados

PERROS QUE ADORAN CORRER

6. Lurcher

No existe un estándar para estos perros, que todavía se mantienen esencialmente con fines laborales. Son el resultado típico de los cruces entre un sabueso y un perro pastor, con el propósito de crear un compañero de caza calmado e inteligente.

A GRANDES RASGOS
- De aspecto característico
- Velocista
- Muy dócil
- Suele tener pelo rizado
- Tranquilo

Historia

El uso de perros sabuesos para cazar en Inglaterra se remonta a más de un milenio. Esta actividad estaba limitada sólo para la nobleza, pero había quienes querían usar estos perros para sobrepasar y derrotar a las presas, como el ciervo. A pesar de que estas actividades podían conllevar multas considerables, no llegó a ser un impedimento importante. El Lurcher se crió para este fin, cruzándolo con el Lebrel escocés y los Galgos, para proporcionarles velocidad y, con los Collies, para asegurar una descendencia más receptiva. Sin embargo, se usó tal variedad de razas diferentes para estas funciones que podría discutirse si el Lurcher es el primer perro de diseño.

Definir al Lurcher

Un cachorro de Lurcher criado de una raza de trabajadores definitivamente mostrará tales instintos, aunque quizás con menor intensidad si se ha formado de razas para concursos. Mientras que en el pasado, se favorecían los ejemplares de coloración oscura ya que eran menos llamativos en el trabajo, actualmente los de coloración más clara son más populares por su aspecto. El Lurcher es veloz al correr y muy receptivo con su dueño. Es muy inteligente, lo que le convierte en una opción atractiva si estás buscando una raza muy activa. La variabilidad de su aspecto también asegura que acabarás con un perro único, pero deberías indagar acerca de los antepasados exactos del perro. Esto no sólo te dará una idea de su tamaño cuando madure, sino también de su aspecto. En ocasiones, los cachorros se cruzan con lebreles para mejorar la raza.

CARACTERÍSTICAS CANINAS		ANOTACIONES
Personalidad	«Buscador» genuino y gran entusiasta. Sociable y calmado	
Medidas	Altura: variable Peso: en relación con la altura	Son generalmente delgados con una constitución parecida a la de los galgos
Ejercicios	Normalmente más activo al atardecer. Necesita correr sin correa	Paséale sin la correa
En el hogar	Buen compañero. Se relaciona con la gente mejor que otros lebreles. No se lleva bien con los gatos	
Comportamiento	Perseguirá conejos, gatos, e incluso perros pequeños. Mostrará instintos de cazador al anochecer	Vigílale cerca de otros animales
Cuidados	Sus cuidados dependen de los cruces realizados en el pasado. Son frecuentes los cruces con los de pelo rizado, como el Bedlington terrier	
Problemas de salud habituales	Probablemente sus problemas de salud estén relacionados con sus antecesores. La atrofia progresiva de retina (PRA) puede resultar un serio problema	Indaga sobre sus antepasados para saber qué enfermedades podrían surgir

Longitud del pelaje
Es variable. La textura en este caso es rizada

Constitución atlética
El cuerpo es atlético, relativamente largo y con buena capacidad pulmonar

Fuertes patas traseras
Le proporcionan potencia, lo que contribuye a la resistencia del Lurcher

7. Pastor belga

En Bélgica se distinguen cuatro razas locales diferentes de perro pastor, pero en algunos países, todas se agrupan en una sola. Conocidos en Inglaterra como los perros pastor belga, el más conocido es el Groenendael de pelo largo y su color negro. También se conoce en Estados Unidos como el Perro ovejero belga.

A GRANDES RASGOS
- Raza inteligente
- De pelaje largo
- Trabajador
- Necesita ejercicio físico y mental
- Receptivo al entrenamiento
- Alerta y activo

Hocico blanco
El blanco alrededor del hocico puede ser más evidente en ejemplares adultos

Pelo blanco
Es probable que muestre una zona blanca en el pecho

Pies como los de los gatos
Los pies son parecidos a los de los gatos, largos y bien acolchados

CARACTERÍSTICAS CANINAS		ANOTACIONES
Personalidad	Determinado y fiel. Buscador por naturaleza. Retraído con los desconocidos	Vigílale cerca de desconocidos
Medidas	Altura: 56 - 66 cm (22 - 26 in) Peso: 27,7 - 28,5 kg (61 - 63 lb)	Controla su peso, ya que es propenso a la obesidad
Ejercicios	Necesita correr libremente para liberar energía	Busca tiempo para jugar, como perseguir la pelota
En el hogar	Buen compañero. Necesita salir al jardín. Se adaptará mejor si se tiene desde cachorro	Dale la oportunidad de jugar en el jardín
Comportamiento	Sociable con los miembros de su propio hogar	Desde cachorro intenta que se socialice
Cuidados	Pelaje largo, necesita cepillado y peinado. La mata de pelo alrededor del cuello y del pecho es más densa en invierno	Cepíllale y péinale a menudo
Problemas de salud habituales	Epilepsia	

Historia

El Pastor belga o Groenendael, recibe su nombre por el Château de Groenendael, situado al sur de Bruselas donde esta raza se creó en 1885. Originario de una perra de pelo negro y largo y un perro similar. Llegó a Estados Unidos en 1907 y hoy en día es la raza más frecuente de las cuatro variedades belgas. Las otras variedades de pelo largo son el Tervuren, de color beige, con las puntas blancas y su homólogo de pelo corto, conocido como Malinois, beige y negro. El Laekenois es el más distintivo siendo el único de pelo áspero y de color beige.

Carácter de esta raza

Además de ser un perro de compañía, esta raza ha servido como perro pastor, perro policía y como perro guardián a la vez que se ha hecho popular en los concursos. Su pasado trabajador indica que eran perros activos y deberían contar también con estimulación mental para prevenir el aburrimiento. Son trabajadores naturales y normalmente aprenden rápido. El tiempo dedicado al entrenamiento le ayudará a reforzar el vínculo con su dueño pero, aún así, debe involucrar a más de un miembro de la familia. La naturaleza un tanto suspicaz de esta raza hace que sea importante la socialización en una etapa temprana.

8. Saluki

Conocido también como Galgo persa, esta raza antigua tiene un aspecto de sabueso indiscutible, gracias a su apariencia flaca, de pecho profundo y cintura estrecha. También tiene pelo largo en las partes traseras de las piernas y en el interior de la cola y también de las orejas.

A GRANDES RASGOS
- Raza antigua
- Muy veloz
- Gran resistencia
- No es una raza fácil de entrenar
- Con tendencia a escaparse

Historia

El Saluki representa uno de los linajes más antiguos en el mundo canino con orígenes que se remontan a más de 10.000 mil años. Esta raza se creó en Oriente Medio para la caza de gacelas, pequeños antílopes veloces, así como de liebres y zorros. A menudo se asociaba con los pájaros de caza, usados por los jinetes a caballo o a camello. Cuando los pájaros divisaban una presa, volaban en círculos sobre ella y luego se soltaban a los Salukis. Su papel no era el de matar a la presa sino simplemente apresarla hasta que el cazador acabase con ella. Esto requería no sólo velocidad sino también la habilidad de estos sabuesos para trabajar en equipo.

Una tarea pesada

Los Salukis actuales conservan muchas de las características esenciales de sus antepasados. Desafortunadamente, esto significa que huirán detrás de cualquier posible presa desapareciendo en la distancia. Es difícil prevenir tal comportamiento, excepto con entrenamiento exhaustivo, sobre todo porque estos sabuesos necesitan una buena carrera a diario, si no, se aburrirán y se convertirán en destructivos. En el caso de que te encuentres con un perro pequeño al pasear, el Saluki puede pensar que es una presa, por lo que será más seguro si de antemano le pones el bozal. A pesar de su aparente naturaleza independiente al cazar, es afectuoso con aquellos que le rodean en casa, pero no con los desconocidos.

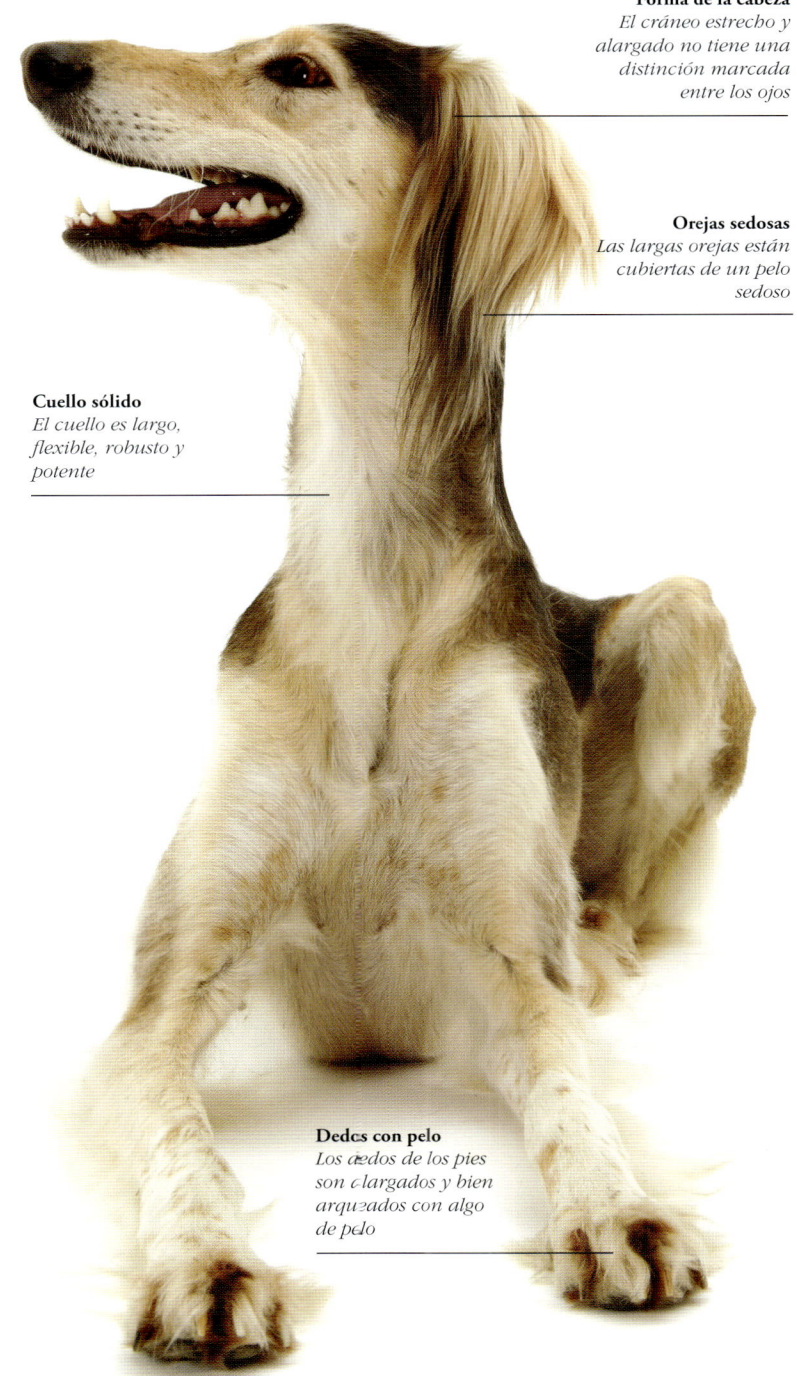

Forma de la cabeza
El cráneo estrecho y alargado no tiene una distinción marcada entre los ojos

Orejas sedosas
Las largas orejas están cubiertas de un pelo sedoso

Cuello sólido
El cuello es largo, flexible, robusto y potente

Dedos con pelo
Los dedos de los pies son alargados y bien arqueados con algo de pelo

CARACTERÍSTICAS CANINAS		ANOTACIONES
Personalidad	Fiel, retraído con las visitas	Vigílale cerca de los desconocidos
Medidas	Altura: 56 - 71 cm (22 - 28 in) Peso: 20 - 30 kg (44 - 66 lb)	Algunos son de mayor tamaño que otros
Ejercicios	Atlético. Posee mucha resistencia y energía	Dále un buen paseo diario y evita pequeños animales
En el hogar	Guardián útil. Es probable que no se lleve bien con conejos o con gatos	
Comportamiento	Muy rápido cuando corre. Difícil enseñarle a no salir corriendo. De carácter independiente	Sé firme con el entrenamiento
Cuidados	Necesita cuidados en general. Existe una variedad de pelo suave más común en Oriente Medio	Cepilla y peina el pelaje largo de las orejas y del resto del cuerpo
Problemas de salud habituales	Susceptible a varios problemas oculares. Los perros mayores pueden tener cáncer de huesos	

9. Podenco faraónico

El Podenco faraónico es otra raza cuyo aspecto ha cambiado poco con el transcurso de los años. Ha evolucionado de una raza para cazar conejos a una frecuente en los concursos más populares, reflejando su aspecto glamuroso.

A GRANDES RASGOS
- Coloración asombrosa y bella
- Aspecto sedoso y brillante
- Historia interesante
- Sociable
- Pelaje de fácil cuidado
- Bueno con los niños

Historia
Los fenicios que viajaban y comerciaban a través de la región del Mediterráneo son los que se encargaron de llevar a los ancestros del Podenco faraónico a Malta y a la isla vecina de Gozo desde Egipto hace miles de años. Pueden encontrarse razas similares en otras islas cercanas, sobre todo en Ibiza y en Sicilia. No fue hasta finales de 1960 que el Podenco faraónico empezó a atraer seguidores en el ámbito internacional al introducirse en Inglaterra y en Estados Unidos. A medida que la gente descubría su atractiva coloración y su naturaleza sociable, su popularidad aumentó. El Podenco faraónico se conservaba originariamente para cazar conejos.

Velocidad y persecución
A pesar de que puede ser un buen perro no le dejes entrar en contacto con otras mascotas como el conejo, ya que es probable que irrumpan sus instintos de cazador. También ten cuidado al salir de paseo, intenta buscar una zona rural alejada de las liebres y de las carreteras. Si sale corriendo tras un conejo, difícil será que no lo haga, como mínimo permanece alejado del tráfico para minimizar el riesgo de accidentes. Sus potentes pies le permiten cazar conejos sobre superficies duras y rocosas. Puede mostrar manchas blancas en su pelaje lacio y brillante, así como en la zona pectoral denominada «estrella».

CARACTERÍSTICAS CANINAS		ANOTACIONES
Personalidad	Inteligente y cariñoso	
Medidas	Altura: 53 - 64 cm (21 - 25 in) Peso: 20,4 - 25 kg (45 - 55 lb)	
Ejercicios	Necesita bastante ejercicio y correr sin correa a diario	Vigílale porque cazará conejos, liebres y a veces alguna presa pequeña
En el hogar	Se adapta bien en una familia con miembros de todas las edades	
Comportamiento	Alerta y receptivo	Busca tiempo para jugar
Cuidados	Necesita cuidados mínimos	Utiliza un guante para dar un aspecto brillante al pelo
Problemas de salud habituales	A pesar de ser generalmente sano puede tener una mala reacción a medicamentos y a agentes anti parásitos	Vigila por si aparece cualquier síntoma de estas enfermedades

Anchas orejas
Las orejas tienen una base ancha, son muy flexibles y están erguidas en alerta

Rasgos faciales
La cara es alargada y estrecha con una mandíbula poderosa y una expresión alerta

Cuello musculoso
El cuello esbelto, largo y musculoso muestra una curva ligera

Manchas bronceadas
Tiene manchas marrones o avellana con pequeñas zonas blancas que se reparten por el cuerpo

10. Cazador de alces noruego

Este perro escandinavo es una raza terca y versátil con una larga historia de más de siete mil años de antigüedad. Conocido también como Cazador de alces gris, para distinguirlo de su pariente de color negro menos común.

A GRANDES RASGOS
- Raza antigua
- Necesita muchos cuidados
- Inteligente
- No se adaptará bien en zonas urbanas
- Disfruta como parte de la familia

CARACTERÍSTICAS CANINAS		ANOTACIONES
Personalidad	Decidido, fuerte, terco y fiel	Sé estricto pero solo al entrenarlo
Medidas	Altura: 51 - 56 cm (20 - 22 in) Peso: 21,7 - 25 kg (48 - 55 lb)	
Ejercicios	Necesita hacer ejercicio a diario. Puede escaparse	Busca un lugar lejos de la gente y del ganado y practica el entrenamiento
En el hogar	Criado para trabajar mano a mano con su dueño. Puede ser un buen perro guardián	Busca tiempo para jugar para evitar el aburrimiento
Comportamiento	Valiente	
Cuidados	Cepilla sobre todo la melena de pelo que se extiende debajo de las patas. Esto llevará tiempo cuando mude el pelo	Cepíllale frecuentemente
Problemas de salud habituales	Atrofia progresiva de retina (PRA). Displasia de cadera	Asegúrate de que examinan a las crías para detectar estas enfermedades

Historia

Los ancestros del Cazador de alces noruego eran muy preciados. Sus restos se encontraron en las tumbas de los vikingos de más de 7.000 años de antigüedad. Investigaciones posteriores han desvelado que eran casi idénticos en aspecto a los ejemplares actuales. Originariamente, se mantenían para cazar no solo en Noruega sino también en Suecia. Podían ir con o sin correa. Si cazaban en los bosques podían salirse del camino en busca de sus presas que, no solo incluían alces, sino también otros mamíferos de gran tamaño como el ciervo, los osos y los lobos. Estos sabuesos perseguían pájaros de caza, como el urogallo, a pesar de que en campo abierto estos perros se mantenían atados y se usaban sólo para seguir el rastro.

Pasado y presente

Su constitución fuerte y robusta, combinada con una determinación considerable, revela la naturaleza persistente y atlética de esta raza. El Cazador de alces noruego es muy reticente a abandonar cualquier reto y debes realizar el ejercicio adecuado a diario para prevenir que se aburran y que sean destructivos en el hogar. Necesita una considerable cantidad de tiempo para sus cuidados, sobre todo cuando muda el pelo.

Orejas puntiagudas
Las orejas grandes y puntiagudas se sitúan elevadas en la cabeza. Están tersas y son muy flexibles

Ojos oscuros
Sus ojos ovalados y de color marrón oscuro están bastante retraídos

Cabeza en forma de cuña
La forma característica de la cabeza mantiene las orejas a una buena distancia y su cara tiene una expresión animada

Cola rizada
La cola gruesa se sitúa elevada. Es bastante rizada y reposa sobre la parte central de la espalda

Tipos de perros para gente que padece alergias con síntomas como dificultades respiratorias y ojos llorosos, para aquellos dueños con un hogar impecable o para los que simplemente ¡odian limpiar!

Terrier Airedale

Perro de aguas portugués

Caniche miniatura

Hipoalergénicos

Bichón frisé

Hoy en día, con un creciente número de adultos y niños que desarrollan alergias de todo tipo, hay un aumento de interés por esas razas menos propensas a causar alergias. De ahí que se les conozca como hipoalergénicos. En la mayoría de los casos esto se debe a que no mudan el pelo con frecuencia, como lo hacen la mayoría de las razas. Como resultado, escoger uno de estos perros debería conllevar otra ventaja también, ya que se necesita menos tiempo para limpiar la casa y eliminar el pelo de los muebles y de las alfombras, aunque en la actualidad ya existen aspiradoras especiales para esto.

No existe total garantía de que ninguna raza pueda producir una reacción alérgica. En caso de duda, en lugar de comprar directamente un perro, será más sensato si la persona afectada conoce al perro que estás pensando comprar y comprueba si le produce alguna reacción. Los criadores de estas razas no lo verán raro y preferirán hacerlo así en lugar de vender un cachorro que podría acabar abandonado al cabo de poco, sin tener la culpa.

1. Caniche

Pocas razas son tan inteligentes como el Caniche, cuya variedad en miniatura fue originalmente famosa por sus actuaciones de circo. El Caniche es por lo general muy juguetón, fácil de entrenar y se adaptará con rapidez a los miembros de la familia.

A GRANDES RASGOS
- Variedad de tamaños
- No muda el pelaje
- Aprende rápido
- Muy fiel
- Buen compañero
- Juguetón
- Ideal para la vida urbana

Historia

Hoy en día, el Caniche se da en tres tamaños bastante diferenciables, siendo la variedad estándar la de mayor tamaño. El Caniche miniatura, como se conoce ahora, se creó con un proceso de crianza selectiva para reducir el tamaño, aunque hasta 1907 se le conocía como Toy Caniche. A partir del Toy Caniche evolucionó una variedad de tamaño aún más pequeña. Sin embargo, para complicar más las cosas, algunos organizadores de concursos reconocen actualmente una nueva variedad intermedia entre el miniatura y el Toy Caniche, conocida como la mediana.

Aspecto inusual

En el caso del Caniche estándar, su corte de pelo inusual en realidad era por comodidad. El Caniche se crió originalmente como cobrador de presas y se tiraba al agua para recoger las aves acuáticas que se cazaban. El pelo largo alrededor de las articulaciones de las patas les mantenía calientes mientras que si se recortaba el pelo de las poderosas patas traseras le ayudaría a nadar, reduciendo así su resistencia en el agua. El pompón de la cola servía para identificarlo más fácilmente en el agua. Sin embargo, no es necesario mantenerlo con un corte de pelo tan elaborado. Los Caniches adultos, al igual que los cachorros, pueden tener el pelaje recortado al estilo «oveja», las patas se fusionan con el pelo del cuerpo y se mantiene fácilmente. El Toy Caniche se ha hecho muy popular sobre todo como animal de compañía para la ciudad, adaptándose sin problemas en un entorno donde un Caniche estándar se exaltaría.

CARACTERÍSTICAS CANINAS		ANOTACIONES
Personalidad	Receptivo y adaptable a los niños	
Medidas	Altura: menos de 28 cm (11 in) y 28 - 46 cm (11 - 18 in) Peso: 2,7 - 32 kg (6 -70 lb)	Según su tamaño se reconocen razas distintas
Ejercicios	Los Caniches pequeños requieren menos ejercicio pero aún así necesitan un paseo	Paséale a diario
En el hogar	Es importante que se relacione con gente o ladrará con frecuencia	Fomenta la socialización desde una edad temprana
Comportamiento	Juguetón y alerta	Busca tiempo para jugar
Cuidados	Llévale a un salón de peluquería canina	Cepíllale y córtale el pelo cada cuatro u ocho semanas
Problemas de salud habituales	Enfermedades oculares como la atrofia progresiva de retina (PRA), afecciones del corazón, epilepsia, luxación patelar. Potencialmente sufre de una variedad de problemas, siendo el Caniche estándar el más robusto	Asegúrate de que examinan a las crías para detectar la displasia y la PRA. La luxación patelar puede necesitar cirugía

Ojos oscuros
Los ojos son ovalados

Orejas colgantes
Las orejas se sitúan al nivel de los ojos o más bajas y cuelgan en los laterales de la cabeza

Caja torácica de forma ovalada
Las patas son relativamente pequeñas, con los pies bien arqueados y las almohadillas duras

Coloración del Caniche
La coloración debería ser uniforme y compacta, variando del blanco al melocotón hasta el negro

2. Perro de aguas portugués

En 1960, esta era la raza más rara en el mundo aunque su número ha aumentado y ha conseguido recientemente un gran renombre internacional cuando se escogió a un perro de aguas portugués, llamado *Bo,* como mascota para el presidente Barack Obama y su familia.

A GRANDES RASGOS
- Pasado inusual
- Bastante popular hoy en día
- Necesita pocos cuidados
- Sociable
- Pelaje variado

Cráneo arqueado
El cráneo es ancho y de forma arqueada con una hendidura en el medio

Hocico ancho
El hocico es ancho en la base y los agujeros de la nariz son anchos

Cuello reforzado
El cuello es recto y corto

Historia

Conocido en Portugal como el *Cão de água,* se cree que esta raza comparte un pasado común con el Caniche estándar. El primer indicio se remonta a finales del siglo XIII cuando un monje describió cómo uno de estos perros rescató a un marinero de ahogarse. Tradicionalmente se vinculan con la región de Algarve, en Portugal, donde los pescadores se encargaban de mantenerlos. Sentados en las barcas, ladraban cuando divisaban un banco de peces y se tiraban por la borda para dirigirlos hacia las redes. Su ladrido era también muy útil cuando había niebla, ayudando a las barcas a determinar dónde estaba cada una evitando colisiones. Con la era tecnológica, el número de estos perros se redujo, llegando a la cifra de cincuenta ejemplares.

Salvados del fracaso

La personalidad de esta raza fue la que aseguró su existencia. Criado para trabajar cerca del hombre, el Perro de aguas portugués tiene un carácter afable que resulta muy atractivo. Otro factor favorable es que es hipoalergénico. Sin embargo, como sucede con otras razas en este apartado, no hay garantía absoluta de que no produzca alergias, pero es menos probable.

CARACTERÍSTICAS CANINAS		ANOTACIONES
Personalidad	Juguetón y amistoso. Se adapta con rapidez a las competiciones de obediencia y de agilidad	
Medidas	Altura: 43 - 58 cm (17 - 23 in) Peso: 16 - 27 kg (35 - 60 lb)	
Ejercicios	Necesita ejercicio frecuente ya que es un perro activo	Vigílale cerca del agua ya que se tirará
En el hogar	Normalmente calmado en el hogar si ladra es por algo importante. Posee diferentes tonos al ladrar	
Comportamiento	Muy receptivo al entrenamiento. A menudo salta de excitación	Entrénale para que no salte innecesariamente
Cuidados	Necesita cuidados. El corte del pelaje puede ser al estilo «oveja» o de «león» donde se recorta todo el pelo de la parte trasera y de la cola	Recórtale el pelo cada dos meses y cepíllale a diario
Problemas de salud habituales	Problemas oculares, como cataratas y atrofia progresiva de retina (PRA). Displasia de cadera	Asegúrate de que examinan a las crías para detectar PRA y displasia de cadera

3. Perro crestado chino

Esta raza siempre arranca un comentario. Algunos adoran su aspecto sin pelo, mientras que otros lo califican de grotesco. Por suerte, existe la forma correspondiente con el pelo largo, conocida como *Powderpuff*.

A GRANDES RASGOS
- Con o sin pelo
- Cuidados en función del clima
- Pigmentación oscura variable
- Acostumbra a sobrecalentarse
- Tranquilo

Historia

Sus orígenes son desconocidos. Probablemente surgió como resultado de una mutación específica en una población aislada de perros en algún lugar en Asia. Pasó a conocerse en Occidente en una etapa temprana y se describió originalmente en 1686. Durante la primera mitad del siglo XX, estos perros atrajeron a seguidores en Estados Unidos, gracias al famoso artista de *striptease* Gyspy Lee Rose que tenía varios ejemplares y que supuestamente escogió por su aspecto desnudo. Ambos ejemplares de la raza, el sin pelo y el *Powderpuff*, pueden salir de una misma camada. Una característica inusual de la variedad sin pelo es que su piel es relativamente caliente al tacto, esto hizo que durante un tiempo fuera conocido como el *Fever Dog* (perro febril) con la creencia de que al tocar su piel caliente se podría curar la fiebre.

Rarezas anatómicas

La variedad sin pelo no es del todo pelada; tiene zonas con pelo en las extremidades y también en la zona que va de oreja a oreja. Tiene también un mechón de pelo en la cola y los renombrados «calcetines» en los pies. La pigmentación real de la piel es bastante individual, algunos de estos perros son de un tono más rosado que otros. Su falta de pelo lo deja expuesto a las quemaduras de sol y al frío. Junto con la falta de pelo también hay una reducción en el número de dientes premolares en la boca y a menudo suelen nacer sin ellos.

CARACTERÍSTICAS CANINAS		ANOTACIONES
Personalidad	Atento y juguetón	
Medidas	Altura: 30 cm (12 in) Peso: hasta 4,5 kg (10 lb)	Vigila su peso, propenso a la obesidad
Ejercicios	Necesita ejercicio moderado	Evita pasearlo en las horas de más calor. Utiliza ropa de abrigo en la época de frío y protección para el sol en la época de calor
En el hogar	Crea un vínculo estrecho con la gente a su alrededor	Asegúrate de evitar que se escape
Comportamiento	No siempre se lleva bien con otros perros. No es propenso a ladrar	Fomenta su socialización desde pequeño
Cuidados	No desprende «olor desagradable». El *Powderpuff* necesita cepillado. La variedad sin pelo necesita menos cuidados	Cepilla a los Powderpuff a diario. Masajea con aceite al perro sin pelo
Problemas de salud habituales	Problemas dentales. Necrosis vascular, que afecta al fémur. Luxación patelar. Propenso a insolación y cáncer de piel	La luxación patelar puede necesitar cirugía. Vigílalo en climas cálidos

Cola delgada
La cola se va estrechando gradualmente para formar una curva que se extiende hasta el corvejón

Combinaciones de colores
Pueden ser criados en cualquier combinación de color

Patas largas
Las patas son largas, estiradas y delgadas, con los llamados «calcetines» de pelo largo en los pies

Pelo en la cabeza
El pelo largo en la cabeza se describe como cresta, de ahí su nombre

PERROS HIPOALERGÉNICOS

4. Bedlington terrier

No hay manera de confundirlos, con su inusual cabeza en forma de pera, sin mencionar sus cuartos traseros inclinados que le dan un aspecto conocido como «espalda arqueada». Como sucede con la mayoría de las razas en este apartado, es probable que necesite cuidados profesionales.

A GRANDES RASGOS
- De aspecto bastante singular
- Resistente, de fuerte temperamento
- No se llevará bien con otros perros
- Buen perro familiar
- Cazará roedores

Historia

Es originario del condado de Northumberland, en el noroeste de Inglaterra y ya existía desde principios del siglo XIX. Esta raza recibe su nombre por el pueblo de Bedlington, situado en una zona minera. Tiene un aspecto muy singular parecido al de una oveja, lo que podría indicar su delicada condición a pesar de que son muy robustos y determinados. Entre sus antepasados se incluyen perros de lucha y el terrier Rothbury, utilizado para controlar alimañas. Los Bedlington no sólo cazan ratas sino que también cazan presas potencialmente peligrosas y de mayor tamaño, como los tejones, las nutrias y los turones.

La raza actualmente

Desde que se exhibió por primera vez a finales del siglo XIX, el Bedlington terrier se ha convertido en un animal de compañía popular en lugar de una raza para trabajar. Esto a su vez ha ayudado a que evolucione hacia un Terrier más dócil aunque no se lleva bien con otros perros y menos con los de su raza. Se clasifica entre los más veloces gracias a los cruces con los Whippet, no debes subestimar su ritmo acelerado cuando lo saques a pasear. Dada su energía resulta una buena elección para un hogar con niños y dispone de un lado juguetón. Hoy en día, el Bedlington terrier se junta con la línea sanguínea del Whippet para crear al Lurcher (ver pág. 99). El Bedlington terrier es un perro de naturaleza sensible.

CARACTERÍSTICAS CANINAS		ANOTACIONES
Personalidad	Calmado. Acostumbra a ser muy relajado	
Medidas	Altura: 41 cm (16 in) Peso: 8 - 10,4 kg (18 - 23 lb)	
Ejercicios	Necesita una buena carrera sin correa a diario	Vigílale cerca de otros perros
En el hogar	No se adapta bien a la vida en la ciudad. Necesita un jardín. Normalmente se adapta bien a los niños mayores	
Comportamiento	Muy activo, enérgico, puede perseguir a los gatos y a las ardillas	Enséñale a no perseguir a otros animales
Cuidados	Necesita cepillado, peinado y recorte	Cepíllale y péinale semanalmente. Recorta el pelo cada dos meses
Problemas de salud habituales	La Toxicosis Copper que afecta al hígado es potencialmente letal y es bastante común	Asegúrate de que examinan a las crías para detectar esta enfermedad, hay una prueba de ADN específica para ello

Cola baja
La cola se va estrechando gradualmente hasta llegar al corvejón

Orejas triangulares
Las orejas tienen un acabado redondeado y se completan con unas borlas sedosas en las puntas

Patas y pies
Las patas delanteras son rectas y los pies alargados son parecidos a los de las liebres, reforzados con gruesas almohadillas

110 PERROS HIPOALERGÉNICOS

5. Retriever de pelo rizado

Clasificado como uno de los cobradores de presas menos comunes, el Retriever de pelo rizado acostumbra a ser más independiente que otros miembros del grupo. Tiene un pelaje resistente al agua, bastante fácil de mantener en buenas condiciones.

A GRANDES RASGOS
- Enérgico y juguetón
- Fascinado por el agua
- Puede aburrirse
- Pelaje de fácil cuidado
- Necesita bastante ejercicio
- Receptivo al entrenamiento

CARACTERÍSTICAS CANINAS		ANOTACIONES
Personalidad	Sociable con la gente que conoce bien	
Medidas	Altura: 58 - 69 cm (23 - 27 in) Peso: no se ha especificado	
Ejercicios	Necesita un buen paseo a diario	Vigílale cerca del agua ya que puede tirarse
En el hogar	Necesita jugar bastante en casa	Juega para que no se aburra
Comportamiento	Deseoso de aprender y receptivo al entrenamiento. Es probable que se vuelva destructivo si se aburre	Varía las rutinas de entrenamiento para mantener la concentración
Cuidados	Necesita pocos cuidados. No tiene sub pelaje. Las hembras pueden cambiar el pelo más que los machos cuando están en celo	Báñale ocasionalmente para reducir su «olor». Vigílale en la época de cría
Problemas de salud habituales	Displasia de cadera. Enfermedades oculares	Asegúrate de que examinan a las crías para detectar la displasia

Color hígado o negro
El pelaje es o bien de color hígado o negro. A menudo se han visto algunos mechones blancos en el pecho

Grandes ojos
Los ojos en forma de almendra son relativamente grandes

Pelaje rizado
Los rizos tersos y pequeños están pegados a la piel y los protegen de los cambios climatológicos

Historia

Está considerado como uno de los perros cobradores de presas más antiguos. Sus ancestros pueden remontarse al antiguo Spaniel de agua inglés, una raza ya extinta. Se desarrolló en Inglaterra y en su pasado recibió la influencia de la variedad llamada St. John Newfoundland, cuyo descendiente se conoce como el Labrador Retriever *(ver pág. 11)*. Otros perros cobradores de presas en agua, como el Spaniel de agua irlandés *(ver pág. 113)* probablemente hayan jugado un papel en su desarrollo junto con el Caniche estándar *(ver pág. 106)*, que ayudó a asegurar que estos perros tuvieran un pelo rizado más terso. Su aspecto tan inusual hizo que fuera muy bien considerado en los primeros concursos de perros, pero posteriormente tanto el Labrador como el Golden Retriever dominaron en los concursos, mientras que estas razas dejaron de usarse como perros cazadores, la raza de pelo liso se prefería para realizar esta tarea.

Comprobando que todo esté bien

Hoy en día, hay indicios de que su popularidad podría aumentar otra vez. La introducción de la línea sanguínea del Caniche no afectó a su pelo rizado aunque conllevó a una disminución de la posibilidad de mudar el pelaje. Esto a su vez, significó que es más hipoalergénico que otros Retriever. Sin embargo, como sucede en todos los casos, quienes padecen alergias deberían pasar un tiempo con el cachorro o con el perro en concreto, antes de decidirse por adquirirlo. Algunos ejemplares varían en este aspecto y no hay garantías de si será adecuado o no.

6. Fox terrier de pelo duro

El Fox terrier de pelo duro tiene un aspecto muy característico y un carácter muy animado. Esta raza fue increíblemente popular desde finales del siglo XIX hasta los años 30 del siglo XX, cuando otras razas empezaron a estar más de moda. Hoy en día, es relativamente escaso.

A GRANDES RASGOS
- Una raza valiente
- Enérgico
- Aspecto atractivo
- Necesita cuidados profesionales
- No se adapta bien a la vida urbana

CARACTERÍSTICAS CANINAS		ANOTACIONES
Personalidad	Terco y curioso. Bastante independiente	
Medidas	Altura: hasta 41 cm (16 in) Peso: hasta 8 kg (18 lb)	
Ejercicios	Enérgico y activo	Vigílale si va sin la correa
En el hogar	No disfruta en zonas residenciales. Puede que excave en el jardín. Guardián alerta	
Comportamiento	Juguetón. Cazará roedores	Busca tiempo para jugar
Cuidados	Hasta 1984, la variedad de pelo suave de la áspera, no se diferenciaba en Estados Unidos. Necesitará cepillado y cuidado profesional para su denso pelaje	Cepíllale varias veces por semana. Dale cuidados profesionales tres o cuatro veces al año
Problemas de salud habituales	Problemas oculares, como la atrofia progresiva de retina (PRA). Epilepsia. Luxación patelar que afecta a las rótulas	Asegúrate de que examinan a las crías para detectar PRA. La luxación patelar puede necesitar cirugía

Historia

Originalmente se crió para hacer salir a los zorros de sus guaridas para que los sabuesos los persiguiesen, por lo que tiene una naturaleza determinada y tenaz. Hasta los años 70 del siglo XX, el Terrier de pelo rizado se agrupaba con los Terrier de pelaje suave bajo una única raza. Luego, en 1870, se separaron en Inglaterra y empezaron a desarrollarse en líneas separadas aunque todavía son muy similares en algunos aspectos. Una de las características más significativas es su coloración. Originariamente eran oscuros y, a menudo, les llevó a ser perseguidos por los lebreles, ya que los confundían con los zorros que salían de sus guaridas, por lo que el blanco se convirtió en el color dominante.

Un declive en fortuna

La razón por la que el Terrier es menos común hoy en día, es probablemente por su temperamento. Si escoges uno de estos Terrier, ten en cuenta de que estás seleccionando una raza que probable será bastante testaruda e independiente. También mostrará otra de sus características, su deseo para cavar. El entrenamiento puede resultar difícil, a pesar de que como recompensa, tendrás un perro muy independiente y animado en vez de un perro faldero. No son recomendables para un hogar con niños pequeños, ya que a veces pueden tener mal genio.

Orejas en forma de «V»
Las orejas pequeñas tienen las puntas dobladas y están reclinadas hacia delante

Ojos pequeños
Los ojos son relativamente pequeños, oscuros, redondos y bastante profundos

Longitud de la cabeza
Los machos tienen la cabeza más alargada que las hembras

Coloración del pelaje
El color blanco suele predominar aunque por lo general el color carece de importancia

7. Bichón frisé

El nombre de esta raza suele ser difícil de pronunciar. Al ser criado como un perro faldero, resulta un excelente animal de compañía.

> **A GRANDES RASGOS**
> - Precioso y adorable
> - Juguetón
> - Necesita cuidados muy exigentes
> - Se adapta bien en un apartamento
> - Seguro

Historia

Su nombre nos proporciona una pista sobre sus antepasados, ya que Bichón es la forma abreviada de «Barbichon», que literalmente significa «pequeño barbudo». El Barbet es una raza de perros cobradores de presas creada para trabajar con agua. Los orígenes de este perro se reflejan también en su nombre alternativo *Tenerife*, en referencia a la isla más grande de las Islas Canarias, situadas el noroeste de la costa africana. Se cree que los españoles introdujeron a estos perros pequeños al llegar a la isla, en el siglo XVI. Por aquel entonces se llevaron de nuevo a España donde resultaron ser populares entre la nobleza, aunque su aspecto actual debe haber cambiado. Sin embargo, su popularidad disminuyó a finales del siglo XIX y se convirtió en un perro de circo. No fue hasta la década de los años 70 del siglo XX cuando volvió a ganar popularidad, dentro y fuera del circo, al ganar reconocimiento tanto en Estados Unidos como en Inglaterra.

Un pelaje característico

El Bichón frisé está estrechamente vinculado a razas similares, como el Boloñés *(ver pág. 77)* y el Habanés *(ver pág. 40)* pero se diferencia de estas por su pelo rizado de doble capa. El inconveniente es que el cuidado de su pelaje es mucho más exigente que el de otros parientes, aún así, dado que no muda el pelo necesitarás menos tiempo limpiando el pelo de la casa.

Pelaje blanco
El blanco predomina, aunque cerca de las orejas o en el cuerpo pueden ser visibles tintes de color crema, melocotón o beige

Ojos redondos
Los ojos oscuros y redondos están rodeados por piel oscura que resalta su atractivo

Patas delanteras
Las patas delanteras son rectas y los hombros permanecen cerca del cuerpo

Pies de gato
Los pies redondeados se parecen a los de los gatos

CARACTERÍSTICAS CANINAS		ANOTACIONES
Personalidad	Inteligente, juguetón y seguro	
Medidas	Altura: 23 - 30 cm (9 - 12 in) Peso: 3 - 5,4 kg (7 - 12 lb)	No se ha especificado el peso para la raza estándar oficial
Ejercicios	Contento si se le deja corretear por el parque	
En el hogar	Gentil y juguetón	
Comportamiento	Activo y receptivo. Le gusta estar cerca. No es agresivo con otros perros	Busca tiempo para jugar a la pelota
Cuidados	Cepíllale a diario, báñale y recorta su pelo con regularidad	Necesita que le bañen, cepillen y corten el pelo. Una vez al mes llévale a un profesional
Problemas de salud habituales	Enfermedades sanguíneas como anemia y trombocitopenia que necesitan tratamiento urgente	Examina la piel por si hay hemorragias: son más frecuentes en las líneas americanas que en las europeas

8. Spaniel de agua irlandés

A GRANDES RASGOS
- Coloración única
- Le encanta el agua
- Compañero activo
- Necesita cuidados sencillos
- Buen perro guardián
- Activo y compañero entusiasta

A pesar de su nombre, el Spaniel de agua irlandés no es un Spaniel, ya que esas razas se encargan de levantar a las presas de la maleza. Al contrario, es un cobrador de presas cuya función en su Irlanda natal era la de tirarse al agua para buscar a las aves caídas por un disparo.

Ojos almendrados
Los ojos son relativamente pequeños y en forma de almendra, con un mechón de pelo que cae sobre ellos

Largas orejas
Los lóbulos alargados de las orejas se sitúan bajos en la cabeza y están cubiertos de pelo rizado

Cola característica
La cola tan característica no tiene rizos a lo largo de su extensión. Se estrecha hacia la punta

CARACTERÍSTICAS CANINAS		ANOTACIONES
Personalidad	Exuberante. Inteligente y gentil. Puede ser nervioso	Intenta que se socialice desde pequeño para evitar que sea nervioso
Medidas	Altura: 56 - 61 cm (22 - 24 in) Peso: 25 - 29,4 kg (55 - 65 lb)	
Ejercicios	Le encanta nadar, los dedos de las patas muestran indicios de membrana lo que resalta su fuerte vínculo con el agua	Busca un lago o una piscina donde pueda nadar a salvo. Reserva sesiones de hidroterapia en un centro canino
En el hogar	Se adapta bien en un hogar con niños mayores	
Comportamiento	Los cachorros pueden ser patosos. Los adultos tiene un ladrido intimidador y profundo	Entrénale para prevenir que se excite demasiado
Cuidados	No mudan el pelo. Nadar ayuda a mantener el pelaje rizado	Peina el pelaje para prevenir enredos. Cepíllale para mantenerle limpio
Problemas de salud habituales	Cáncer, sobre todo linfomas	

Historia

Los orígenes de esta raza se remontan al Barbet y al ya extinguido Spaniel de agua inglés. El Caniche estándar *(ver pág. 106)* podría haber jugado un papel en su desarrollo. A mitad del siglo XIX, existía una clara división entre la variedad del sur del Spaniel de agua irlandés, del que deriva la raza moderna, de la variedad del norte. Las diferencias entre las razas se basaban en su coloración, siendo éste último de color hígado y blanco, y en sus orejas. El Spaniel de agua del norte tiene las orejas cortas y mayoritariamente sin pelo, mientras que los del sur son más grandes y con el pelo más profuso.

Características únicas

El Spaniel de agua irlandés es realmente solo una raza para las áreas rurales, pero ten cuidado al pasearlo cerca del agua ya que puede intentar tirarse. Está bien protegido gracias a su pelaje denso, rizado e impermeable que lo aísla también del frío. Su coloración es marrón oscuro o de un tono único, denominado castaño rojizo. Su cola delgada es la característica más distintiva que le diferencia de todos los perros cobradores de presas. Por la falta de pelaje se la describe como «cola de rata».

9. Terrier de Airedale

Pocos perros han demostrado ser tan versátiles como el Terrier Airedale. Durante la Primera Guerra Mundial sirvió como perro mensajero y también ha trabajado como perro policía, además de recoger patos, rastrear ciervos y matar ratas.

A GRANDES RASGOS
- Obstinado
- No es muy sociable
- Inteligente
- Buen guardián
- Pelaje de cuidados exigentes
- No es ideal para un hogar con niños pequeños

CARACTERÍSTICAS CANINAS		ANOTACIONES
Personalidad	Inteligente, independiente y determinado. Puede ser muy enérgico	Fomenta su socialización para aceptar a las visitas
Medidas	Altura: 53 - 58 cm (21 - 23 in) Peso: 22,7 - 32 kg (50 - 70 lb)	En Estados Unidos existe una variedad de tamaño mayor, el Oorang Airedale
Ejercicios	Disfruta de un paseo diario, preferiblemente en el campo	Vigílale cerca de otros perros
En el hogar	Territorial. Buen perro guardián	
Comportamiento	Aprende rápido y es bastante adaptable	Modifica el entrenamiento para mantener la concentración del perro
Cuidados	Pelaje áspero y duro. Tendrá mejor aspecto si se arranca el pelo a mano	
Problemas de salud habituales	Dermatitis. Arrancar el pelo a mano puede ayudar en algunos casos. Hinchazón	No lo ejercites tras las comidas ya que puede causarle hinchazón

Cráneo y ojos
El cráneo es alargado y aplanado, con los ojos pequeños y de color oscuro

Orejas dobladas
Las orejas dobladas y en forma de «V» reposan en los laterales de la cabeza

Hombros y pecho
Los omoplatos son lisos y el pecho es profundo extendiéndose hacia los hombros

Patas y pies
Las patas delanteras son estiradas y bien musculosas, con los pies pequeños y redondeados

Historia

El Airedale se originó en el valle Aire en el condado inglés de Yorkshire donde, a mediados del siglo XIX, se crió para cazar nutrias. Se cree que de sus antepasados, el Otterhound le proporcionó el tamaño y las habilidades, el Bull terrier *(ver pág. 28)* que contribuyó en fuerza y determinación, así como el Terrier negro y bronce ya extinto. El Terrier negro y bronce reforzó la fortaleza y determinación del Bull terrier e introdujo un pelaje áspero, así como también ayudó a su afinidad con el agua. El Airedale es la raza Terrier más grande de Inglaterra y pese a la tendencia por reclasificarlo en Estados Unidos, esto no tuvo éxito.

Fuerte personalidad

El Airedale puede mostrar su fuerte personalidad en cualquier momento, como cabe de esperar en el caso de una raza originaria de los perros de peleas. Esto puede convertirse hoy en día en un inconveniente, ya que no se retractará si se le reta. También tiene elevados niveles de energía, por lo que no es recomendable para un hogar en la ciudad. Es mejor si se le saca a pasear por el campo, donde podrá explorar y es menos probable que entre en contacto con otros perros. Castrar al macho podría apaciguarlo un poco más. El Airedale es tenaz, como los otros Terrier.

10. Labradoodle

Actualmente, es el más conocido de entre los perros de diseño formado del cruce entre dos razas diferentes. Se ha hecho muy popular en un espacio de tiempo relativamente corto. Esto es debido, en gran parte, a su naturaleza sociable y receptora.

A GRANDES RASGOS
- De aspecto variable
- Inteligente y sociable
- Ideal para la familia
- Variedad relativamente amplia de colores
- El entrenamiento no debería ser problemático

Historia

El Labradoodle es el resultado de un programa de crianza, que originalmente se creó para dar a los invidentes el beneficio de tener un perro guía, incluso si padecían alergias. En la década de los 80 del siglo XX, Wally Conron, de la asociación de perros guías australianos, lideró la idea de los cruces entre el Labrador retriever *(ver pág. 11)* y el Caniche estándar *(ver pág. 106)* para este propósito. El Caniche estándar fue la opción ideal, no solo porque no muda el pelaje sino también por su inteligencia natural, combinándola con la del Labrador Retriever, tradicionalmente usado como perro guía. Como sucede con cualquier cruce entre razas, el aspecto de los cachorros puede ser muy variado, incluso con aquellos de la misma camada y no todos resultan ser hipoalergénicos.

Comprar un Labradoodle

Ya desde sus orígenes, se realizaron crías selectivas entre los cachorros de la primera generación. Al mezclar los Labradoodles unos con otros se ha logrado gradualmente un aspecto único, formando lo que es ahora una raza distintiva en su propio mérito. El Labradoodle no se considera un perro sólo para el trabajo, sino que ha evolucionado bastante hasta convertirse en un perro familiar ideal, sobre todo si adquieres uno de estos perros por su pelaje hipoalergénico.

CARACTERÍSTICAS CANINAS		ANOTACIONES
Personalidad	Sociable, dependiente y afectuoso	
Medidas	Altura: 43 - 61 cm (17 - 24 in)	No es estándar en este aspecto
	Peso: 14 - 35 kg (30 - 77 lb)	
Ejercicios	Necesita un buen paseo. Le gusta el agua y nada bien	Ejercítale a diario con un buen paseo
En el hogar	Ideal para un hogar con niños adolescentes o niños mayores	
Comportamiento	Aprende rápido pero puede ser sensible. Puede aprender a responder a movimientos de la mano.	Anímale siempre
Cuidados	La mayoría de los Labradoodles ahora tienen un pelaje intermedio.	
Problemas de salud habituales	Displasia de cadera. Una debilidad que afecta a las dos razas parentales. Atrofia progresiva de retina (PRA).	Asegúrate de que examinan a los cachorros para detectar estas enfermedades

Patas poderosas y pecho profundo
Las patas delanteras estiradas y robustas y el pecho relativamente profundo son característicos de estos perros

Colorido del Labradoodle
El aspecto del pelaje es variado, su coloración refleja la de sus antepasados

Cola gruesa
La cola es relativamente gruesa y larga

Tipos de perros para dueños experimentados, habituados a entrenar perros, para gente sin niños y aquellos que viven en zonas aisladas.

Rottweiler

Perros guardianes

Terrier ruso negro

Piénsalo cuidadosamente antes de adquirir una de las razas que forman este apartado. Aunque suelen ser sociables y leales con las personas que conocen bien, desconfían de los desconocidos de forma instintiva y no les aceptan fácilmente. Esto puede ser un problema si tienes niños, puesto que sus amigos podrían verse intimidados por un perro de este tipo y podrían ser reacios a visitarles.

Como era de esperar, la mayoría de estos perros son grandes y fuertes y por lo tanto, pueden ser difíciles de controlar, especialmente si van sin correa. Tienden a dominar y no se retractarán si se les reta. Esto significa que fuera de casa puede ser difícil controlarlos si se encuentran con otro perro similar. No obstante, ahora son menos agresivos que en el pasado, gracias a que se han mantenido solo para concursos. Son muy inteligentes, como por ejemplo el Dobermann, que se usa como perro policía. La clave está en el entrenamiento. Si no tienes experiencia en esta área, será mejor que pienses en otro tipo de perro.

Akita Inu

1. Dobermann

Esta raza se conocía comúnmente como Thuringer Pinscher, por la zona alemana donde se crió, cambiando posteriormente de nombre a Dobermann en 1899, en conmemoración a su creador, que falleció cuatro años antes.

A GRANDES RASGOS
- Instintivamente dominante
- Elegante
- Constitución fuerte
- Leal y receptivo
- Activo
- Atlético

Cuello fuerte
El cuello bien musculado se ensancha fundiéndose con el cuerpo

Los colores del Dobermann
Puede ser negro, azulado, rojizo o beige, a veces con una pequeña mancha blanca en el pecho

Manchas color teja
Estas manchas se observan encima de los ojos, el hocico y la garganta, en el pecho, las patas, los pies y la cola

Pies felinos
Los pies felinos están bien contorneados

Historia
Louis Dobermann se encargó de desarrollar esta raza en la década de 1870. Usó varias razas para crear esta, pero no hay registro de nada de lo que consiguió. Lo que sí se sabe es que usó razas sin pedigrí. Empezó cruzando algunos de los perros con el Pinscher alemán. Se piensa que una amplia gama de razas contribuyeron, desde el Pointer alemán hasta el Galgo *(ver pág. 52)* pasando por perros guardianes como el Rottweiler *(ver pág. 120)*. Su objetivo era el de crear una raza cuya apariencia fuese agresiva y que además lo fuese en caso necesario.

Popularidad mundial
Hoy, el Dobermann goza de popularidad internacional y se le atribuyen diferentes propósitos, desde perro policía hasta perro patrullero o perro guardián. Si se le reta, se mostrará feroz y audaz, y debe entrenarse desde cachorro para evitar que se convierta en dominante y autoritario. En cuanto a los visitantes se refiere, se mostrará precavido, y puede llegar a ser cariñoso y leal con la gente que conoce bien. Su lado más tolerante se ve reflejado por el hecho de que también se ha entrenado como perro lazarillo para los invidentes.

CARACTERÍSTICAS CANINAS		ANOTACIONES
Personalidad	Dominante e inteligente. Menos agresivo que en el pasado. Leal a los miembros de la familia	Estimula la socialización desde una edad temprana
Medidas	Altura: 61 - 71 cm (24 - 28 in) Peso: 27 - 45 kg (60 - 100 lb)	
Ejercicios	Necesita correr para evitar aburrirse	Paséale a diario y que corra
En el hogar	Perro guardián. Otras razas más apacibles se adaptan mejor a familias con niños. No recomendado para dueños inexpertos	
Comportamiento	Activo	Involucra a toda la familia en el entrenamiento para evitar que sea dominante
Cuidados	Debido a su pelaje lustroso necesita pocos cuidados	Cepíllale con un guante de caza
Problemas de salud habituales	Enfermedades cutáneas. Alergias a la comida	Cuidado con las pulgas que pueden causar una reacción adversa. Mejor usar comidas hipoalergénicas

2. Akita Inu

Esta raza japonesa recibe su nombre de la prefectura de Akita, en el norte de la isla de Honshu, en donde se crió. El Akita Inu es un perro de la familia de los Spitz, como refleja su apariencia y sus orígenes yacen probablemente al norte de Asia.

A GRANDES RASGOS
- Valiente y leal
- No es especialmente social con otros perros
- Tira mucho de la correa
- Necesita cuidados escasos
- Enérgico

Historia

Hace cuatrocientos años, se reservaba para las peleas de perros. Después pasó a ser un perro guardián y un perro policía preciado. La valentía de estos perros se ponía a prueba con la caza de osos y jabalíes. También cazaba ciervos por lo que se le denominaba «Japanese Deerhound» (Lebrel cazador de ciervos japonés). La transformación del Akita Inu comenzó durante la década de 1920, en gran parte debido a los esfuerzos del criador Hiroshi Saito. Con ello, esta raza adquirió un gran número de admiradores internacionales durante la década de 1980.

Un compañero fiel

La lealtad de esta raza se refleja en uno de sus ejemplares más famosos, que atrajo la atención de todo Japón por la devoción que profesaba a su dueño. Eizaburo Ueno, profesor en Tokio, cogía el tren todos los días para ir a trabajar y volver y su perro *Hachi*, un Akita Inu, le acompañaba a la estación. Si embargo, en 1925, *Hachi* le esperó en la estación, pero él nunca volvió. Falleció en el trabajo. Durante los nueve años siguientes, *Hachi* acudió a esperarle todos los días con la esperanza de volver a verle, hasta que murió. Después se erigió una estatua de bronce y el Akita Inu es hoy en día uno de los monumentos nacionales de Japón.

Cráneo resistente
De cráneo ancho y resistente, con un hocico alargado sostenido por un cuello fibroso

Cola de plumas
La cola bien fornida es curva y reposa hacia delante bajando por la espalda fiel a la verdadera apariencia del Spitz

Hombros y patas
Los hombros son cortos y fuertes uniéndose a las patas potentes y rectas, los codos se sitúan en la parte trasera

Colorido del Akita Inu
El Akita Inu puede criarse de cualquier color, presentando manchas uniformes

CARACTERÍSTICAS CANINAS		ANOTACIONES
Personalidad	Decidido, independiente, leal y cariñoso	
Medidas	Altura: 61 - 71 cm (24 - 28 in) Peso: 32 - 59 kg (70 - 130 lb)	Los machos son más grandes que las hembras
Ejercicios	Necesita pasear sin correa	Evita zonas en donde pueda encontrar problemas. Asegúrate de que tienes control total cuando le quitas la correa
En el hogar	Perro guardián. No puede convivir con un gato	
Comportamiento	No se lleva bien con otros perros. No responde bien al entrenamiento	Sé firme a la hora de entrenarle
Cuidados	Doble capa de pelaje densa. Necesita más cuidados en primavera cuando muda el pelaje	Cepíllale con regularidad
Problemas de salud habituales	Displasia de cadera. Problemas oculares. Miastenia Gravis (MG) es una enfermedad autoinmune con síntomas como la dificultad de tragar, salivación en exceso y una afección en el ladrido del perro	Asegúrate de que examinan a las crías para evitar la displasia. Observa si hay síntomas de MG

3. Rottweiler

La apariencia más vigorosa del Rottweiler, o «Rottie» como se conoce a veces, sirve para distinguirle del Dobermann. Posee unos instintos de protección muy arraigados y, desafortunadamente, se considera una de las razas más peligrosas en varios países.

A GRANDES RASGOS
- Estructura robusta
- Valiente y audaz
- Desconfía de los desconocidos
- Receptivo, fuerte y decidido
- Entrenamiento adecuado es vital
- Poco nervioso

Pelaje negro
El pelaje es negro con manchas que varían del tono oxidado al caoba

Rasgos amplios
El hocico y la nariz son alargados

Pecho profundo
El pecho profundo y ancho se extiende hasta los codos

Pies firmes
Los pies son redondeados y firmes con unas almohadillas consistentes y gruesas que terminan en unas uñas negras

Historia

Recibe su nombre de la ciudad de Rottweil, situada al suroeste de Alemania. Fue creado tanto para guiar al ganado como para llevarlo al mercado, o para proteger el dinero de su dueño, que iba guardado en una bolsa especial que llevaban alrededor del cuello. Cuando el ganado pasó a transportarse en tren, el número de Rottweilers disminuyó. Llegaron casi a extinguirse en la década de 1900, pero ganaron popularidad como perros guardianes y como perros policías, antes de pasar finalmente a los concursos en 1930.

Bajo control

Su reputación ha caído en picado desde que algunos dueños se han aprovechado de la parte más agresiva de esta raza. Durante las últimas décadas, esta raza ha tenido muy mala prensa, pero si se le entrena bien, puede llegar a ser un excelente compañero. Sin embargo, no es una buena elección para hogares con niños pequeños que podrían provocarle o lastimarle, ocasionando un ataque de agresividad. Son sumamente fuertes, por lo que hay que entrenarles desde cachorros para que aprendan a no tirar de la correa. No dejes que te saque ventaja, es una raza que debe valorar su sumisión a los miembros de la familia. Por este motivo, intenta que toda la familia se involucre en su entrenamiento.

CARACTERÍSTICAS CANINAS		ANOTACIONES
Personalidad	Audaz e inteligente. Instintos de protección muy arraigados. Poco sociable con las visitas	Fomenta su socialización desde cachorro para evitar este comportamiento
Medidas	Altura: 56 - 69 cm (22 - 27 in) Peso: 42 - 50 kg (93 - 110 lb)	Vigila su peso
Ejercicios	Puede ser agresivo cuando sale a pasear	Castra a los machos jóvenes para frenar este comportamiento. Evita otros perros
En el hogar	Territorial	Involucra a los miembros de la familia en el entrenamiento
Comportamiento	Valiente. Si se le reta, se mantendrá firme	
Cuidados	El suave pelaje luce con brillo	Cepíllale cuando sea necesario
Problemas de salud habituales	Propenso a la obesidad con complicaciones asociadas, como por ejemplo, ataque al corazón. Suelen ganar peso tras castrarlos	

4. Boyero de Flandes

La palabra «bouvier» significa «pastor de bovinos» y describe la tarea principal del Boyero de Flandes que trabaja con ganado. Además puede guardar otros rebaños, tirar de carretas y ser una mascota estupenda.

A GRANDES RASGOS
- Aspecto desgreñado característico
- Sociable
- Reacio a los desconocidos
- Pelaje resistente al clima
- Decidido

Historia

Podían encontrarse diferentes variedades locales de Boyeros en distintas partes de Bélgica. Sin embargo, como consecuencia de la Primera Guerra Mundial, la mayoría, como por ejemplo el Boyero de Paret, desaparecieron. Hoy, de las dos variedades de Boyeros supervivientes, el de Flandes es más común que el Boyero de Ardennes. La adaptabilidad de esta raza ayudó a su supervivencia, dado que entre otras tareas, servía como mensajero. Se desconocen sus verdaderos orígenes, pero puede que el Schnauzer gigante *(ver pág. 126)* y el Beauceron tuviesen algo que ver en su evolución. Se acostumbraba a sesgar sus orejas, para que se mantuvieran alzadas y afiladas en las puntas. Si no se le sesgan, colgarán a los lados de la cabeza.

Traslado desde la granja

Esta raza entró en los concursos caninos antes de la Primera Guerra Mundial y, hoy en día, es un concursante común, sobre todo en importantes concursos en todo el mundo. Sus rasgos faciales, con unas cejas pobladas, un bigote y una barba de pelo largo alrededor de la boca, suman a su atractivo visto desde cerca. Su fortaleza física, su naturaleza decidida y el hecho a que es reacio a aceptar a los desconocidos hacen necesaria su socialización desde cachorro para reducir su estado de alerta natural.

Orejas en alerta
Siempre en alerta, están situadas altas en la cabeza. La punta exterior de cada una tiene que estar alineada con la parte interior de los ojos

Pelaje de la cabeza
La cabeza es relativamente grande con un bigote y una barba de pelo largo

Variedades de coloración
Las tonalidades varían desde el beige con manchas de café, el «sal y pimienta» y el gris y negro

CARACTERÍSTICAS CANINAS		ANOTACIONES
Personalidad	Inteligente, leal y bastante tranquilo. No es agresivo. Reacio a aceptar desconocidos	Vigílale cuando haya desconocidos
Medidas	Altura: 56 - 71 cm (22 - 28 in) Peso: 27 - 54,4 kg (60 - 120 lb)	Vigila el peso del perro
Ejercicios	Importante que corra a diario	Evita el ganado porque querrá perseguirlo. Evita otros perros, ya que podría ser celoso
En el hogar	Muy protector	
Comportamiento	Obediente y receptivo al entrenamiento	Sé firme al entrenarlo
Cuidados	Doble capa gruesa. Cuidados sencillos	Péinale y cepíllale cuando lo necesite
Problemas de salud habituales	Displasia de cadera. Cataratas	Asegúrate de que examinan a las crías para evitar esta afección

5. Kuvasz

El inusual nombre que recibe esta raza de perro pastor húngaro proviene de la palabra turca Kawasz y significa «guardián acorazado». Describe la forma en la que estos perros cuidan de los rebaños de ovejas, sobre todo por la noche, cuando los lobos acechan.

A GRANDES RASGOS
- Magnífico aspecto
- Buen apetito
- Perro grande
- Entrenamiento difícil
- Ruidoso
- Reacio a aceptar desconocidos

Historia

Puede que los ancestros del Kuvaszok (plural de Kuvasz) viajasen hasta la actual Hungría desde Turquía hace ya más de novecientos años. Dado que el número de lobos fue decreciendo, las tareas de este perro fueron cambiando, hasta convertirse en perro guardián. La gran mayoría desapareció durante la Segunda Guerra Mundial, pero su número volvió a crecer alcanzando el reconocimiento que se merecía a ambos lados del Atlántico. A pesar de que hoy en día es poco común, el futuro de esta raza es mucho más seguro. El hocico del Kuvasz se estrecha a lo largo de su longitud, lo que le distingue de otras razas similares, como el Pastor de Tatra polaco, aunque no coinciden en su distribución.

Compañeros leales

El Kuvasz, en común con otras razas parecidas, es leal a su familia, pero suele ser reservado y muchas veces hostil ante los desconocidos. Para poder controlarlo hay que llevar a cabo un entrenamiento de órdenes vocal desde cachorros. Además, al mismo tiempo, es importante que socialicen para que crezcan siendo mucho más tolerantes. En esta etapa suelen ser muy juguetones por lo que aprenden muy rápido. Además, también es en esta etapa, cuando hay que enseñarles a no ladrar constantemente, ya que, sobre todo los adultos, pueden llegar a ser muy ruidosos. El pelaje es rizado, pero a veces puede ser liso.

Pelaje blanco
Su pelaje blanco, le permite mezclarse con las ovejas

Ojos marrones
Los ojos oscuros de forma almendrada están bien espaciados y ligeramente sesgados

Orejas en forma de «V»
Las orejas no se extienden a lo largo de la cabeza

Patas esponjosas
La parte trasera de las patas tiene un pelaje frondoso

CARACTERÍSTICAS CANINAS		ANOTACIONES
Personalidad	Inteligente y protector. Valiente, como ya se mostró en el pasado. No aceptará fácilmente a las visitas	Vigílalo cerca de desconocidos
Medidas	Altura: 66 - 76 cm (26 - 30 in) Peso: 34 - 52 kg (75 - 115 lb)	Los machos son más grandes que las hembras
Ejercicios	Necesita pasear a menudo. Mucha energía	No sobre ejercites al cachorro
En el hogar	Siempre alerta por si se acercan desconocidos	
Comportamiento	Tranquilo cuando trabaja. Los cachorros son muy juguetones	
Cuidados	Cepillar y bañar cuando sea necesario. El baño podría alisar el pelaje	Usa una rascadera
Problemas de salud habituales	Displasia de cadera	Asegúrate de que examinan a las crías para detectar esta afección

6. Bullmastiff

A pesar de su tamaño, no es un perro agresivo. Sin embargo, su tamaño no solo indica que necesita mucho espacio sino que también es costoso de alimentar. Posee instintos protectores y puede ser un guardián muy efectivo y un buen perro familiar.

A GRANDES RASGOS
- Muy fuerte
- Entrenamiento difícil
- Dispuesto con la familia
- Fácil cuidado
- Independiente

CARACTERÍSTICAS CANINAS		ANOTACIONES
Personalidad	Tranquilo pero decidido. Calmado	
Medidas	Altura: 61 - 69 cm (24 - 27 in) Peso: 45 - 59 kg (100 - 130 lb)	Los machos son más grandes que las hembras
Ejercicios	Necesita pasear a diario	Evita pasearle durante las horas más calurosas del día para evitar insolaciones
En el hogar	Demasiado grande para un hogar con niños pequeños. Necesita espacio y un jardín. Leal a la familia	Comprueba que el jardín esté vallado
Comportamiento	Independiente. No debería ser agresivo	
Cuidados	Cuidados sencillos. Necesita más cuidados en la época de muda	Cepíllale cuando sea necesario
Problemas de salud habituales	Displasia de cadera. Hipotiroidismo. Linfomas. Como otros perros grandes, puede llegar a vivir menos de diez años	Asegúrate de que examinan a las crías para evitar esta afección

El color del Bullmastiff
El pelaje puede ser beige, rojizo o con manchas de color café. Pueden presentar una mancha blanca en el pecho

Ojos oscuros
Los ojos oscuros y de tamaño medio le ayudan a mostrar su expresión de alerta

Hocico ancho
El hocico ancho y alargado es un tercio de la longitud de su cabeza

Patas y pies
Los cuartos traseros rectos y bien formados terminan en unos pies de tamaño mediano con uñas negras. Las almohadillas son gruesas y duras

Historia

El Bullmastiff se originó con un propósito específico. A finales del siglo XIX, los guardabosques en Inglaterra estaban amenazados por grupos de cazadores furtivos y necesitaban protección. Es por ello que crearon la raza del Bullmastiff usando Bulldogs y Mastines *(ver pág. 124)*. Los Bulldogs eran mucho más grandes, más activos y más agresivos que los de hoy en día, mientras que los Mastines eran muy fuertes pero relativamente apacibles. Combinando ambas razas, se produjo un efectivo cazador de hombres. El Bullmastiff, más rápido y decidido, era más fuerte para dominar y someter a una persona, sin infligirle ningún tipo de lesiones. Desde que se le admitió en los concursos en 1924, esta raza se ha mantenido en estado puro.

La raza actual

El Bullmastiff actual es muy sociable, aunque sigue siendo muy fuerte. Ha cambiado en varios aspectos, sobre todo en la coloración, siendo mucho más común el beige y el café manchado. Como compañero, todavía conserva sus instintos protectores y cuida de los miembros de la familia con lealtad. El entrenamiento puede ser un problema dado el tamaño y la fuerza del Bullmastiff adulto, por lo que necesitarás ayuda profesional desde cachorro si se vuelve desobediente.

7. Mastín

El Mastín, mucho más grande que el Bullmastiff, representa a un linaje ancestral. Es un perro increíblemente fuerte y aunque puede vivir en un hogar con niños, podría suponer un problema para ellos si intentasen controlarlo.

CARACTERÍSTICAS CANINAS		ANOTACIONES
Personalidad	Leal, majestuoso y osado. Valiente y devoto	
Medidas	Altura: 69 - 76 cm (27 - 30 in) Peso: 54,4 - 113 kg (120 - 250 lb)	
Ejercicios	Necesita pasear y no le gusta correr	Dale un buen paseo diario
En el hogar	Alerta por si se acercan desconocidos	Vigila al perro cerca de desconocidos
Comportamiento	Reaccionará si se siente amenazado. El entrenamiento asegura buena comunicación. Confía en los gatos	Entrénale con firmeza e involucra a los miembros de la familia
Cuidados	Pocos cuidados gracias a su pelaje corto y brillante	Vigila infecciones cutáneas en los pliegues de la piel de la cabeza
Problemas de salud habituales	Displasia de cadera. Hinchazón que produce obstrucciones gástricas	Asegúrate de que examinan a las crías para detectar displasia. No le pasees después de comer porque le produciría hinchazón

Historia

El Mastín se originó probablemente en Asia y fue comerciado a lo largo de la Antigua Ruta de la Plata, antes de llevarlo desde la región del Mediterráneo hasta las Islas Británicas. Cuando llegaron los romanos en el 55 a.C. tuvieron que enfrentarse a ellos. Eran tan valorados que los enviaron a Roma en barco. El Mastín se usó en las batallas durante siglos, en las competiciones de peleas con osos e incluso en la caza de lobos, pero a principios del siglo XX casi llegaron a extinguirse. Los intentos por incrementar su número fallaron a causa de la Segunda Guerra Mundial, pero posteriormente, se importaron algunos ejemplares desde Norteamérica, lo que produjo que su número incrementase.

Un gigante muy sensible

El Mastín sigue siendo poco común hoy en día y esto es en parte porque su mantenimiento resulta bastante costoso y necesita mucho espacio. Se encuentra entre las razas más pesadas y su apetito va en relación a ello. Por lo general, suele ser tranquilo, bueno y muy leal. Aunque si se siente amenazado reaccionará de forma agresiva. Al igual que otras razas grandes, se desarrolla lentamente y hay que ejercitar a los cachorros con moderación durante los dos primeros años o más, para prevenir posteriores afecciones en las articulaciones.

A GRANDES RASGOS

- Peso pesado del mundo canino
- Sólo es agresivo si se le reta
- Costoso de mantener
- Sociable
- Necesita entrenamiento adecuado

Color del pelaje
El pelaje puede ser de color melocotón, beige o con manchas de color café, con rayas oscuras. Las orejas, la nariz y el bocico son siempre negros

Cuello robusto
El cuello es robusto y fornido y aumenta de tamaño a medida que se acerca a los hombros

Pecho profundo
El pecho profundo y ancho presenta una apariencia redondeada y se extiende hasta llegar al nivel de los codos

8. Terrier escocés

Mientras que las otras razas de esta sección son relativamente grandes, no te dejes engañar por el tamaño o por el aspecto curioso del Terrier escocés, o «Scottie». Es un perro guardián siempre alerta y decidido, que no se fía de los desconocidos.

A GRANDES RASGOS
- Aspecto poco usual
- Luchador
- No se lleva bien con otros perros, en especial con otros Terrier
- Perro guardián
- Cazador de alimañas

Historia

La valentía de estos Terriers es tal que un pequeño grupo de ellos mantenidos por el duque de Dumbarton a finales del siglo XIX, pasó a conocerse como *Diehards*. Esto llevó a que su regimiento, los Royal Scots, pasaran a llamarse los «Dumbarton Diehards». El origen de esta raza se remonta al siglo XV. Se relaciona bastante con el Skye terrier y se le conoce por una gran variedad de nombres, incluyendo entre ellos Highland terrier o Aberdeen terrier. Adquirió esta última designación a finales del siglo XIX, no solo porque era muy común en esta parte de Escocia sino también por su criador J. A. Adamson que se hizo famoso por esta variedad de Terrier en esa época. Durante la década de 1930, la raza del Terrier escocés fue una de las más conocidas en Estados Unidos, siendo más tarde el presidente Franklin D. Roosevelt uno de sus devotos más fieles.

Luchador

El Terrier escocés es un buen perro guardián que solo ladra cuando detecta algo inusual. No acepta fácilmente a los desconocidos y tiende a estar más unido a ciertos miembros de la familia antes que a otros. Su valentía se refleja en el hecho de que se usaba para luchar contra los tejones en sus madrigueras subterráneas. El Terrier escocés no suele aceptar a otros perros, por lo que socializarle desde cachorro podría ayudar a minimizar este comportamiento.

Orejas puntiagudas
Las orejas se encuentran en lo alto de la cabeza menguando hasta las puntas

Colores del Terrier escocés
El color del pelaje suele ser el negro, el color trigo y el color café manchado. En los de pelaje negro o café pueden apreciarse vetas de pelo blancas

Hocico alargado
El bocico alargado acaba en una abultada nariz negra

Patas delanteras
De huesos fuertes terminan en pies redondeados, que suelen ser más grandes que los traseros

CARACTERÍSTICAS CANINAS		ANOTACIONES
Personalidad	Seguro de sí mismo. Inteligente, se adapta a las situaciones. Desconfía de desconocidos	Vigílale cerca de otros perros
Medidas	Altura: 25 cm (10 in) Peso: 8,6 - 10,4 kg (19 - 23 lb)	
Ejercicios	Le gusta corretear, es ágil y rápido	Paseo diario. Vigílale de otros perros
En el hogar	No es el perro ideal para una casa con niños	
Comportamiento	Puede ser tozudo. No se lleva bien con los gatos. Independiente	Insiste en el entrenamiento
Cuidados	Pelaje de doble capa. Necesita cuidados	Cepillado semanal. Llévale al peluquero cada seis u ocho semanas
Problemas de salud habituales	Mucho más susceptible a padecer cáncer que otros. El de vesícula es el más común. Scottie Cramp: afecta al movimiento sobre todo después del ejercicio	Estate atento a los síntomas de Scottie Cramp como espasmos

9. Schnauzer gigante

El nombre de este grupo peculiar de perros proviene del nombre alemán schnauze y significa «morro». Esto describe su hocico relativamente ancho, cubierto de pelo largo y que forma lo que comúnmente se describe como bigote.

A GRANDES RASGOS
- La variedad más grande de las tres que hay
- Inteligente
- Trabajador, complaciente
- Cuidados profesionales
- Sociable con la familia

CARACTERÍSTICAS CANINAS		ANOTACIONES
Personalidad	Inteligente y decidido. Puede ser dominante. No se fía de los desconocidos	Vigílale cerca de desconocidos
Medidas	Altura: 58 - 71 cm (23- 28 in)	
	Peso: 25 - 36 kg (55 - 80 lb)	
Ejercicios	Necesita mucho ejercicio y correr	Dale un buen paseo diario
En el hogar	No se adapta a la vida en un apartamento	
Comportamiento	Enérgico. Su ladrido es ruidoso y desafiante. Receptivo al entrenamiento, que debe comenzar de cachorro	Fomenta la socialización de cachorro, para que se familiarice con personas y perros
Cuidados	Necesita que le cepilles y le peines, sobre todo la capa interior. Peinado a mano para que su pelaje esté limpio	Acicálale a diario. Peina a contrapelo el pelaje alrededor de los ojos y de las orejas
Problemas de salud habituales	Displasia de cadera. Epilepsia. El cáncer es el mayor causante de muertes en esta raza	Asegúrate de que examinan a las crías para detectar displasia de cadera

Orejas en forma de «V»
Situadas en la parte superior de la cabeza cayendo hacia los lados

Cabeza alargada
La cabeza es alargada y rectangular con un hocico fuerte

Ojos profundos y ovalados
De tamaño mediano son marrones oscuros

Hombros y patas
Los omóplatos son largos, bien musculados pero planos, las patas delanteras son rectas

Historia

La forma ancestral de esta raza era el Schnauzer estándar, tradicionalmente usado para cazar roedores. Luego, los granjeros de Baviera desarrollaron la forma gigante para trabajar con el ganado, aumentando su tamaño con cruces de razas nativas alemanas, incluyendo el Rottweiler *(ver pág. 120)* y el Gran danés *(ver pág. 82)*. El Schnauzer gigante tradicionalmente se usaba para dirigir el ganado pero posteriormente se usaba tanto como perro policía como perro guardián en las destilerías. Más tarde se hicieron más populares como perros para concursos y como animales de compañía.

En el hogar

La inteligencia natural del Schnauzer gigante significa que estos perros pueden adaptarse bien al hogar. Se adaptan bien a un ambiente familiar aunque a veces desconfían de las visitas. Esto podría suponer un problema con los niños y sus amigos. Anteriormente las orejas del Schnauzer se recortaban para darle un aspecto más feroz, pero hoy en día es más frecuente dejarlas que cuelguen en los laterales de la cabeza. Sus cuidados no deberían descuidarse, su aspecto mejorará si su pelaje se arranca con las manos en lugar de cortarse como mínimo cada seis meses, para eliminar los pelos sueltos.

10. Terrier ruso negro

Esta raza es poco común. Las Fuerzas Armadas rusas fueron las encargadas de criarlo durante la Guerra Fría. Desde la caída de la Antigua Unión Soviética, esta raza de perros se desmilitarizó y es conocida hoy en día en Occidente y en cualquier parte.

A GRANDES RASGOS
- Pelaje espeso y negro
- Nueva raza
- Carácter estable
- Aspecto imponente
- Muda poco
- Fácil de entrenar

Historia
El linaje de Terrier ruso negro está probablemente formado por diecisiete razas diferentes, adquiriendo el color del pelaje del Schnauzer gigante *(ver pág. 126)*. El Terrier de Airedale *(ver pág. 114)* también colaboró de forma significativa, al igual que el Rottweiler *(ver pág. 120)*. El propósito era el de crear un perro guardián que fuese lo suficientemente resistente como para trabajar bajo duras condiciones climatológicas y que fuera de confianza. En 1957, una década después del comienzo del proyecto, solo algunos ejemplares estaban permitidos para la vida civil. Los criadores después se centraron en homogeneizar su aspecto.

Adaptabilidad
El Terrier ruso negro, cuyo nombre proviene de su antepasado, el Terrier de Airedale, recibió el prestigio de la asociación American Kennel Club (AKC) en 2004. Es muy versátil, que aunque no destaca en los concursos caninos, sí lo hace en las competiciones de obediencia y agilidad, enfatizando todas sus virtudes. El único inconveniente que presenta esta raza para sus dueños es su resistencia, ya que necesitan grandes cantidades de ejercicio a lo largo del día.

Pelaje negro
Esta raza se define por su coloración, que es negra, a veces, con tonos grises

Patas gruesas
Las patas delanteras son rectas y de aspecto grueso, discurriendo paralelas la una a la otra

Pies grandes
Los pies grandes y redondeados tienen unas uñas negras

CARACTERÍSTICAS CANINAS		ANOTACIONES
Personalidad	Inteligente, leal, receptivo. Desconfía de los desconocidos	Vigílale cerca de desconocidos
Medidas	Altura: 66 - 76 cm (26 - 30 in) Peso: 35 - 70 kg (77 - 154 lb)	
Ejercicios	Necesita mucho ejercicio. Tiene mucha resistencia	Dale largos paseos
En el hogar	Perro guardián dedicado	
Comportamiento	Receptivo, pero necesita entrenamiento desde cachorro	Entrénale y mantenle ocupado para evitar el aburrimiento y el comportamiento destructivo
Cuidados	Los machos tienen la melena más larga alrededor del cuello. Muda poco	Cepíllale una o dos veces a la semana
Problemas de salud habituales	Displasia de cadera. Atrofia progresiva de la retina (PRA)	Asegúrate de que examinan a los cachorros para detectar estas afecciones

Tipos de perros para gente que busca algo más que un animal de compañía tranquilo, para familias con niños mayores, para gente que vive sola, fuera de la ciudad y para aquellos que se han prejubilado y disfrutan paseando.

Pastor ovejero australiano

Parson Russell terrier

Perros muy listos

La gente se maravilla ante la naturaleza innata que muestran estos perros trabajadores como el Border collie pero, por desgracia, algunos de los miembros de este grupo, no son una buena elección como animales de compañía. Esto se debe a que su instinto para el trabajo está tan arraigado que no se adaptan bien al ambiente doméstico. Es posible que sin la estimulación adecuada el perro se aburra y llegue a ser destructivo, mostrando un mal comportamiento. Otra cosa a tener en cuenta es que los verdaderos perros pastores al ser tan enérgicos necesitan estar al aire libre y no encerrados en casa.

Sin embargo, existen algunas razas pequeñas muy adaptables, como el Papillón, que resultan ser buenos perros de compañía. Los perros Terrier son muy ingeniosos, pero menos aptos para un hogar con niños pequeños ya que pueden tener mal genio. Algunas razas de mayor tamaño con fama de inteligentes incluyen al Pastor alemán, el Beauceron y el Pastor ovejero australiano, todos han trabajado como perros policía reflejando su versatilidad. Los mestizos criados de perros sin un parentesco específico son conocidos también por su naturaleza ingeniosa y se dan en una variedad de tamaños.

Pastor alemán

1. Border collie

A GRANDES RASGOS
- Muy inteligente
- Muy receptivo
- Normalmente perro de «un solo dueño»
- Increíble cantidad de energía
- Resistente

Estos collies se sitúan entre los más inteligentes, al desarrollar un entendimiento casi intuitivo para las labores en el campo. A lo largo de los siglos, los pastores y los perros han creado un lenguaje de comunicación basado en silbidos y movimientos de las manos.

Historia

Recibe su nombre por la región fronteriza entre Escocia e Inglaterra donde esta raza se crió y donde todavía es popular como perro pastor. Esta raza fue primero muy conocida en la década de 1870, cuando empezaron los concursos de perros y desde entonces sus habilidades para el trabajo se han valorado por un público más amplio. Aunque el Border collie entró en los concursos en una etapa tardía, no fue reconocido en la asociación Kennel Club en Inglaterra hasta 1976, sus devotos le consideraban un perro trabajador hasta ese momento.

Nariz y hocico
Los orificios nasales son prominentes con el hocico estrechándose a lo largo

En alerta
Tiene una expresion siempre en alerta e inteligente

Color de los ojos
Se prefieren los ojos marrones a los azules, con independencia de su tamaño

Pies reducidos
Los pies son ovalados y reducidos con dedos fuertes y arqueados y almohadillas gruesas

CARACTERÍSTICAS CANINAS		ANOTACIONES
Personalidad	Bastante serio e independiente. No es especialmente afectuoso	
Medidas	Altura: 46 - 56 cm (18 - 22 in) Peso: 12,2 - 20,4 kg (27 - 45 lb)	
Ejercicios	Necesita mucho ejercicio a diario. Sus instintos para guardar el rebaño son muy fuertes	Mantenle alejado del ganado, ya que querrá guiarlo
En el hogar	Necesita mucho espacio con un gran jardín	Mantenle ocupado para evitar el aburrimiento
Comportamiento	Muy centrado y valeroso	Busca tiempo para jugar, es importante para esta raza
Cuidados	Los de pelo largo necesitan más cuidados que los de pelo corto	Deja secar el barro antes de cepillar su largo pelaje
Problemas de salud habituales	Anomalía del ojo del Collie (CEA). Displasia de cadera. Epilepsia	Asegúrate de que examinan a las crías para detectar displasia. Con una prueba de ADN se puede comprobar si tienen CEA

No es para todos

Desafortunadamente, las cualidades que hacen del Border collie una raza tan irresistible en el trabajo, significa que será menos adecuado que otros como mascota. Esto se debe a que disfruta más cuando está trabajando en compañía de su cuidador. Al ser una raza muy enérgica, no es idónea para la vida en la ciudad o en un entorno suburbano, ni tampoco se aconseja dejarlo solo durante largos períodos de tiempo encerrado en casa. A menudo, si se mantiene bajo estas condiciones y dada su inteligencia puede expresar su aburrimiento con un comportamiento destructivo. Puede también intentar acorralar a otras mascotas, desde gatos hasta tortugas. El Border collie está acostumbrado a trabajar mano a mano con su cuidador y no es especialmente paciente con los niños. Sin embargo, puede destacar en competiciones de obediencia y agilidad.

2. Pastor alemán

Estos perros tan receptivos se han entrenado para muchos propósitos a lo largo de los años. Han trabajado como perros policías, guardianes, de rescate e incluso como perros guía para los invidentes, afianzando la idea de que son capaces de realizar cualquier tipo de tarea.

A GRANDES RASGOS
- Trabajador versátil
- De aspecto impresionante
- Fiel compañero
- Atlético
- Aprende rápido
- Relativamente grande

Historia

En varias partes de Europa occidental existían diferentes variedades de perros pastores trabajadores, cuya función era la de vigilar los rebaños de ovejas e impedir que se escapasen. Esto requería tanto concentración como habilidad para acorralar a una oveja, sin alarmar a las otras. El Pastor alemán originario era bastante diferente a los que se ven hoy en día, ya que no tenía el pelo largo y la espalda alargada que les caracteriza. Tiene una postura más erguida. Durante un largo período de tiempo, en el siglo XX, en algunas zonas era más conocido como Alsaciano por la región de Alsacia que separa Alemania de Francia. El cambio de nombre tuvo lugar por deferencia al sentimiento anti germánico que había en Inglaterra y, en otras partes, tras la Primera Guerra Mundial.

La raza actual

El Pastor alemán a menudo se describe en inglés con las siglas GSD. Sin duda permanece la variedad más conocida de este grupo de perros pastores europeos, a pesar de que la raza belga *(ver pág. 100)* es ahora más popular. Como animal de compañía el Pastor alemán es muy leal y receptivo, pero algunos ejemplares pueden ser nerviosos, sobre todo si no se han adecuado desde pequeños para que socialicen. El Pastor alemán es fuerte y atlético y disfruta haciendo ejercicio, aunque tienes que evitar zonas donde haya ovejas.

Aspecto de la cabeza
La cabeza del macho tiene un aspecto más masculino que el de la hembra

Orejas estiradas
Las orejas están estiradas cuando está en alerta y con las puntas moderadamente puntiagudas

Coloración
Se prefiere una coloración fuerte y viva, se aceptan la mayoría de los colores aparte del azul, el blanco y el marrón hígado

Patas y pies
Las patas delanteras son potentes con unos pies cortos y reducidos. Los dedos de los pies están bien arqueados con almohadillas gruesas

CARACTERÍSTICAS CANINAS		ANOTACIONES
Personalidad	Centrado pero adaptable. Los machos pueden ser sobre todo muy testarudos. Reacio con los desconocidos	Vigila al perro cerca de desconocidos
Medidas	Altura: 56 - 66 cm (22 - 26 in) Peso: 29,4 - 38,5 kg (65 - 85 lb)	
Ejercicios	Necesita un buen paseo a diario y ejercicio sin la correa. Buen saltador y nadador	Ejercítale a diario sin la correa
En el hogar	Guardián alerta. Disfruta de la compañía humana	Fomenta su socialización desde pequeño
Comportamiento	Aprende rápido, disfruta jugando. Puede ser bastante dominante	No incites un comportamiento dominante
Cuidados	Necesita un cepillado sencillo, los de pelo largo necesitarán más cuidados	Cepíllale una vez por semana
Problemas de salud habituales	Displasia de cadera. Deficiencia pancreática que restringe su habilidad para digerir comida y conlleva a una pérdida de peso	Asegúrate de examinar a las crías para detectar displasia de cadera. Hay tratamiento para los problemas pancreáticos

3. Parson Russell terrier

Durante muchos años, los criadores del Jack Russell terrier se oponían a que sus perros se estandarizasen para los concursos, pero en última instancia, se llegó al acuerdo de que podía establecerse un estándar para este fin y así estos perros se registraron como Parson Russell terrier.

A GRANDES RASGOS
- Juguetón y alerta
- De gran carácter
- Necesita un entrenamiento estricto
- Puede ser ruidoso
- De fácil cuidado

Historia

El origen del Jack Rusell terrier y en última instancia del Parson Russell terrier se remontan a 1819, cuando un estudiante en Oxford divisó a un perro pequeño parecido al Terrier acompañando a un repartidor de leche. Tras una larga discusión, el estudiante le convenció para quedarse con ese perro, llamado *Trump*. Probablemente era el resultado del cruce entre un Terrier negro y bronceado y un Fox terrier de pelo duro *(ver pág. 111)*. Dicho estudiante, llamado Jack Russell, al dejar Oxford para empezar su carrera eclesiástica, se llevó a *Trump* al sudoeste de Inglaterra junto con su pasión por la caza del zorro y empezó así a crear el linaje del Terrier. Intentó asegurarse de que los perros fueran lo suficientemente pequeños para que pudieran adentrase en la guarida de un zorro y hacerlo salir, pero también lo suficientemente rápidos como para seguir el ritmo de los sabuesos.

Carácter de esta raza

Para ser un perro relativamente pequeño es muy enérgico y necesita un buen paseo a diario. Muestra una inmensa curiosidad, investigando una zona detalladamente mientras te sigue al trote. Su personalidad es tal que les hace unos animales de compañía excelentes, pero deben estar bien entrenados y socializados. De lo contrario, pueden desaparecer sin avisar bajo una conejera, o empezar una pelea con un perro de mayor tamaño. El Parson Russell terrier no se adapta bien a espacios cerrados. Es muy eficaz excavando y como resultado puede deslizarse con facilidad bajo una valla, también son grandes saltadores.

Orejas pequeñas
Las orejas pequeñas en forma de «V» cuelgan hacia delante y las puntas apuntan en la dirección de los ojos

Color del pelaje
Puede ser blanco, blanco con manchas negras o bronce y en variedades tricolores, siendo el blanco el predominante

Patas resistentes
Las patas son fuertes, estiradas y de buena constitución ósea

Pies redondeados
Los pies son redondeados, reducidos y parecidos a los de los gatos con los dedos arqueados y reforzados con almohadillas gruesas

CARACTERÍSTICAS CANINAS		ANOTACIONES
Personalidad	Su personalidad es mayor que su tamaño. Inteligente	
Medidas	Altura: 30 - 36 cm (12 - 14 in) Peso: 6,3 - 8 kg (14 - 18 lb)	
Ejercicios	Necesita ejercicio sin la correa. Un paseo por la calle no será suficiente	Vigílale para asegurarte de que no desparece por cualquier agujero
En el hogar	Activo. Buen guardián. No es adecuado para un hogar con niños pequeños	Asegúrate de que el jardín está bien vallado
Comportamiento	Juguetón. Muestra características de Terrier como cavar. No se llevará bien con los gatos	Busca tiempo para jugar a la pelota
Cuidados	Cepillado fácil para los de pelo liso. Los de pelo entrecortado necesitan un recorte o arrancado	Cepíllale una vez por semana
Problemas de salud habituales	Enfermedades oculares. Luxación patelar. Sordera	Asegúrate de que examinan a las crías para detectar enfermedades oculares. La luxación patelar puede necesitar cirugía

4. Patterdale terrier

Las Islas Británicas son el hogar de la mayoría de las variedades de Terrier, algunas de ellas son relativamente poco populares. Éste es el caso del Patterdale terrier, que se conserva como perro para el trabajo ya que aún no se ha aceptado oficialmente para participar en los concursos.

A GRANDES RASGOS
- Terrier poco común, no estandarizado
- Cazador tenaz
- El entrenamiento debe empezar temprano
- Coloración y pelajes variables

Historia

Originalmente la zona del Lake District era el hogar del Fell terrier, que tenía un aspecto muy variado. En 1912, los ejemplos más característicos proporcionaron la base para el que se convertiría en el Lakeland terrier, que obtuvo el reconocimiento del Kennel Club en Inglaterra como estándar oficial para concursos. Otros criadores querían conservar esta raza de Terrier trabajador de la zona y crearon una variedad del Fell terrier negro, que más adelante se renombró como Patterdale terrier, en honor a un pequeño pueblo de la zona.

El Patterdale actual

Esta raza fue pensada para ir bajo tierra o bien para hacer salir al zorro de su guarida para que los perros sabuesos lo atrapasen o bien simplemente para derrotarlo y matarlo en su guarida. No es de sorprender que sea audaz y que no se mantenga principalmente como un perro mascota ya que conserva muchos de sus instintos de cazador. Estos Terrier se llevaron en primer lugar a Estados Unidos durante la década de los años 70 del siglo XX, donde todavía se usan para cazar. La falta de estandarización es evidente en su aspecto, con variantes registradas de pelo suave, no uniforme y áspero. Cuando acecha a una presa, se arrastra sobre su vientre como lo haría dentro de la guarida del zorro y usa cualquier escondite del que pueda disponer.

CARACTERÍSTICAS CANINAS		ANOTACIONES
Personalidad	Enérgico pero sociable. Raza de caza inteligente. Puede ser terco	Entrénale desde pequeño
Medidas	Altura: 23 - 30 cm (9 - 12 in) Peso: 4 - 5,4 kg (9 - 12 lb)	
Ejercicios	Necesita hacer ejercicio para evitar el aburrimiento	Entrénale bien para que regrese a tu llamada
En el hogar	No es una mascota ideal, pero su naturaleza robusta le hará ideal para alguien que pase la mayor parte del día al aire libre	Habitúale a viajar en coche desde pequeño para que se acostumbre
Comportamiento	Valiente y tenaz	
Cuidados	Su aspecto puede variar mucho en función del pelaje. Necesita cepillado frecuente. Los de pelo suave son más fáciles de cuidar	Cepíllale una vez por semana
Problemas de salud habituales	Se han observado muy pocos problemas de salud	

Tipo de pelaje
El pelaje varía con pudiendo ser suaves, ásperos y no uniformes

Mancha blanca
Es común una mancha blanca en el pecho

La coloración del Patterdale
La mayoría son negros, pero ocasionalmente pueden ser de color bronce, rojizo, marrón hígado, chocolate, negro y bronce y grisáceo

Patas traseras fornidas
Las patas traseras permiten a estos Terrier moverse en espacios cerrados

5. Beauceron

El Beauceron posee una característica inusual, que lo diferencia de los demás, el doble espolón en cada pata trasera. Aunque estos espolones no desempeñan ninguna función, son un requisito para los concursos.

> **A GRANDES RASGOS**
> - Potente y fiel guardián
> - Muy decidido
> - Pelaje de fácil cuidado
> - Aprende rápido
> - Receptivo al entrenamiento
> - Coloración atractiva

Historia

Esta antigua raza francesa de perro pastor ha existido durante más de cuatrocientos años. Ha demostrado ser un compañero de trabajo inteligente y versátil y, como muchos, ha evolucionado para desempeñar otras tareas en la sociedad actual. Se desconocen sus orígenes, aunque podría compartir un pasado común con el Pastor alemán *(ver pág. 131)*. Al igual que esta raza, las variedades del Beauceron de pelo largo y corto fueron reconocidas siendo la de pelo corto la predominante. En 1910, el Beauceron apareció por primera vez en los concursos y luego los militares franceses lo utilizaron tanto como un perro mensajero como para llevar munición atada a su cuerpo.

Aspectos importantes

En su tierra natal, el Beauceron se usa extensamente como perro policía pero en otros países vecinos, se ha hecho más popular como perro para concursos, como sucede en Alemania. También hay un gran número de estos perros en el norte de Estados Unidos. Existen pocas razas que sean tan receptivas a sus dueños. Su inteligencia innata hace que aprenda rápido, aún así la meticulosidad durante el entrenamiento es importante. Es fuerte y robusto y si no se le controla adecuadamente puede ser una gran responsabilidad.

Ojos ovalados
Los ojos, situados horizontalmente, son un poco ovalados y de color marrón oscuro

Longitud del pelaje
El pelaje alrededor del cuello es más largo, comparado con el de las orejas y el de la cabeza

Coloración del Beauceron
El pelaje es negro o bronce o arlequín combinando el gris, el negro y el bronce

CARACTERÍSTICAS CANINAS		ANOTACIONES
Personalidad	Inteligente y adaptable. Desconfiado con los desconocidos	Vigílalo de cerca con las visitas
Medidas	Altura: 61 - 71 cm (24 - 28 in) Peso: 30 - 45 kg (66 - 100 lb)	
Ejercicios	Necesita un buen paseo ya que tiene mucha energía y resistencia	Paséale a diario
En el hogar	Animal de compañía protector	
Comportamiento	Aprende rápido. De lento desarrollo	Entrenamiento corto y repetitivo
Cuidados	El pelaje impermeable le protege del frío y la lluvia	Cepíllale para mantenerle en buenas condiciones
Problemas de salud habituales	Displasia de cadera. Atrofia progresiva de retina (PRA). Hinchazón, si se le saca a pasear tras las comidas	Asegúrate de que examinan a las crías para detectar PRA. No lo pasees tras las comidas

6. Papillón

No todos los perros que son extremadamente listos tienen un pasado trabajador, como muestra el Papillón, que es un perro miniatura. Su nombre significa «mariposa» en francés y describe el aspecto de las orejas que por la forma de su perfil se parecen a este insecto.

A GRANDES RASGOS
- Sociable
- Tamaño reducido
- Animal de compañía excelente
- Inteligente
- Orejas y aspecto singular

CARACTERÍSTICAS CANINAS		ANOTACIONES
Personalidad	Sociable y animado. No suele ser vergonzoso con los desconocidos	
Medidas	Altura: 20 - 28 cm (8 - 11 in) Peso: 3 - 4,5 kg (7 - 10 lb)	
Ejercicios	Necesita un buen paseo diario por el parque. Atlético, con mucha resistencia para un perro pequeño.	Dale un buen paseo diario
En el hogar	Ideal para un piso. Se adapta rápidamente a la rutina familiar. Buen guardián	
Comportamiento	Aprende rápido. Alerta. Se mueve con delicadeza	Busca tiempo para jugar
Cuidados	Carencia de subpelaje lo que reduce el riesgo de enredos. Necesita un cepillado frecuente	Cepíllale frecuentemente
Problemas de salud habituales	Atrofia progresiva de retina (PRA). Luxación patelar que afecta a las rótulas. Sensible a los anestésicos	Asegúrate de que examinan a los cachorros para detectar PRA. La luxación patelar puede necesitar cirugía

Adaptación

El Papillón es una raza sociable y con características felinas. Su aspecto delicado desmiente el hecho de que en realidad es una raza robusta capaz de cazar roedores. Estos perros pequeños aprenden rápido y pueden verse en concursos de obediencia y de agilidad. Quizás, lo más sorprendente sea el hecho de que se hayan usado como perros pastores, también pueden ser buenos rastreadores con su gran sentido del olfato. Se usan como perros de terapia para visitar y trabajar con los pacientes en hospitales dada su naturaleza sociable y equilibrada. Esta raza normalmente es longeva y suele mostrar pocos indicios de envejecimiento tanto físicos como de carácter ya que de adultos siguen siendo muy juguetones.

Historia

En su forma original tenía las orejas aplastadas a los lados de la cabeza. Esta variedad, llamada Phalène, aún puede aparecer en camadas del Papillón. Ambas razas se denominan Toy spaniel continental. La mutación que dio lugar al aspecto singular del Papillón se cree que se originó en Bélgica hace trescientos años, a pesar de que algunos cruces alternativos con los perros de la variedad Spitz, podrían haber introducido este cambio en las orejas. Esta variedad se convirtió rápidamente en la forma más popular. Estos perros inteligentes de pequeño tamaño eran muy valorados por la aristocracia, como queda reflejado por el número de frescos de artistas de la época como Tiziano y Rembrandt, en los que aparecen.

Cabeza pequeña
La cabeza es relativamente pequeña y un poco redondeada en la parte superior del cráneo

Grandes orejas
Situadas a los lados de la cabeza, que pueden estar alzadas o agachadas, tienen las puntas redondeadas

Ojos oscuros
Los ojos son oscuros y redondeados, con los bordes oscurecidos también

Coloración del Papillón
El pelaje es siempre bicolor

7. Pastor australiano

El nombre del Pastor ovejero australiano es engañoso, ya que se formó en Estados Unidos y trabajaba con el ganado y las ovejas manifestando así su versatilidad. Recientemente, ha ganado mayor popularidad en los concursos.

A GRANDES RASGOS
- Aspecto atractivo, único
- Tranquilo
- Aprende rápido
- Complaciente
- Gran perro de compañía
- Gran tamaño

Pelo corto
El pelo es corto en los laterales de la cara así como en la parte inferior de las patas

Coloración del *Aussie*
El pelaje es negro, rojo o rojo y azul mirlo. Puede tener manchas blancas y/o motas de color bronce

Pecho profundo
El pecho profundo se extiende hacia abajo

Patas resistentes
Las patas estiradas y fuertes acaban en unos pies ovalados con unos dedos bien arqueados y unas almohadillas gruesas

Historia

Los orígenes de esta raza se remontan hasta la región europea de los Pirineos, entre Francia y España. A comienzos del siglo XIX, las familias de pastores de esta zona emigraron a Australia, llevándose a estos perros con ellos. El linaje que evolucionó aumentó debido a los cruces con otros Collies. Como consecuencia, en la segunda mitad del siglo XIX se introdujo un número de estos perros en Estados Unidos, sobre todo en California, de nuevo para cuidar ovejas. La versatilidad de esta raza es muy reconocida actualmente. Se ha utilizado para el rescate, para ayudar a sordomudos y para buscar drogas. Cualquier tarea que se proponga, el «Aussie» como se le conoce comúnmente, mostrará la dedicación para la que está entrenado.

La raza actualmente

Será el perro de compañía ideal, apreciando casi instintivamente lo que de él se espera cuando está en manos de un dueño cuidadoso. Aún así, el entrenamiento es importante, en particular porque ayudará a crear un vínculo. Una característica un poco inusual es la coloración de su pelaje. Es bastante singular, lo que permite que se les pueda divisar desde lejos. En algunos casos, la cola está recogida de forma natural en lugar de estar estirada. Recientemente, para adaptar esta raza mejor a un ambiente doméstico, los criadores han creado una versión miniatura que se suele llamar «Mini Aussie», con exactamente las mismas características.

CARACTERÍSTICAS CANINAS		ANOTACIONES
Personalidad	Dedicado y activo. Cariñoso. Inteligente	
Medidas	Altura: 46 - 58 cm (18 - 23 in) Peso: 16 - 32 kg (35 - 70 lb)	
Ejercicios	Disfruta con mucho ejercicio. Muy resistente y enérgico	Sácale a pasear una vez al día
En el hogar	Ideal para un hogar con niños mayores y adolescentes	
Comportamiento	Aprende rápido. Adaptable. Muy receptivo. Disfruta persiguiendo juguetes	Busca tiempo para jugar
Cuidados	Subpelaje denso e impermeable. Con una melena alrededor del cuello. Necesita un buen cepillado sobre todo cuando muda el pelo	Cepíllale una o dos veces por semana
Problemas de salud habituales	Anomalía ocular del Collie (CEA). Cataratas. Epilepsia. Glándulas tiroides inactivas	Puedes realizar una prueba de ADN a las siete semanas para comprobar si tiene CEA

8. Collie

Existen dos variedades de Collie según la longitud de su pelo. Sin embargo, los de pelo suave son menos populares a pesar de que sus cuidados son más fáciles que los de pelo largo y que hicieron famosa a la perra *Lassie*.

A GRANDES RASGOS
- Pelaje corto o largo
- Coloración atractiva
- Aspecto elegante
- Muy receptivo
- Enérgico
- Juguetón

CARACTERÍSTICAS CANINAS		ANOTACIONES
Personalidad	Afectuoso. Puede que a veces tenga mal genio si los niños le molestan	Vigílalo cerca de niños
Medidas	Altura: 56 - 66 cm (22 - 26 in) Peso: 22,7 - 32 kg (50 - 70 lb)	
Ejercicios	Necesita muchas oportunidades de correr sin correa, esto es importante	Evita zonas donde las ovejas estén presentes, ya que el perro querrá perseguirlas
En el hogar	Juguetón. Perseguirá los balones y los discos voladores	Busca tiempo para jugar en casa
Comportamiento	Activo y disfrutará de la atención. Puede aburrirse si no se le dedica suficiente atención. Complaciente. Aprende rápido	
Cuidados	Necesita cepillado y peinado para los de pelo áspero. Un cepillado simple ocasional para los de pelo suave	Cepíllalo con frecuencia
Problemas de salud habituales	Enfermedades oculares, sobre todo la atrofia progresiva de retina (PRA) y la anomalía del ojo del Collie (CEA). Puede tener una mala reacción a la medicación para anomalías del corazón	Asegúrate de que examinan a las crías para prevenir APR. Se puede realizar una prueba de ADN a las siete semanas para comprobar si tienen CEA

Adaptación

El Collie, como perro ovejero a lo largo de los siglos, ha demostrado ser adaptable e inteligente, como muestran las diferentes tareas que ha ido desempeñando. De hecho, se ven principalmente en los concursos o simplemente como mascotas, en lugar de en su papel tradicional. Aún así conserva sus instintos de trabajador y tiene bastante energía lo que significa que necesita ejercicio a diario para no aburrirse en casa. Prepárate para los exhaustivos cuidados del Collie de pelo largo en primavera cuando mudan su denso pelaje invernal. La peculiar melena entre las patas será menos profusa en verano.

Orejas del Collie
Las orejas son de tamaño proporcional con la cabeza

Forma de la cabeza
La cabeza se estrecha desde las orejas hasta la nariz

Historia

Se cree que los antecesores del Collie podrían remontar hasta la era de los romanos, cuando se introdujo en Inglaterra el ejemplar de pelo largo del que sería por aquel entonces el Collie de pelo largo. Eran más bajos y con un hocico más corto que el Collie actual. Estos rasgos podrían haberse desarrollado más adelante gracias a los cruces con el Borzoi *(ver pág. 67)*. Durante la década de 1860, los Collies eran los favoritos de la reina Victoria y esto ayudó a que ganasen popularidad. Posteriormente, el Collie de pelo largo adoptó el papel de *Lassie* en gran número de películas y producciones televisivas que trataban sobre las aventuras ficticias de esta perra. Como resultado, esta raza alcanzó otro nivel de popularidad entre la década de los años 1940 al 1950, aunque hoy en día no sea tan buscado.

Coloración del pelaje
La coloración puede ser tricolor, parda negruzca y blanca, azul mirlo o blanco con algunas manchas

9. Staffordshire Bull terrier

Esta raza singular y musculosa ha tenido mala prensa por su vínculo con el destacado Pit Bull terrier. Sin embargo, ha ganado más popularidad en años recientes, por su innegable inteligencia y devoción por su dueño.

A GRANDES RASGOS
- Muy cariñoso
- El entrenamiento puede ser exigente
- A menudo no se lleva bien con otros perros
- Leal, protector
- Cuidado fácil del pelaje

CARACTERÍSTICAS CANINAS		ANOTACIONES
Personalidad	Tenaz y determinado. No se lleva bien con otros perros. Fiel	Cástrale para reducir su agresividad
Medidas	Altura: 36 - 41 cm (14 - 16 in) Peso: 11 - 17, 2 kg (24 - 38 lb)	No lo sobrealimentes, puede ser obeso sobre todo después de castrarlo
Ejercicios	Necesita ir sin correa al pasear. Si se le entrena bien, tiene mucha resistencia	Ponle el bozal si se pone agresivo
En el hogar	Adecuado para la vida familiar. A menudo se lleva bien con los niños. Se adapta bien a nuevos entornos	
Comportamiento	Activo. Suele reclamar la atención saltando	No le incites a que salte
Cuidados	De fácil cuidado. Sólo necesita cepillado	Comprueba las orejas y las uñas con frecuencia
Problemas de salud habituales	Problemas oculares. Cataratas hereditarias y distiquiasis, presencia de extra pestañas que pueden frotar la superficie del ojo	Asegúrate de que examinan a las crías para detectar cataratas. La distiquiasis puede necesitar cirugía.

Historia

Hoy en día, esta raza creada para las peleas de perros a principios del siglo XIX, se conoce a menudo como «Staffie». Surge inicialmente de los cruces entre los clásicos Bulldogs y el Terrier negro y bronce, compartiendo su pasado inicial con la raza del Bull terrier inglés. Posteriormente, a mitad del siglo XIX y a manos del fanático James Hinks, este perro se transformó como resultado de los cruces con el Terrier inglés blanco. Evolucionó con la cabeza parecida a la de un Mastín, con orejas pequeñas en la parte trasera del cráneo, siendo el legado de su beligerante pasado. Finalmente en 1935, debido a su extensa popularidad, el Staffordshire Bull terrier fue reconocido para participar en los concursos en su tierra natal.

Socialización

A pesar de su tamaño relativamente pequeño, el Staffie es sorprendentemente fuerte. Mientras que puede ser muy juguetón e incluso gentil, es esencial un entrenamiento estricto desde pequeño para evitar que su lado más enérgico domine, causando problemas más adelante. La socialización desde una edad temprana con otros perros es importante, ya que no tiene una buena predisposición con otros perros y en concreto con otros Staffies. Si se le entrena correctamente será un excelente perro de compañía pero ten en cuenta que no hay garantía absoluta de que tu perro pueda ser agresivo cerca de otros perros cuando lo saques a pasear. Intenta siempre evitar cualquier problema y enséñale incluso a llevar el bozal.

Coloración del *Staffie*
Son frecuentes los ejemplares atigrados y blancos, además de los marrones, rojos, azules y negros con o sin blanco

Patas potentes
Las patas traseras son poderosas con la cola reposando baja en los cuartos traseros

Patas estiradas y acolchadas
Las patas delanteras son rectas y bien espaciadas con unos pies fuertes y bien acolchados

10. Perro mestizo

La inteligencia innata del mestizo se ha documentado por muchos dueños a través de los siglos. Es adaptable y no se cría específicamente para realizar ninguna tarea en concreto. Son muy animados e inteligentes y se adaptan bien a otras mascotas.

A GRANDES RASGOS
- Aspecto único destacable
- Sociable
- Coloración con manchas
- Pelaje variable
- Varios tamaños

Historia

Los mestizos han existido desde que existen los perros domésticos e incluso hoy, muchos prefieren tener a uno como mascota en lugar de un perro de pura raza. Un mestizo no es un perro cruzado entre dos razas diferentes, sino el resultado de la unión aleatoria entre perros sin reconocimiento a lo largo de generaciones. Esto ayuda a explicar la diversidad en aspecto que existe dentro de este grupo. En general, el mestizo tiene un aspecto y un comportamiento menos extravagante comparado con los de un perro de pura raza. No llegan a ser de gran tamaño, aunque tampoco son pequeños. En el caso de los de pelo largo, su pelaje no es tan denso como el de los perros de pura raza.

Qué tener en consideración

Puede ser difícil determinar el tamaño aproximado de un adulto pero sus patas nos darán una idea al respecto. Los cachorros de pies grandes serán propensos a ser de gran tamaño de mayores. Las manchas de los cachorros en una camada serán definitivamente únicas. A pesar de que a menudo se dice que los mestizos son más sanos que los de pura raza, esto no es del todo cierto en cuanto a vacunas se refiere. Son igual de vulnerables a las enfermedades letales de los perros, como el moquillo y, es por eso que sus vacunas deben estar al día.

CARACTERÍSTICAS CANINAS		ANOTACIONES
Personalidad	Depende de la raza que contribuyó originariamente a su linaje y a los que hayan hecho una contribución más reciente	Fomenta su socialización desde cachorro
Medidas	Altura: normalmente 20 cm (8 in) o más. Peso: el peso debería corresponderse con la altura y la constitución de un pura raza	Los mestizos acostumbran a variar de medianos a grandes. No suelen ser pequeños
Ejercicios	El ejercicio depende de su constitución. Los del tipo de caza necesitarán una buena carrera a diario. Los perros pequeños apreciarán un ritmo lento	
En el hogar	El entrenamiento en casa es importante	Es probable que un mestizo adulto no esté adaptado para el hogar
Comportamiento	Normalmente calmado. Sociable. Aprende rápido si se le enseña de pequeño de lo contrario puede ser desobediente y puede resultar difícil lograr su confianza	Busca la ayuda de un profesional desde pequeño si crees que presenta problemas de comportamiento
Cuidados	El pelaje es menos abundante que el de los perros de pura raza. Su cuidado dependerá del tipo de pelaje, pero no representa inconvenientes	Cepíllale y péinale con frecuencia
Problemas de salud habituales	Puede padecer problemas ya vistos en los de pura raza, como la displasia de cadera. Un cachorro en malas condiciones puede tener ácaros	

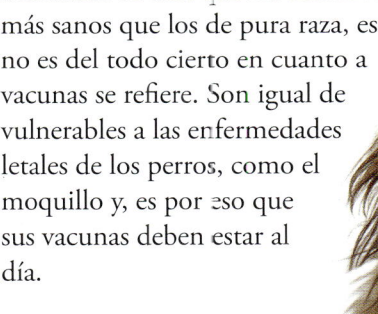

Hocico del perro mestizo
El hocico es de tamaño mediano y ancho y acaba con una nariz negra. Los ojos redondeados y expresivos son normalmente oscuros

Coloración del mestizo
La coloración mixta es una característica de estas razas que muestran manchas individuales

Color de las uñas
En este ejemplar las uñas son negras, pero pueden variar de color

Tipos de perros para gente individualista, para románticos que aprecian los orígenes de la raza, y para aquellos que aprecian el talento y la pericia, en cualquier forma.

Pointer

Terranova

Perros con talento

Cairn terrier

Probablemente desde que empezó la domesticación, hace más de veinte mil años, los perros se empezaron a mantener para fines específicos. Algunos se extinguieron, ya que su papel en el trabajo desapareció. Entre estos se incluye al pequeño perro Turnspit, que trabajó en la cocina de los grandes hogares, girando la carne que se cocía al fuego al andar sobre una rueda. Pero incluso hoy en día, todavía existen alguna razas antiguas muy especializadas, como el perro de San Huberto, muy respetado por sus impresionantes habilidades rastreadoras. También está el Lagotto Romagnolo, perro cazador de trufas italiano, que usa su poderoso sentido del olfato para detectar setas enterradas.

Es imposible generalizar sobre los perros en esta sección, excepto para decir que todos han formado una fuerte relación laboral con la gente, lo que significa que mantienen un vínculo estrecho con quienes les rodean. Además, como perros trabajadores, acostumbran a ser activos y por lo tanto necesitan bastante ejercicio. Por último, será cuestión de profundizar en el pasado de la raza tanto como sea posible, para ver si alguna de estas razas es compatible con tu estilo de vida.

1. Perro ganadero australiano

El Perro ganadero australiano es increíblemente resistente y una muestra de esta raza fue un perro llamado Bluey que conserva el récord por ser el más longevo. Cuando Bluey falleció en 1939 tenía 29 años y medio y estuvo toda la vida protegiendo el ganado.

A GRANDES RASGOS
- Coloración poco usual
- Longevo
- Receptivo
- Adaptable
- La socialización desde pequeño es importante
- Raza resistente

CARACTERÍSTICAS CANINAS		ANOTACIONES
Personalidad	Muy leal, algo precavido	
Medidas	Altura: 43 - 51 cm (17 - 20 in) Peso: 14 - 27 kg (30 - 60 lb)	
Ejercicios	Necesita bastante ejercicio mental y físico. Se queda cerca del dueño si va sin correa	Sácale a correr y a jugar a diario
En el hogar	Perro guardián útil. Buen animal de compañía. Crea un fuerte vínculo. Puede intentar perseguir a los miembros de la familia mordisqueando sus talones	No le incites a que muerda
Comportamiento	A menudo no se lleva bien con otros perros. Propenso a morder	Fomenta su socialización desde pequeño
Cuidados	Cepíllale semanalmente	Necesita cepillado. Cuando mude necesitará más cuidados
Problemas de salud habituales	Atrofia progresiva de retina (PRA). Sordera congénita	Asegúrate de que examinan a las crías para detectar PRA y sordera

Historia

Los ancestros de esta raza se formaron a partir de cruces entre las razas nativas que cuidaban el ganado procedente de Europa y el Dingo, un perro salvaje que los nativos aborígenes originales llevaron hasta Australia. El Dingo aportó resistencia, lo que permitió que estos perros pudieran trabajar en el duro y árido entorno australiano. También participaron dos Collies de pelo suave. Esta línea sanguínea específica se usó para mejorar una variedad existente de perro ganadero, conocido como Timmon Biter. Se llamaba así porque era más agresivo de lo normal y acostumbraba a lastimar al ganado mordisqueándolo en vez de animarlo a moverse cuando era necesario. Muchas otras razas contribuyeron posteriormente a la raza emergente de esta raza, como el Dálmata *(ver pág. 95)*, que aportó aún más resistencia, y, en la década de 1890, su aspecto ya se había asentado del todo.

La raza en el extranjero

Recientemente, el Pastor ganadero australiano ha empezado a ser popular fuera de su tierra natal. Una característica que comparte con el Dingo es la habilidad para trabajar sin hacer ruido, aunque poseen un ladrido característico. Sin embargo, antes de adquirir a uno de estos perros, ten en cuenta la cantidad de energía de esta raza y su entusiasmo para el trabajo. Como mascota, ha demostrado ser una buena elección tanto en concursos de obediencia como de agilidad. También disfrutan jugando, pero puede resultar difícil encontrar un juguete que sea lo suficientemente duradero.

Orejas pequeñas
Las orejas relativamente pequeñas y levantadas son anchas en la base

Cuello musculoso
El cuello musculoso y potente es de una longitud mediana y soporta el fuerte cráneo

Color del pelaje
El pelaje es o bien rojo moteado o azul. Es moteado o manchado con o sin manchas azules, negras y bronce

Cola baja
La cola es relativamente baja y se extiende hasta el corvejón

2. Basenji

El Basenji es una de las pocas razas que se han desarrollado en África y se clasifica como una de las más inusuales de entre todos los perros domésticos. A veces se le conoce como el perro que no ladra, pero en realidad tiene una llamada al estilo del canto tirolés. Es una raza singular y muy inusual y con un aspecto atractivo.

A GRANDES RASGOS
- Raza primitiva
- Largo pasado
- Muchos rasgos de comportamiento inusuales
- Parecido un poco a los felinos
- Le gusta comer verduras

Historia

En el antiguo Egipto se han descubierto pinturas admirables muy parecidas al Basenji, que se remontan a más de cuatro mil años. Esta raza es muy popular en zonas que van hasta la Bahía del Congo y se extendió en la parte central occidental de África y en el norte, hasta lo que hoy sería Sudán. Estos perros estaban muy bien considerados por las tribus locales como perros de caza y se criaban con cuidado. Hubo dos intentos previos sin éxito para introducirlos en Inglaterra, ya que los perros contrajeron moquillo y fallecieron en una época previa a las vacunas de hoy en día. Sin embargo, un criador del Congo belga descubrió algunos Basenji y se llevó un grupo reducido a Inglaterra. Estos perros se exhibieron en el concurso de Cruft en 1937 donde causaron furor ya que eran muy diferentes a las otras razas en exhibición.

Rasgos inusuales

Algunos de los comportamientos del Basenji son muy inusuales. Al igual que los gatos, se acicala a sí mismo durante largo rato y cuando está en alerta el exceso de piel en su frente se arruga, por lo que le da un aspecto de preocupación.

Es muy elegante al andar y con un estilo de trote sin esfuerzo, parecido al de un caballo. Deberás tener paciencia si adquieres un cachorro. A diferencia de la mayoría de razas, las hembras solo entran en celo una vez al año por lo que solo producen una camada, como hacen los perros salvajes.

Cola rizada
La cola se curva apretada sobre la espalda

Ojos almendrados
Los ojos oscuros tienes unos cercos oscuros y son oblicuos

Forma del hocico
El hocico es más corto que el cráneo

Coloración del Basenji
El pelaje es de color almendra, negro, tricolor o atigrado con zonas blancas en los pies, pecho y la punta de la cola

CARACTERÍSTICAS CANINAS		ANOTACIONES
Personalidad	Alerta. Puede ser distante. Curioso y puede alzarse sobre sus dos patas traseras para ver mejor. No se adaptará de inmediato a las visitas	Vigílale cuando haya desconocidos cerca
Medidas	Altura: 41 - 43 cm (16 - 17 in) Peso: 9 - 10 kg (20 - 22 lb)	
Ejercicios	Necesita mucho ejercicio. Salta bien y corre rápido. Enérgico. No le gusta salir si llueve o nieva	Paséale a diario
En el hogar	Es probable que forme un vínculo estrecho con su cuidador	
Comportamiento	Juguetón. Puede mostrar el instinto de perseguir gatos	Busca tiempo para jugar
Cuidados	Necesita un simple cepillado	Utiliza un guante de caza para dar brillo al pelaje
Problemas de salud habituales	Atrofia progresiva de retina (PRA), conlleva ceguera. Insuficiencia renal debido al síndrome de Fanconi	Asegúrate de que examinan a los cachorros para detectar estas afecciones

3. Perro de San Huberto

El Perro de San Huberto es la forma ancestral de la mayoría de los sabuesos actuales y como tal no tiene rival alguno al seguir pistas «en frío» que se han dejado hace horas o incluso días. Son animales de compañía entusiastas, pero lamentablemente, esta raza es poco longeva.

A GRANDES RASGOS
- Sentido del olfato destacable
- Disposición sociable
- Poco longevo
- Juguetón
- Raza característica

Historia

El Perro de San Huberto es un descendiente directo de un linaje antiguo cuyos orígenes pueden remontarse hasta el año 600 a. C. Si examinamos las antiguas descripciones y retratos comprobaremos que ha cambiado poco con el transcurso del tiempo. En sus orígenes, el Perro de San Huberto, fiel a su nombre en inglés de *Bloodhound*, se usaba para rastrear a los ciervos heridos siguiendo su rastro de sangre. Posteriormente, sus habilidades rastreadoras se usaron para seguir el de los humanos y, aunque no es una raza agresiva como tal, son perros dedicados con sus tareas. Es por esto que, a finales del siglo XIII, se les conoce con el sobrenombre de «perros detectives». Tienen fama de seguir el rastro de la gente a distancias de hasta unos 220 km (138 millas), lo que demuestra su gran dedicación.

Olfatear

Desgraciadamente, el Perro de San Huberto es hoy en día bastante escaso, ya que por su experiencia de rastreador y su resistencia lo que realmente necesita es un ambiente rural en el que pueda disfrutar. Al seguir un rastro, sobre todo a través del bosque, emite un aullido grave y melódico para mantener el contacto. Es habitual que estos sabuesos cacen solos o en pareja, a veces atados con correa, aunque ocasionalmente pueden ir en grupo. Son sociables y rara vez se enfrentarán entre ellos. Sus grandes orificios nasales no solo le ayudarán a seguir el rastro sino también las orejas y los pliegues de la piel que hacen que las moléculas olfativas se concentren cerca de la nariz.

CARACTERÍSTICAS CANINAS		ANOTACIONES
Personalidad	Generoso, entusiasta, sociable y afectuoso	
Medidas	Altura: 58 - 69 cm (23 - 27 in)	Las hembras son más pequeñas
	Peso: 36 - 50 kg (80 - 110 lb)	
Ejercicios	Necesita un buen paseo. Tiene una energía inacabable	Sácale a pasear una vez al día
En el hogar	No es idóneo para un hogar con bebés debido a su tamaño	
Comportamiento	Es difícil entrenarle para que obedezca, es probable que no regrese si sigue un rastro	
Cuidados	Los cuidados son sencillos. Puede desprender un fuerte «olor a perro» y necesitará un baño	Cepíllale semanalmente y comprueba su piel por si presenta indicios de infección. Báñale cuando sea necesario
Problemas de salud habituales	Hinchazón	No lo saques a pasear tras las comidas, puede causarle hinchazón

El pelaje
El pelaje puede ser negro y bronce, hígado y bronce o rojizo

Cráneo
El cráneo es estrecho en proporción a lo ancho, con un pico occipital muy pronunciado

Sentido del olfato
Los grandes y abiertos orificios de la nariz, le ayudan a detectar olores

Orejas largas
Son muy largas y caen bajas en pliegues con una textura fina y suave

4. Terranova

En realidad este gentil gigante podría ser el más fuerte de todas las razas. El Terranova negro y blanco, conocido como el Landseer recibe su nombre por Sir Edwin Landseer, famoso artista canino del siglo XIX. A veces se reconoce como una raza separada, sobre todo por su coloración.

> **A GRANDES RASGOS**
> - Inmensamente poderoso
> - Dócil
> - Fácil de entrenar
> - Se lleva bien con los niños
> - Disfruta del agua
> - Adaptable

Historia

Debe sus orígenes a razas que llegaron a Europa, como el Perro de montaña de los Pirineos *(ver pág. 85)*, que probablemente se cruzó con los perros indígenas en Terranova, Canadá. Sus orígenes no quedan claros, pero al poco tiempo desarrolló una serie de tareas y llegó a ser muy preciado a mediados del siglo XVIII. Quizás se conoce mejor como perro de aguas, ya que ayuda a los pescadores a recoger las redes hacia la costa, además de salvar a quienes se estén ahogando. En tierra firme era destacable como perro de tiro de carretas.

La raza actual

La crianza selectiva hizo del Terranova un perro más adaptable para trabajar con agua. Esto es evidente aún hoy por sus pies membranosos y su pelaje impermeable de textura un poco grasienta. Es de las razas más grandes que muestra un vínculo con los niños, aunque su tamaño y su fuerza podrían intimidarles. Necesita un entrenamiento eficaz, ya que un Terranova desobediente puede llegar a ser un gran inconveniente. Por suerte, es muy receptivo en este aspecto y pronto dominará lo necesario.

Pies grandes
Los pies membranosos y largos se corresponden con el tamaño del cuerpo

CARACTERÍSTICAS CANINAS		ANOTACIONES
Relajado, sociable	Relajado, sociable	
Medidas	Altura: 66 - 71 cm (26 - 28 in)	
	Peso: 45 - 68 kg (100 - 150 lb)	
Ejercicios	Necesita un buen paseo diario. Gran nadador, con un estilo característico. Se tirará al mar	No sobre ejercites a los jóvenes, vigílale cerca del agua ya que podría tirarse
En el hogar	Se adapta bien en casa. Propenso a babear ocasionalmente, sobre todo cuando hace calor	Piensa en cubrir las sillas para protegerlas de las babas
Comportamiento	Envejece poco a poco. Aprende rápido. Se lleva bien con otras mascotas, como los gatos. Tiene un ladrido profundo que puede intimidar a los intrusos	
Cuidados	Su cuidado es especialmente importante cuando mudan el pelo en primavera, el subpelaje debe arrancarse	Cepíllale a diario, es importante
Problemas de salud habituales	Estenosis subaórtica, un estrechamiento de la arteria principal en el cuerpo. Dificultad al respirar que puede resultar mortal	Asegúrate de que el perro joven tiene revisiones médicas hasta los seis meses. Si se diagnostica la estenosis subaórtica, se puede corregir con cirugía

Espalda reforzada
La espalda es ancha y reforzada con un costado profundo y unos muslos resistentes

Pelaje oscuro
Predominan los colores oscuros, gris, marrón y negro a veces con algunas pequeñas manchas blancas

5. Perdiguero

Conocido también como el Pointer inglés, esta raza está muy bien considerada tanto como perro de caza como mascota. El Perdiguero mantiene aún sus fuertes instintos de trabajador, mostrando una gran resistencia y la necesidad de pasear durante largo rato.

A GRANDES RASGOS
- Sociable, raza trabajadora
- Enérgico
- Cuidados mínimos necesarios
- Relajado, sensible
- Disfruta de la vida familiar

CARACTERÍSTICAS CANINAS		ANOTACIONES
Personalidad	Leal, no muy territorial. Tolerante	
Medidas	Altura: 58 - 71 cm (23 - 28 in)	
	Peso: 20,4 - 34 kg (45 - 75 lb)	
Ejercicios	Necesita largos paseos por el campo, es vital	Ten en cuenta que normalmente andarán a una distancia si van sin correa
En el hogar	Se lleva bien con los niños. Bastante feliz si duerme durante largos períodos de tiempo alternando con ejercicios	
Comportamiento	Disfruta jugando a cazar discos voladores. Tiene instintos de cobrador de presas, los más jóvenes pueden ser patosos	Busca tiempo para jugar
Cuidados	Su cuidado no es exigente gracias a su pelaje suave y brillante	Utiliza un guante de caza para dar un buen lustre al pelaje
Problemas de salud habituales	Displasia de cadera. Alergias	Asegúrate de que examinan a los cachorros para detectar la displasia

Historia

Podemos encontrar indicios de perros parecidos al Perdiguero que se remontan hasta el siglo XVII, pero el desarrollo de la raza actual probablemente empezó con la importación del Pachón navarro. Se intentó convertir al Perdiguero en un perro de caza más versátil. Es probable que los cruces con el Lebrel inglés *(ver pág. 52)* hayan mejorado su rapidez, en comparación con sus antepasados europeos un tanto pesados, mientras que el Perro de San Huberto *(ver pág. 144)* contribuyó a mejorar su olfato. La introducción del Foxhound en su linaje mejoró su resistencia. Los Perdigueros son perros muy especializados para cazar pájaros. Sus habilidades rastreadoras le ayudarán a localizar a la presa, aunque para no ahuyentar al pájaro en lugar de ladrar, se queda inmóvil, con una postura peculiar, con la pata delantera levantada. Luego, se envían a los Spaniel bajo la maleza para levantar a la presa para los cazadores.

Rasgos de trabajador

No es una raza que se adapte bien a las zonas urbanas ya que necesita estar en una zona rural, su entorno natural. Son perros de caza muy receptivos al entrenamiento y su habilidad innata para indicar se hará evidente incluso en jóvenes cachorros que se acaben de destetar. Crean un vínculo fuerte con los miembros de la familia y se llevarán bien con los pequeños. No son agresivos y se adaptarán sin problema a un hogar con varios perros o gatos.

Potentes cuartos traseros
Los fornidos cuartos traseros tienen unos muslos alargados y resistentes que le dan mucha resistencia

Coloración del pelaje
El pelaje puede ser de color hígado marrón, amarillo limón, naranja o negro. Es o bien uniforme o con zonas blancas

Pies ovalados
Los pies ovalados tienen unos dedos alargados y arqueados y con grandes almohadillas

Mandíbula y hocico
La mandíbula es alargada y cuadrada con un hocico profundo

6. Spitz finlandés

El aspecto más destacable de esta raza es su atractivo colorido, se crió principalmente para cazar pájaros en Finlandia, su tierra natal y se conocía allí como el Suomenpystykorva. Estos perros se conservan como animales de compañía en todo el mundo.

A GRANDES RASGOS
- Coloración destacable
- Ruidoso
- Cuidados frecuentes
- Alerta pero sociable
- De tamaño relativamente pequeño

Historia

Los orígenes del Spitz finlandés se remontan hasta principios del siglo XIX. Actúa como un perro perdiguero, con una manera singular de indicar que ha encontrado una presa. El Spitz finlandés se detendrá en la base del árbol y producirá una llamada característica, parecida al canto tirolés. Pueden producirse en secuencias intensas de hasta 160 por minuto. Se dice también que la forma en la que mueve su cola larga y poblada al ladrar atrae al pájaro para que no pueda volar. Finalmente, el perro se mueve con libertad alrededor del árbol mientras el pájaro lo observa, con lo que no se percata de la llegada del cazador y esto es su perdición. Fueron muy populares en la región sur de Finlandia y, a finales del siglo XIX, el cruce entre las razas puso en peligro su futuro. Sin embargo un cuidadoso programa de crianza de más de treinta años aseguró su supervivencia.

En el hogar

El mayor inconveniente para mantener el Spitz finlandés como mascota es su comportamiento cuando trabaja en el campo. El Spitz finlandés puede ser ruidoso y a menudo ladrará repetidamente, aun así se convierte en un buen perro guardián. Resistente, robusto y buen perro familiar que se adapta bien a los niños, aunque es menos propenso a compartir su hogar con otros perros.

CARACTERÍSTICAS CANINAS		ANOTACIONES
Personalidad	Sensible, pero determinado. No es muy afectuoso	
Medidas	Altura: 38 - 51 cm (15 - 20 in) Peso: 14 - 16 kg (31 - 35 lb)	
Ejercicios	Disfruta de paseos por el bosque. Bastante enérgico	Debe socializar desde pequeño para evitar peleas con otros perros al pasear
En el hogar	Buena mascota familiar	
Comportamiento	Responde bien a métodos positivos de entrenamiento	Intenta evitar que ladre repetidamente desde cachorro
Cuidados	Los cuidados deben ser frecuentes, sobre todo al mudar el pelo. Un cachorro no mostrará su coloración adulta hasta los seis meses o incluso más tarde	Cepilla el subpelaje cuando mude, sobre todo en primavera cuando es más denso
Problemas de salud habituales	Displasia de cadera. Luxación patelar, una debilidad afectando las rótulas. Epilepsia	Asegúrate de que examinan a las crías para detectar la displasia. La luxación patelar puede necesitar cirugía

Cola rizada
La cola se sitúa elevada y forma un único rizo que reposa sobre el muslo

Tonalidad de la coloración
La intensidad del tono de la coloración puede variar del castaño hasta el color miel claro

Pelo largo
El pelo es más largo en la parte trasera de las patas delanteras y de los muslos que en el resto del cuerpo

Pies reducidos
Los pies son redondos y reducidos

7. Chesapeake Retriever

Esta raza lleva el nombre de la Bahía Chesapeake, en la costa del Atlántico, en el sur del distrito de Washington donde se crió. Demostró ser un gran cobrador de presas trabajando bajo condiciones muy adversas.

Historia

El Chessie, como a menudo se le conoce, debe su origen a dos cachorros Terranova rescatados de un barco que se hundía en la costa de Maryland en 1807. En última instancia se juntaron con los perros cobradores del lugar y se juntaron las habilidades para nadar y la fuerza del Terranova *(ver pág. 145)* con las habilidades de estos perros cobradores ingeniosos. Más tarde se realizaron otros cruces con el Otterhound (rastreador de nutrias) y el Spaniel de aguas irlandés *(ver pág. 113)*. Esta combinación funcionó tan bien que el perro podía llegar a cobrar hasta doscientos patos en un día de las aguas frías de la bahía.

Naturaleza única de la raza

El Chessie tiene unas potentes patas traseras que le permiten nadar bien y su cabeza de gran tamaño le diferencia de otros cobradores. Formarán un vínculo muy fuerte con los miembros de la familia y son excelentes animales de compañía siempre y cuando disfrute del ejercicio suficiente. Su pelaje interior denso y lanoso les protege del frío y la capa de pelo exterior es impermeable y de textura grasa. Unos cuidados excesivos podrían afectar el subpelaje, mientras que un lavado frecuente podría afectar a la capa grasienta de pelaje exterior.

	CARACTERÍSTICAS CANINAS	ANOTACIONES
Personalidad	Inteligente. Proactivo. Valiente, se les conoce por haber salvado a niños de ahogarse	
Medidas	Altura: 53 - 66 cm (21 - 26 in) Peso: 25 - 36 kg (55 - 80 lb)	
Ejercicios	Necesita bastante ejercicio ya que tiene un cuerpo robusto y mucha resistencia. Le encanta nadar	Vigila al perro cerca del agua ya que puede tirarse
En el hogar	Apto para la familia	
Comportamiento	Enseña los dientes al sonreír cuando está animado. Entusiasta con el trabajo, pero no es el cobrador más fácil de entrenar. Ávido participante en concursos de habilidad y competiciones	Ten paciencia al entrenarlo
Cuidados	Cuidados frecuentes	Cepíllale con un cepillo de púas cortas una vez por semana. Báñale tres veces al año
Problemas de salud habituales	Problemas oculares, como la atrofia de retina progresiva (PRA) y cataratas. Displasia de cadera	Asegúrate de que examinan a las crías para detectar estas afecciones

Cola
La cola de tamaño medio es o bien estirada o a veces un poco curvada

Potentes cuartos traseros
Los cuartos traseros bien musculosos le ayudan a nadar

Coloración para el trabajo
La coloración se entremezcla con el entorno de trabajo por lo que el pelaje debería ser marrón, de color del junco o de la hierba muerta

Dedos de los pies para nadar
Los dedos de los pies bien redondeados tienen una buena membrana para ayudarles a nadar

A GRANDES RASGOS
- Compañero ideal para el deporte
- Aspecto inusual
- Gran resistencia
- Inteligente
- No es fácil de entrenar

8. Lagotto Romagnolo

Las trufas a veces se describen como «oro negro» por su valor. Son un tipo de seta que crece bajo tierra en las raíces de ciertos árboles y son muy buscadas para fines culinarios. En Italia, el Lagotto Romagnolo se encargaba de buscarlas.

A GRANDES RASGOS
- Raza antigua muy especializada
- Perro de tamaño medio
- Bastante inusual
- Necesita cuidados moderados
- Habilidad olfativa muy afinada

Historia

Durante muchos años, la habilidad olfativa de esta raza destacaba sobre su aspecto. Se cree que descendía de los cobradores que se originaron en la vecindad del lago Ravenna en Italia hace más de quinientos años, con una clara representación de esta raza en los frescos de 1474. Su trabajo como buscador de trufas empezó cerca de las montañas Romagna. El nombre de la raza literalmente se traduce como «perro de agua de Romagna». Incluso hoy en día, estos perros pueden nadar bien. Sin embargo, no fue hasta 1970 cuando se realizaron intentos para estandarizar la raza para los concursos. Se creó una asociación en 1988 para esta raza y una década más tarde se formó una organización internacional para reflejar su popularidad, que iba en aumento. Pueden encontrarse ejemplos de esta raza en el trabajo en la mayoría de países europeos, desde España hasta Escandinavia. La sensibilidad de su nariz es tal que puede localizar trufas hasta 30 cm (12 in) bajo la superficie terrestre.

El pelaje

Esta raza resulta un excelente animal de compañía, puede ser de un tono blanco, naranja o marrón. Los cachorros, que al inicio son marrones y blancos, serán propensos a perder su coloración blanca al crecer. Sin embargo, su pelaje sigue siendo algo polémico aunque se recomienda un recorte para mantener el pelo fuera de los ojos. Si se deja crecer, se enredará.

Orejas triangulares
Las orejas son bastante grandes y triangulares. Se sitúan justo encima del nivel de los ojos y son de base ancha

Cuello robusto
El cuello es relativamente corto pero muy robusto y un poco arqueado

Pelaje rizado
El pelo es denso y rizado, con una textura lanosa. También es impermeable

Variación del colorido
La coloración puede variar de un blanco roto a un blanco con manchas naranjas o marrones, además de un marrón o un naranja intenso así como también un marrón ruano

CARACTERÍSTICAS CANINAS		ANOTACIONES
Personalidad	Decidido, inteligente, dedicado	
Medidas	Altura: 41 - 48 cm (16 - 19 in) Peso: 11 - 16 kg (24 - 35 lb)	
Ejercicios	Una raza muy enérgica que necesita mucho ejercicio. Gran nadador	Paséale a diario
En el hogar	Se adapta bien al hogar si se le ejercita bastante, de lo contrario puede aburrirse	Vigílale cerca del agua
Comportamiento	Adaptable y juguetón, recupera los juguetes sin problemas. Gran trabajador	Busca tiempo para jugar y no abandones la estimulación mental
Cuidados	Evidentes rizos tersos y densos. Si se recorta el pelaje debería ser de unos 2,5 - 3,8 cm (1 - 1½ in)	Elimina el pelo de las orejas
Problemas de salud habituales	Displasia de cadera. Epilepsia juvenil	Asegúrate de que examinan a las crías para detectar la displasia de cadera

9. El Cobrador de Nueva Scotia

El Cobrador de Nueva Scotia es otra raza de caza bastante especializada, recibe su nombre de la provincia canadiense donde se crió. Este perro atrae a las aves acuáticas cerca de los cazadores.

Historia

Los cazadores tiraban tradicionalmente un palo al agua para que estos perros de caza los recogieran y mientras chapoteaban, esto atraería a las aves acuáticas al lugar. El perro entonces recogía cualquier pato al que le hubieran disparado y se adentraba lejos en el agua para ello. Una gran variedad de perros de caza, e incluso los Collies, participaron en su linaje y sus orígenes se remontan hasta 1860. Una de las diferencias más características entre esta raza y los otros cobradores es que el perfil de su cabeza es mucho más elegante y parecido al de un zorro, a pesar de que sus mandíbulas son potentes.

Aspecto y estilo

La coloración es muy singular al ser de un color rojizo que puede variar del dorado hasta el cobre y con pequeñas motas blancas en el cuerpo. A veces, puede aparecer una inusual camada de color chocolate. Es el más pequeño de los cobradores, lo que probablemente se refleja por la influencia del Spaniel en su linaje. El Toller tiene un pelaje de doble capa que le proporciona un buen aislamiento en el agua. A pesar de que no es común, se puede encontrar en muchos países excepto en su tierra natal del Canadá y resulta un excelente animal de compañía. Es una raza activa por lo que necesita mucho espacio.

A GRANDES RASGOS
- Coloración destacable
- Atento
- Fácil de entrenar
- Juguetón
- Raza afectuosa

Cráneo ancho
El cráneo es ancho con la cabeza un poco redondeada mientras que las mejillas son lisas

Pelo rojizo
La coloración puede ser de cualquier tono rojizo, de un rojo dorado hasta un rojo cobrizo oscuro

Patas paralelas
Las patas delanteras son paralelas vistas desde delante, con los codos cerca del cuerpo

Manchas blancas
Tiene manchas blancas en el pecho, los pies y la punta de la cola y una franja blanca entre los ojos

CARACTERÍSTICAS CANINAS		ANOTACIONES
Personalidad	Cariñoso pero centrado en el trabajo	
Medidas	Altura: 43 - 53 cm (17 - 21 in) Peso: 17 - 23 kg (37 - 51 lb)	
Ejercicios	Enérgico, necesita bastante ejercicio. Disfruta chapoteando en charcos, lagos o sitios similares	Ejercítale a diario y vigílale cerca del agua
En el hogar	Buena mascota familiar. Paciente con los niños	
Comportamiento	Normalmente bastante extrovertido. Puede ser reservado en entornos no familiares o con desconocidos	Busca tiempo para jugar ya que creará un vínculo entre los dos. Evita lanzar palos ya que podrían lastimarlos, lanzar el disco es más seguro
Cuidados	El cuidado es sumamente importante en primavera y también cuando muda	Cepíllale semanalmente
Problemas de salud habituales	Displasia de cadera. Atrofia progresiva de retina (PRA)	Asegúrate de que examinan a las crías para detectar estas afecciones

10. Cairn terrier

Los montones de piedras que se encuentran en Escocia sirven tradicionalmente como puntos fronterizos. Estos montones de piedras pueden servir como refugio para roedores e incluso, a veces, para los zorros. Los ganaderos de la zona usaban estos pequeños y valientes Terriers para ahuyentar a estos animales indeseados.

A GRANDES RASGOS
- Parte del legado escocés
- Personalidad animada
- Mantiene instintos de cazador
- No se lleva bien con otros perros
- Padece enfermedades hereditarias

CARACTERÍSTICAS CANINAS		ANOTACIONES
Personalidad	Decidido, curioso, alerta. Inteligente pero no siempre fácil de entrenar	
Medidas	Altura: 25 - 33 cm (10 - 13 in) Peso: 6,3 - 8 kg (14 - 18 lb)	Existen ejemplares grandes y pequeños
Ejercicios	Le gusta ir al trote. Puede mostrar gran resistencia, pero no es un velocista. Le gusta salir a explorar independientemente del tiempo	Ejercítale con un paseo diario o juega al aire libre
En el hogar	Le gusta explorar tanto en casa como en el jardín	Ten en cuenta que podrá cavar fuera, al igual que los Terrier
Comportamiento	No siempre es tan receptivo como sería de esperar. Siempre en busca de alimañas	
Cuidados	El pelo que desprende debe eliminarse a mano, es muy importante ya que sufre de problemas cutáneos	
Problemas de salud habituales	Propenso a una gran variedad de problemas hereditarios, como las cataratas y la enfermedad de Von Willebrand, una anomalía del riego sanguíneo	Investiga para detectar y eliminar dichos problemas, pero no todos pueden detectarse de esta forma hoy en día

Rasgos faciales
El cráneo es amplio y bien fornido con pelo más largo. Las orejas son pequeñas y erguidas

Cuerpo
El cuerpo es robusto, con las costillas bien repartidas

Pelo resistente al clima
El pelo tiene una textura áspera, resistente al clima y puede ser de cualquier color, excepto el blanco

Cola alzada
Lleva la cola alzada, pero no se curva hacia delante sobre la espalda

Historia

El Cairn terrier representa uno de los linajes más antiguos del Terrier ya que sus ancestros han vivido en las islas Western y en la isla Skye durante más de cuatrocientos años. Su aspecto ha cambiado considerablemente poco a lo largo del tiempo y puede que haya contribuido al linaje de los otros Terrier nativos en Escocia, como el Terrier escocés *(ver pág. 125)*. Recientemente ha habido una precisposición en Estados Unidos para reducir su tamaño. En algunos casos extremos, puede llegar a pesar tan solo 3 kg (7 lb), la mitad del peso recomendado oficialmente para un perro adulto. Esta moda hacia la miniaturización conlleva un fuerte impacto a la larga sobre la raza, a la vez que aumenta su debilidad genética a la cual es propensa.

Qué tener en consideración

El Cairn terrier puede ser un perro de pequeño tamaño pero tiene una gran personalidad y a diferencia de otros Terriers acostumbra a ser más dócil con los niños. Tiene una gama de colores relativamente variada pero una característica a destacar es que el Cairn rayado a menudo cambia de coloración al crecer. El pelaje puede aclararse en algunos ejemplares, volviéndose de un color más plateado mientras que en otros, la coloración negra se vuelve dominante. Su pelaje necesita arrancarse con las manos. Esto repercutirá en gran manera a su característico pelaje áspero exterior.

Tipos de perros para dueños extrovertidos, para aquellos que son felices viendo la belleza desde un prisma diferente y para aquellos hogares con jóvenes adolescentes.

Xoloitzcuintle o perro azteca

Maravillosos y poco comunes

Shar Pei

Si te dejas llevar por las apariencias a la hora de elegir un perro, entonces seguro que encuentras alguna raza que te interese en esta sección. Pero teniendo en mente el dicho que dice que la belleza está en los ojos de quién la mira, no esperes que otras personas, entre ellas tu familia, compartan tu elección. El Xoloitzcuintle o perro azteca, por ejemplo, es una raza que suele provocar una fuerte reacción, que puede ser buena o mala, ya que no todo el mundo aprecia su falta de pelo.

Muchas de estas razas son nuevas en el ámbito canino internacional, como el Podenco ibicenco o el Shar Pei, que se han hecho famosos en un corto período de tiempo, mientras que otros como el Lundehund noruego, todavía son poco frecuentes. Muchos de ellos tienen un linaje único de trabajadores y ninguna de ellas ha evolucionado en primera instancia como perros de compañía. Su carácter y su tamaño varían notablemente, aunque tampoco puede generalizarse en este aspecto. Sin embargo, si tienes en consideración el propósito para el que se crearon estas razas, esto te dará una idea más completa de si se adapta o no a tu hogar.

1. Mastín napolitano

Esta raza posee un aspecto verdaderamente inconfundible, al ser uno de los pesos pesados del mundo canino. Se le ha apodado cruelmente «el hipopótamo del mundo canino». Es una raza muy activa.

> **A GRANDES RASGOS**
> - Raza enorme
> - Gran apetito
> - Perro muy fuerte
> - Tranquilo
> - Aspecto temible aunque manso

Historia

El Mastín napolitano es la muestra de un antiguo linaje que se remonta hasta el tiempo en que Alejandro Magno gobernó Grecia entre los años 336 y el 323 a. C. Posteriormente, se llevó a Roma donde se usó para batallas, adquiriendo una reputación de perros agresivos. El linaje actual presenta un carácter bastante diferente. Gracias a los esfuerzos del artista italiano Piero Scanziani (1908-2003), la asociación italiana del Kennel Club lo reconoció en 1946 y, desde entonces, se ha dado a conocer mejor en todo el mundo. También ha experimentado un gran cambio en su carácter. La agresividad se ha cambiado por la tranquilidad y la docilidad.

CARACTERÍSTICAS CANINAS		ANOTACIONES
Personalidad	Leal, desconfía de los desconocidos	
Medidas	Altura: 61 - 79 cm (24 - 31 in)	
	Peso: 50 - 77 kg (110 - 170 lb)	
Ejercicios	No le entusiasma correr, solo distancias cortas	Evita el ejercicio durante las horas más calurosas del día puesto que puede sufrir insolaciones
En el hogar	Necesita espacio. No es aconsejable en hogares con niños pequeños	
Comportamiento	Puede ser torpe. De gran envergadura. No muestra signos de dolor a no ser que sea grave. Saliva en exceso. Aprende rápido	No dejes comida a su alcance. Límpiale la baba cuando sea necesario
Cuidados	Cuidado sencillo del pelaje, solo necesita cepillado de vez en cuando	Comprueba los pliegues de la piel por si aparecen infecciones: limpia la zona con un algodón limpio
Problemas de salud habituales	Problemas oculares. Degeneración del corazón. Displasia de cadera. Hinchazón. Poco longevo como los perros grandes	Asegúrate de que examinan a las crías para detectar problemas oculares y displasia de cadera

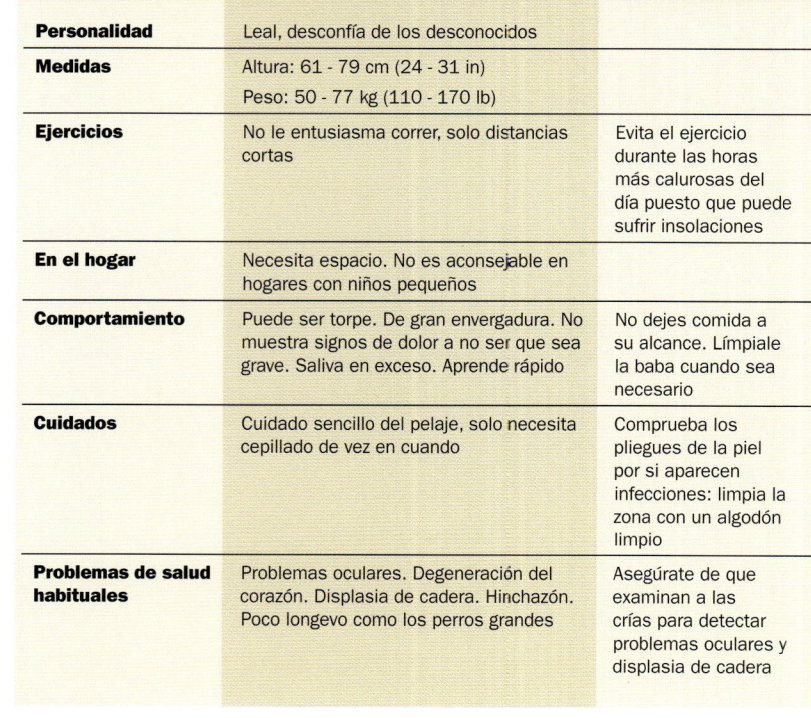

Cabeza enorme
La cabeza es muy grande con una papada prominente y muchos pliegues en la piel

Muslos y pies
Los muslos son robustos y los pies traseros son más grandes que los delanteros

Color del pelaje
El pelaje puede ser gris (azulado), negro, bronce o caoba a veces con pequeñas manchas blancas o de color café

Pies grandes
Los pies son redondeados y muy grandes con unos dedos fuertes y arqueados y uñas negras

Un modo de vida pantagruélico

Su gran tamaño es simplemente incompatible para muchos hogares, dado que con su cola puede derribar objetos de mesas bajas. También tienen un gran apetito por lo que alimentarlo será costoso. Lo que tiene en común con otros mastines es que babeará por toda la casa, sobre todo cuando hace calor y en las horas de las comidas. Controlarle con la correa requiere mucha fuerza, aunque si se le entrena adecuadamente esto podría facilitarte la tarea. A cambio, este perro es un gran compañero, tranquilo y protector.

2. Xoloitzcuintle o perro azteca

La tribu de los Nahualt le dio su nombre: el Xoloitzcuintli. El significado es «perro del dios Xolotl», una deidad significativa en la cultura azteca. Hoy en día, todavía se conocen como Xolos o perro sin pelo mexicano.

A GRANDES RASGOS
- Aspecto llamativo
- Raza antigua
- Coloración única
- Obediente
- Hipoalergénico
- No desprenden olor

CARACTERÍSTICAS CANINAS		ANOTACIONES
Personalidad	Sociable y tímido con los desconocidos	
Medidas	Altura: 23 - 46 cm (9 - 18 in) Peso: 2,2 - 18 kg (5 - 40 lb)	Se pueden observar tres tamaños: toy, miniatura y estándar
Ejercicios	Activo, le gusta pasear	Asegúrate de que hace el ejercicio necesario ya que es propenso a la obesidad. Ponle un abrigo en invierno y protección solar canina en verano
En el hogar	Buena mascota familiar. Se lleva bien con los niños. Debe mantenerse dentro del hogar. Buen perro guardián	
Comportamiento	Aprende rápido y es obediente	
Cuidados	Tiene zonas de pelo más largo en la cabeza, en la parte inferior de las patas y en la cola. Cuidar de la variedad moteada es más exigente que la de un color más oscuro	Cuida el pelaje. Limpia el cuerpo con una esponja mojada. Ponle crema una o dos veces al mes. Comprueba que las orejas estén limpias
Problemas de salud habituales	Vulnerable al cáncer de piel. Puede faltarle algún diente, esto es habitual en las razas sin pelo. Raza muy sana, con una esperanza de vida de quince años o más	Protégelo en las horas más calurosas del día

Cuidado especial

Ames u odies su aspecto, una vez que te topas con esta raza, pronto caes bajo sus encantos. El Xoloitzcuintle o perro azteca es amigable y está siempre dispuesto a formar parte de la vida familiar por lo que son excelentes animales de compañía. En los días calurosos, la falta de pelaje puede hacerles vulnerables al sol y, como consecuencia, al cáncer de piel. En invierno, pueden tener frío por lo que deberían llevar algo de abrigo, sobre todo cuando salen.

Orejas grandes
Grandes y delgadas se estrechan hasta llegar a las puntas redondeadas. Situadas en la parte superior de la cabeza

Ojos iguales
Los ojos almendrados de tamaño mediano deben tener el mismo color

Hocico alargado
El hocico es más largo que el cráneo y los labios son finos

Color del pelaje
El pelaje puede ser negro, grisáceo tirando a negro, pizarra, color hígado, rojizo o bronce, a veces con manchas blancas

Historia

Durante la era precolombina, en el Nuevo Mundo existían diferentes tipos de razas de perros sin pelo. Se usaban para calentar la cama o incluso se comían, además de ser sacrificados. Uno de los ejemplos más conocidos de estas razas que aún sobreviven es el Xoloitzcuintle o perro azteca. Esta raza no está completamente desprovista de pelo ya que se puede observar en los pies, las patas, la cola y en la parte superior de la cabeza. Además, al igual que sucede con otras razas desprovistas de pelaje, existe otra variante con pelaje normal que puede aparecer en las camadas y que se conoce como *Powderpuff*. Esta raza tan singular se vio en Estados Unidos por primera vez en 1883, pero no llegó a conocerse internacionalmente hasta la década de 1980.

3. Komondor

Estos perros ovejeros forman la raza de perros húngaros más grande de su tierra natal y son totalmente reconocibles gracias a su pelaje de cuerda. Su nombre significa «perteneciente a los Cumanos», quienes invadieron Hungría en el siglo XIII, por lo que esto podría reflejar sus orígenes.

A GRANDES RASGOS
- Raza antigua
- Inconfundible, pelaje resistente al clima
- Inteligente
- Leal y protector
- Independiente

CARACTERÍSTICAS CANINAS		ANOTACIONES
Personalidad	Atento y leal. Consciente y testarudo. No se fía de los desconocidos	Vigílale cuando haya desconocidos cerca
Medidas	Altura: 66 - 76 cm (26 - 30 in) Peso: 36 - 61 kg (80 - 135 lb)	
Ejercicios	Necesita un buen paseo diario por ser un perro activo. Enérgico	Aleja al perro de los rebaños, ya que intentará perseguirlos
En el hogar	Guardián alerta si se aproximan desconocidos	Fomenta la socialización desde cachorro
Comportamiento	El entrenamiento puede ser un poco más duro que con otras razas. Independiente	Sé paciente al entrenarle
Cuidados	El pelaje de los cachorros, aunque es suave, pronto empezará a tener la apariencia de una cuerda llegando a ser impenetrable a los dos años	Recoge el pelo en tiras, ya que sino se le acabará enredando
Problemas de salud habituales	Displasia de cadera	Asegúrate de que examinan a las crías para detectar displasia de cadera

Historia
Los antepasados del Komondor probablemente se originaron en Asia en el siglo XI. Esta raza se estableció en Hungría hace quinientos años y no ha cambiado mucho desde entonces, solo que es un poco más grande. Todavía sirve de perro guardián, vigilando a las ovejas y al ganado y protegiéndoles de ladrones o depredadores como los lobos, y dejando la tarea del pastoreo tradicional a cargo del Puli *(ver pág. 64)*. El pelaje grueso y de cuerda del Komondor posee una función protectora, dado que actúa como una barrera para los ataques de los lobos. Los cachorros de Komondor se crían junto con el rebaño del que se encargarán toda la vida para crear un vínculo estrecho entre ellos. Lo mismo ocurre cuando esta raza se introduce en una familia, en donde demostrará que es excepcionalmente leal.

Vivir con un Komondor
El pelaje del Komondor suele ser blanquecino y su coloración le permite mezclarse muy bien con las ovejas que tiene que proteger. Además de ser una barrera que le protege de los ataques, el pelaje es un buen aislante que le resguarda del frío. Es importante tener en cuenta el carácter del Komondor ya que tiende a ser independiente y a no mostrarse cariñoso por naturaleza.

Espalda fuerte
La espalda recta es fuerte y cuenta con un cuello musculado y ligeramente arqueado

Cola oculta
La cola pende hacia abajo a la altura del corvejón pero está oculta por el pelaje

Pecho robusto
El pecho es robusto y profundo

4. Podenco ibicenco

Recibe su nombre de esta isla del Mediterráneo en donde se originó. El Podenco ibicenco posee un cuello largo y estrecho que le llega a la altura de las orejas, que son especialmente grandes en la base y que le separan de razas parecidas. Sus ojos son de un fascinante color ámbar.

A GRANDES RASGOS
- Coloración particular
- Raza sana
- Veloz cuando persigue a una presa
- Responde más al entrenamiento que muchos lebreles
- Instintos agudos de caza

CARACTERÍSTICAS CANINAS		ANOTACIONES
Personalidad	Extrovertido y sensible	
Medidas	Altura: 61 - 74 cm (24 - 29 in) Peso: 20,4 - 29,4 kg (45 - 65 lb)	
Ejercicios	Necesita un buen paseo diario. Puede perseguir perros pequeños cuando va sin correa, confundiéndoles con conejos	Mantenle alejado de otros perros o ponle bozal
En el hogar	Buen perro familiar	Comprueba las vallas ya que puede saltar
Comportamiento	Tranquilo, solo ladra si cree que algo no va bien. Se lleva bien con perros de su mismo tamaño. Juguetón e independiente	Entrenamiento positivo
Cuidados	Con un cepillado basta. El pelaje de la variedad de pelo duro puede necesitar ser arrancado	Cepíllale cuando sea necesario
Problemas de salud habituales	Epilepsia, alergias, sordera y cataratas	Los productos de limpieza pueden causarle alergia: usa productos hipoalergénicos para lavar su plato y su cuenco de agua

Historia

El Podenco ibicenco está íntimamente relacionado con otras razas que se encontraron en estas islas, incluido el Podenco faraónico *(ver pág. 102)* y comparten una línea ancestral común. Se cree que estos podencos descienden de una antigua camada egipcia con la que los fenicios comerciaron en el Mediterráneo. Los Podencos ibicencos permanecieron confinados en su isla natal hasta la década de 1950, aunque antes se usaban como perros de caza en algunas partes de Francia y Alemania. Después comenzaron a adquirir popularidad en los concursos, tanto en Europa como mucho más lejos, llegando a Estados Unidos en 1956. Son unos cazadores de conejos muy efectivos y son excelentes en terrenos escabrosos. Pueden usarlos o solos o en parejas, aunque a veces, también es frecuente verlos en grupos. Se prefiere a las hembras para cazar porque se las considera más favorables para llevar a cabo esta tarea.

Un compañero con estilo

Su coloración llamativa y su apariencia lustrosa le han ayudado a ganar popularidad frente al Podenco faraónico, ya que a primera vista, puede distinguirse por sus parches grandes y variables por todo el cuerpo. Muchos ejemplares son completamente blancos. Existen dos tipos de pelaje: uno lustroso y suave, que es el más común y otro de pelo duro. Aunque se le ha clasificado como un Lebrel, el Podenco ibicenco tiene un oído muy fino, lo que le ayuda a cazar a su presa.

Cuello fino
El cuello es fino, largo y fuerte y esta ligeramente curvado

El color del Podenco ibicenco
El pelaje puede ser blanco o rojizo, tanto uniforme como mezclado. Los tonos amarillentos del rojizo los describen como el color del «león».

Patas largas
Las patas son muy largas, rectas y fuertes extendiéndose cerca del pecho

Cola larga
La cola situada baja es larga, está a la altura del corvejón y es de gran movilidad

5. Dandie Dinmont

Esta es la única raza que recibe su nombre de un personaje de ficción, en concreto de uno de los personajes de la novela «Guy Mannering» de Sir Walter Scott y que se cree está basada en un granjero local llamado James Davidson que cuidaba Terriers.

A GRANDES RASGOS
- Aspecto inconfundible
- Activo
- Necesita cuidados profesionales
- Inteligente
- Posee instintos cazadores

Historia

Las razas de Terrier solían encontrarse en el norte de Inglaterra y Escocia y la del Dandie Dinmont en la frontera entre estos dos países. En 1800, Davidson adquirió dos ejemplares de estos perros, llamados *Tarr* (mostaza) y *Pepper* (pimienta). Estos son los dos nombres que Scott eligió para los dos Terriers de su libro, lo que confirma la fuente de su inspiración. Tras su publicación, los Terriers de Davidson comenzaron a conocerse como Terrier Dandie Dinmont por el personaje de la novela de Scott, acortado más tarde al nombre que se usa hoy en día. El hecho de que esta raza desciende de Terriers locales todavía es discutible. El cuerpo largo, de pecho bajo sugiere una posible conexión con el Teckel *(ver pág. 53)*.

Manejar con cuidado

Los rasgos únicos y distintivos del Dandie Dinmont, como el pompón de pelaje que se observa en su cabeza o la longitud de sus orejas, se fueron desarrollando a medida que se hizo popular en los concursos. Aún así, esta raza todavía conserva características de los Terrier, incluyendo su entusiasmo por cazar alimañas. En el pasado solían cazar roedores e incluso conejos y tejones. Dada la longitud de su cuerpo, este Terrier podría desarrollar problemas de disco. Para minimizar el peligro, paséalo con un arnés mejor que con un collar que le tire del cuello y es mejor no animarle a saltar sobre las sillas o a subir escaleras, ya que podrían causarle estos problemas.

CARACTERÍSTICAS CANINAS		ANOTACIONES
Personalidad	Reservado, especialmente con los desconocidos	
Medidas	Altura: 20 - 28 cm (8 - 11 in) Peso: 8 - 11 kg (18 - 24 lb)	Vigila el peso de este perro ya que la obesidad puede producirle problemas de espalda
Ejercicios	Le gusta trotar con sus patitas cortas, tiene mucha resistencia. Se mete en las madrigueras	
En el hogar	Se adapta bien a un apartamento con jardín. Su ladrido parece al de un perro más grande por lo que es buen perro guardián	No le dejes subir escaleras ni saltar sobre las sillas
Comportamiento	Puede ser testarudo, lo que dificulta el entrenamiento. Juguetón pero posesivo con los juguetes	Sé paciente cuando le entrenes
Cuidados	Necesita peinado y cepillado. No suele mudar por lo que debes llevarle a una peluquería canina	Cepíllale una vez a la semana
Problemas de salud habituales	Columna vertebral débil. Luxación patelar. Epilepsia	La luxación patelar puede requerir cirugía

Orejas bajas
Las orejas están situadas en la parte trasera de la cabeza, bajas en relación al cráneo

Longitud de las patas
Los cuartos traseros son más largos y espaciados que los delanteros

Pies redondeados
Los pies son redondeados y los de las patas traseras son más pequeños que los de las delanteras

Cuello musculoso
El cuello es musculoso y mediano, vinculado con los hombros

PERROS MARAVILLOSOS Y POCO COMUNES

6. Perro de Canaán

Esta raza es bastante inusual dado que proviene de una manada medio salvaje de perros. Se ha reconocido como el perro nacional israelí, siendo hasta la fecha, la única raza que se ha desarrollado en esta parte de Oriente Medio.

A GRANDES RASGOS
- Orígenes muy inusuales
- Repartido internacionalmente
- Muy adaptable
- Coloración y tonalidades variables
- Puede ser ruidoso

CARACTERÍSTICAS CANINAS		ANOTACIONES
Personalidad	Centrado y adaptable. No se fía de los desconocidos	Vigila cuando haya otros perros cerca
Medidas	Altura: 48 - 61 cm (19 - 24 in) Peso: 16 - 25 kg (35 - 55 lb)	
Ejercicios	Necesita ejercicio diario. Esto ayudará a que disminuyan sus instintos para desaparecer	Dale un buen paseo diario
En el hogar	Tiende a desaparecer	Comprueba las vallas
Comportamiento	Atento aunque se distrae fácilmente. Independiente. Puede ladrar	
Cuidados	Bastará con un cepillado. Necesitará más cuidados cuando mude el pelaje	Cepíllale una vez a la semana
Problemas de salud habituales	Displasia de cadera. Atrofia progresiva de la retina (PRA). Epilepsia	Asegúrate de que examinan a las crías por detectar displasia de cadera y PRA

Historia

Los antepasados del Perro de Canaán eran parias que vivían en las zonas limítrofes de los asentamientos humanos y robaban las sobras que podían encontrar. Han estado presentes en esta región durante milenios y los restos más antiguos de perros domésticos han sido encontrados aquí. Las tribus beduinas del Desierto del Néguev han cuidado de estos perros durante mucho tiempo y, en 1935, la doctora Rudolphina Menzel, que buscaba perros para usarlos en una zona militar, decidió comprobar si estos perros paria servirían para domesticarlos para esta tarea. Descubrió que se adaptaban enseguida al entorno doméstico. Seleccionó individuos que se parecían a los Collies en cuanto a estructura, aunque en general se parecían más a los Spitz por sus orejas levantadas y sus colas enroscadas.

Pasado y presente

Los Perros de Canaán constituyen hoy en día una raza bien asentada pero su comportamiento aún refleja rasgos del pasado. Al ser un perro originado en una región desértica, necesita beber menos que otros perros. Además tienden a excavar de la misma forma en la que excavaban agujeros en la arena del desierto. Hoy en día existen pocos de sus parientes salvajes en el desierto, dado que han ido desapareciendo por miedo a la rabia, algo que aún puede verse en los campamentos beduinos.

Ojos sesgados
Los ojos sesgados son almenarados y oscuros

El cuerpo del Perro de Canaán
Tiene un cuerpo atlético con un pecho profundo

Cola tupida
Cuando el perro se pone nervioso lleva la tupida cola rizada sobre la espalda

Patas, pies y uñas
Las patas rectas terminan en pies parecidos a los de los gatos, con uñas iguales en color

7. Rhodesian Ridgeback

A pesar de que en un principio se crió en Sudáfrica, el Rhodesian Ridgeback adquirió importancia en Zimbabue, donde se les conocía como Rodesia, de donde proviene el nombre de este can. Solía acompañar a los cazadores cuando iban de safari en busca de presas peligrosas y, a veces, recibe el nombre de «león africano».

A GRANDES RASGOS
- Audaz y valiente
- Pelaje singular
- Coloración llamativa
- Activo
- Ideal para climas calurosos
- Fuerte

Historia

Los primeros conquistadores que llegaron al sur de África llevaron a estas razas desde Europa, pero se encontraron con que no se adaptaron bien al entorno. Aún así existía una raza africana muy singular llamada Hotentote por la tribu residente que lo creó. El Rhodesian Ridgeback se crió de una combinación de cruces entre las razas europeas, incluyendo el Gran Danés *(ver pág. 82)* y el Martín *(ver pág. 124)* y el Hotentote. La raza resultante es decidida y valiente.

La cresta

A pesar de que el Hotentote no existe actualmente, su característica más distintiva, una cresta de pelo a lo largo de la parte central de la espalda se ha transferido al Rhodesian Ridgeback. La cresta tiene un aspecto muy singular con dos espiras de pelo opuestas, llamadas coronas, situadas cerca de los hombros. Esto crea la impresión de un abanico al unirlas a la cresta que se prolonga hasta las caderas. La cresta está formada por pelo que crece en todas las direcciones a lo largo de la espalda. Estos sabuesos se encuentran hoy en día por todo el mundo y se ven con frecuencia en los concursos. Disfrutan cuando disponen de espacio más en granjas y ranchos que en ciudades.

Expresión alerta
Los ojos redondeados se sitúan bien espaciados y le da una expresión alerta e inteligente

Orejas elevadas
Las orejas están elevadas bastante anchas en la base y se estrechan hasta puntas redondeadas

La cresta
La cresta bien definida se extiende por el centro de la espalda

Patas delanteras fuertes
Las patas delanteras son muy fuertes y estiradas con los codos próximos al cuerpo

CARACTERÍSTICAS CANINAS		ANOTACIONES
Personalidad	Sociable, valiente y sensible	
Medidas	Altura: 61 - 69 cm (24 - 27 in) Peso: 32 - 38,5 kg (70 - 85 lb)	
Ejercicios	Atlético, necesita correr sin correa	Asegúrate de que hace ejercicio, de lo contrario se volverá destructivo
En el hogar	Perro guardián de la casa y los alrededores	Fomenta la socialización desde cachorro para que acepte a las visitas
Comportamiento	Fuerte. Necesita entrenamiento desde cachorro. No siempre se lleva bien con otros perros	Entrénale de forma positiva
Cuidados	Cuidados sencillos. La cresta mantiene su forma	
Problemas de salud habituales	Quiste pilonidal, una anomalía que puede estar relacionada con la cresta	Asegúrate de que el veterinario examina a las crías para detectar estas afecciones graves

8. Shar Pei

Cuando el Shar Pei pasó a ser conocido por los amantes del perro en Occidente, estaba a punto de extinguirse. Su situación se dio a conocer en un artículo de una revista de un apasionado en Hong Kong y esto permitió que pudiera salvarse.

CARACTERÍSTICAS CANINAS		ANOTACIONES
Personalidad	Poco temeroso y enérgico pero puede ser terco. En Occidente se ha intentado crear a un Shar Pei de carácter dócil. Alerta con los desconocidos	Vigílalo cerca de los desconocidos
Medidas	Altura: 46 - 51 cm (18 - 20 in) Peso: 20,4 - 27 kg (45 - 60 lb)	Los machos son más cuadrados que las hembras y pueden ser más grandes
Ejercicios	Necesita un buen paseo a diario. Enérgico	Socialízale desde cachorro para reducir sus instintos agresivos hacia otros perros
En el hogar	Fiel guardián	
Comportamiento	Adaptable y aprende rápido. Tiene buen sentido del olfato. Puede encontrarse en concursos de agilidad y de obediencia	
Cuidados	Cuidados sencillos. Shar Pei significa pelaje de lija	Vigila las infecciones en los pliegues de la piel
Problemas de salud habituales	Problemas cutáneos. Entropión, cuando los párpados se invierten y frotan con el ojo	Entropión, puede necesitar cirugía correctiva

Arrugas
La cabeza es grande y está repleta de arrugas en la frente y en los lados de la cara

Colores sólidos
Se reconocen el color sólido y el pardo negruzco con tonos más oscuros en la espalda y las orejas

Cola rizada
La cola gruesa y redondeada en la base se sitúa elevada y se estrecha a lo largo hasta llegar a la punta donde se curva

Historia

Sus orígenes se remontan a unos dos mil años. Descendiente del Han, que se mantuvo como perro guardián para la dinastía Han. Comparte sus orígenes con el Chow Chow *(ver pág. 60)* como se refleja en el hecho de que ambas razas tienen la lengua de un tono azulado. El Shar Pei en última instancia se situó al sur de China donde ha llevado a cabo una gran variedad de tareas a lo largo de los siglos. Esta raza trabajó tanto como perro guardián como pastor para cuidar las ovejas. También actuó como cazador de alimañas pero pasó a conocerse como raza de peleas. Su piel arrugada dificultaba que su oponente pudiese agarrarse bien al cuerpo, al mismo tiempo que su pelaje rasposo le daba un tacto desagradable.

Salvado del fracaso

Cuando los criadores occidentales se dieron cuenta de la difícil situación a finales de la década de los 70 del siglo XX, no había más de sesenta ejemplares. Se llevaron ejemplares primero a Estados Unidos y a Alemania. Hoy en día el futuro de esta raza está asegurado con más de cien mil Shar Pei sólo en Norteamérica. La longitud de su pelaje puede variar desde el pelo corto «de caballo» hasta el más largo de unos 2,5 cm (1 in) de longitud.

A GRANDES RASGOS
- Muy destacable
- Pelaje inusual
- Devoto
- Enérgico
- No es muy sociable con otros perros

9. Bulldog

El aspecto de esta raza se ha alterado drásticamente a lo largo de los siglos. El Bulldog es por lo general un animal de compañía tranquilo y son menos atléticos de lo que acostumbraban. Son también significativamente más pequeños, con las patas más cortas.

A GRANDES RASGOS
- Gran animal de compañía
- Problemas serios de salud
- Mucho más tranquilo que otros Bulldog
- No es muy activo
- No envejece bien

Historia

Como su nombre indica se originó para participar en los encierros de toros, espectáculos populares desde el siglo XIII hasta 1835, cuando se prohibieron. Supuestamente los perros saltaban encima de los toros para morder su hocico sin soltarlo. El hocico ancho y aplastado del Bulldog le permitía tener un buen agarre, al mismo tiempo que respiraba sin tener que soltar a su presa. Su pequeño tamaño le ayudaba a esquivar las cornadas. Una vez cesaron los encierros, el Bulldog pasó a ser popular en los concursos. Con el tiempo, su aspecto ha variado comprometiendo su firmeza. Los criadores se concentran ahora en eliminar los problemas de salud congénitos en esta raza.

La raza actual

No cabe duda de la personalidad atractiva del Bulldog que es un perro muy sociable. Como sucede con otras razas con una cara aplanada tiene una predisposición a la insolación en climas calurosos y debería sacarse a pasear sólo a primera hora del día o al atardecer, nunca al mediodía. Es bastante frecuente que ronquen debido a la forma de su nariz. Se han desarrollado otros tipos de Bulldog pero estos se parecen más a la forma original de la raza, no solo por su estatura sino también por su carácter ya que acostumbran a ser más enérgicos.

Ojos del Buldog
Los ojos se sitúan relativamente bajos en el cráneo bien separados de las orejas

Coloración variada
Se reconocen las variedades rayadas, blanca, roja, beige, de color barbecho y moteadas

Nariz negra
La punta de la nariz, grande, negra y ancha se sitúa hundida entre los ojos

Labios anchos
Los anchos labios cubren los lados de la mandíbula

CARACTERÍSTICAS CANINAS		ANOTACIONES
Personalidad	Cariñoso. Tranquilo y bueno	
Medidas	Altura: 30 - 36 cm (12 - 14 in) Peso: 18 - 22,7 kg (40 - 50 lb)	Vigila su peso ya que tiende a ser obeso
Ejercicios	Contento con un paseo por el parque. Va despacio, no corre	Evita pasearlo durante la franja más calurosa del día
En el hogar	No es ideal para un apartamento. Se lleva bien con los niños y otras mascotas, incluso con los gatos. Disfruta de la compañía y pasar tiempo con la familia	Asegúrate de pasar tiempo con el perro
Comportamiento	No es muy activo pero investigará alrededor de la casa	
Cuidados	El cuidado del pelaje es sencillo. Sólo necesita un cepillado semanal	Vigila que las arrugas de la piel no se infecten y comprueba que las uñas no crezcan demasiado
Problemas de salud habituales	Mayor predisposición para la displasia de cadera que cualquier otra raza. Enfermedades cardiovasculares son también un problema importante. Por la cabeza grande de los cachorros puede necesitar cesárea	Asegúrate de que examinan a las crías para detectar la displasia de cadera. Los cachorros necesitan un control exhaustivo del veterinario

10. Lundehund noruego

Su nombre refleja el propósito por el que fue criado ya que «lunde» significa en noruego «frailecillo». Estos pájaros costeros eran muy preciados como alimento, pero cazarlos cuando se acercaban a la costa era todo un reto y por eso se creó esta raza.

A GRANDES RASGOS
- Pasado interesante
- Peculiaridades anatómicas únicas
- Raza primitiva
- Difícil de entrenar para el hogar
- Puede padecer graves problemas digestivos

Historia

Pocas razas son tan especializadas como el Lundehund noruego. Han evolucionado unos dedos adicionales que le ayudan a mantener su equilibrio cuando trepa por los acantilados. Sus cuatro patas son muy flexibles como también lo es el cuello que le permite alcanzar con facilidad las madrigueras de los frailecillos. Incluso sus orejas puntiagudas pueden doblarse para protegerlos no solo del clima sino también del terreno en estos entornos. Los indicios de esta raza se remontan a más de cuatrocientos años, pero su número empezó a declinar cuando empezaron a usarse redes para cazar a los pájaros. Los brotes de la enfermedad letal del moquillo también afectaron a su número, hasta el punto que en 1963 solo quedaban seis ejemplares de esta raza, cinco de los cuales eran de la misma madre. Sin embargo, desde entonces se ha evitado su extinción gracias a un cuidadoso programa de crianza. Se cree que en Estados Unidos donde fue visto por primera vez en 1987, residen un total de 350 de una población de 1.500.

Esperanza de futuro

La popularidad de esta raza sigue en aumento aunque en su tierra natal no se usa para la caza, donde los frailecillos son una especie protegida. Es un animal de compañía animado y es bastante único en muchos aspectos. Gracias a su tamaño relativamente pequeño no es difícil de integrar al hogar y disfruta en entornos familiares. Seguramente empezará a destacar en concursos de agilidad y obediencia en un futuro próximo.

Orejas triangulares
Las orejas triangulares y anchas normalmente están elevadas pero son muy flexibles

Forma de las costillas
Las costillas situadas en la parte trasera le dan una buena capacidad pectoral aunque no son de forma redondeada

Pies traseros
Los pies traseros son ovalados y cuentan con seis dedos, cuatro de ellos se alargan hasta el suelo para aguantar su peso

Patas delanteras
Cada pata delantera debería tener seis dedos con ocho membranas

CARACTERÍSTICAS CANINAS		ANOTACIONES
Personalidad	Animado y curioso. Inteligente. Cariñoso	Haz que se socialice desde pequeño para evitar nerviosismo
Medidas	Altura: 30 - 41 cm (12 - 16 in) Peso: 6 - 9 kg (13 - 20 lb)	Pesalé con frecuencia y contrólale para detectar el Síndrome Lundehund (ver Problemas de salud)
Ejercicios	Activo, disfruta paseando. Difícil de entrenar en el hogar	
En el hogar	Su alimentación es muy importante, para prevenir o curar el síndrome Lundehund	
Comportamiento	Sensible al ruido. Alerta y ruidoso. Ladra frecuentemente. Tiene instintos de cazador de animales pequeños y pájaros. Fuerte instinto de manada. Se lleva bien con los de su clase	Vigílale ya que puede esconder comida y recuperarla para comer más tarde
Cuidados	Bastará con un cepillado frecuente. Muda su pelo invernal, sobre todo en primavera	Vigila que las uñas no crezcan en exceso
Problemas de salud habituales	Síndrome Lundehund, un desorden alimenticio que afecta a todos los de esta raza aunque no todos muestren sus síntomas	Diarrea, vómitos o incapacidad para ganar peso son los posibles indicios en los cachorros

El selector humano

Aquí encontrarás algunos aspectos a tener en cuenta antes de escoger a tu perro. Debes reflexionar sobre las responsabilidades que acarrea el cuidado de un perro y decidir si el beneficio vale el compromiso. ¿Pero qué tipo de perro debes escoger? El perro doméstico, *Canis lupus familiares,* es el mamífero que más formas y variedades presenta del mundo animal, por lo que no es una decisión fácil. Las preguntas que aparecen a continuación te ayudarán a examinar tu estilo de vida. Luego tendrás que pensar en el perro que más se adapte a ti.

¿Es la primera vez que tienes perro?

NO, SIEMPRE HE TENIDO UNO	DE PEQUEÑO TUVE UNO, PERO YA NO	SÍ, SOY PRINCIPIANTE
Ver la mayoría de los perros, pero sobre todo el Border collie, el Pastor alemán, el perro mestizo o el Parson Russell terrier	Ver la mayoría de los perros, pero especialmente el Collie, el Setter inglés o el Schnauzer miniatura	Ver el Boston terrier, el Golden Retriever, el Pug, el Schipperke o el Spaniel del Tíbet

¿Tienes otras mascotas?

NO, Y SOLO QUIERO UNA	TENGO UN GATO	SÍ, VARIAS
Ver la mayoría de los perros, pero sobre todo el Pastor ganadero australiano, el Bull Terrier o el Terrier azul de Kerry	Ver el Beagle, el Border terrier, el Lhasa apso, el Pekinés o el Shih Tzu	Ver el Spaniel bretón, el Cavalier King Charles Spaniel, el Clumber Spaniel, el Coton de Tuléar y el Spinone italiano

¿Tú o algún miembro de tu familia tiene alergia a las mascotas?

NO, NO TENGO ALERGIA	UNO LIGERAMENTE ALÉRGICO	SÍ, SOY MUY ALÉRGICO
Ver la mayoría de los perros, pero especialmente el Borzoi, el Mastín napolitano y el Bobtail	Ver la mayoría de los perros, pero especialmente el Terrier de Airedale, el Bedlintong terrier, el Bichón frisé, el Spaniel de agua irlandés o el Fox terrier de pelo duro	Ver el Perro crestado chino, el Retriever de pelo rizado, el Labradoodle, el Caniche o el Perro de aguas portugués

¿Tienes hijos o estás planeando tener familia?

NO, VIVO SOLO	NO, SOLO SOMOS DOS	SÍ, DOS NIÑOS Y OTRO EN CAMINO
Ver la mayoría de los perros, pero especialmente el Bichón frisé, el Bulldog, el Gordon setter o el Setter irlandés	Ver la mayoría de los perros, pero especialmente el Perro ovejero australiano, el Beauceron, el Papillón o el Whippet	Ver el Beagle, el Collie barbudo, el Spaniel del Rey Carlos y el Schnauzer miniatura

PUNTÚA CON 5 PUNTOS LA COLUMNA DE LA IZQUIERDA, CON 3 PUNTOS LA COLUMNA DEL CENTRO Y CON 1 PUNTO LA DE LA DERECHA

15 puntos o más. Hay una amplia gama de perros que se adaptan a ti y muchos de ellos se ajustarán a tu modo de vida.

10 puntos o más. Hay un perro perfecto para ti, pero tienes que elegir cuidadosamente la raza que más se adapte a tus necesidades.

Menos de 5 puntos. Deberías considerar la idea de si quieres tener un perro, aunque hay algunos perros que se ajustan mejor a ti que otros, todos ellos necesitan cariño y atención. Los perros no deben estar confinados a un espacio restringido solo porque tengas una vida ocupada.

Antes de que tomes la decisión final, ten en cuenta tu personalidad.

¿Buscas un compañero que sea tu alma gemela?

¿Eres consciente de la seguridad?

Si posees un talento especial, puede que estés buscando un perro que también tenga uno.

Si eres creativo y cuentas con un poco de tiempo libre, puede que estés buscando un perro que puedas cuidar tanto como quieras.

Si eres una persona extravagante y un libre pensador, el perro que se ajusta mejor a ti es uno poco usual. ¡Usa la tabla que viene a continuación y comprueba cuál es el perro que mejor se ajuste!

EL SELECTOR HUMANO

Progresivamente más importante →

LO QUE TENGO

Dinero	¿Necesitas ahorrar? Affenpinscher, Bichón boloñés o Chihuahua	¿Tienes algo de dinero? Dálmata, Golden Retriever o Spinone italiano	¿Dinero para gastar? El Perro pastor de Anatolia, Gran danés o Mastín napolitano
Tiempo	¿Poco tiempo? Bulldog francés, Lebrel italiano o Chin japonés	¿Las tardes libres? Chow Chow, Dandie Dinmont terrier o Hamiltonstövare	¿Todo el tiempo? Lebrel afgano o Bobtail
Espacio	¿Poco espacio? Pekinés, Pomeranio o Silky terrier	¿Algo de sitio? Beauceron, Border Collie o un mestizo	¿Mucho espacio? Malamute de Alaska, Perro de San Huberto o Lobero irlandés
Buena condición física	¿Prefieres pasar tiempo en el sofá? Pekinés, Pug, Shih Tzu o Whippet	¿Te gusta caminar? Husky siberiano o Corgi galés	¿Siempre en marcha? Dálmata, Lurcher, Pointer o el Braco de Weimar

Progresivamente más importante →

LO QUE QUIERO

Un perro elegante	¿Es más importante que sea divertido y mono? Ver el Bulldog, el Teckel, el Galgo inglés, el Pekinés, el Pug o el Terrier escocés	¿Es la inteligencia bastante importante? Ver el Basenji, el Terranova, el Podenco faraónico, el Rhodesian Ridgeback	¿Es la inteligencia muy importante? Ver el Border collie, el mestizo o el Papillón
Un perro sociable	¿Pasar mucho tiempo solo? Ver el Terrier ruso negro, el Dogo de Burdeos, el Kuvasz o el Mastín	¿Quedas con gente a veces? Ver el Cavalier King Charles Spaniel, el Coton de Tuléar o el Wheaten Terrier	¿Siempre rodeado de gente? Ver el Collie barbudo, el Bóxer, el Viszla o el Setter irlandés
Un perro de fácil cuidado	¿Dispones de mucho tiempo? Ver el Lebrel afgano, el Bichón habanés, el Keeshond, el Komondor, el Bichón maltés o el Bobtail	¿No te importar perder un poco de tiempo? Ver el Spinone italiano o el Whippet	¿Que sea fácil de cuidar? Ver el Bichón frisé, el Irish Water Spaniel o el Labradoodle
Un perro guardián	¿Prefieres un compañero sociable? Ver el Boston terrier, el Spaniel Bretón, el Setter inglés o el Schnauzer miniatura	¿Quieres un perro guardián que ladre? Ver el Pastor belga, el Perro de Canaán, el Pastor alemán o el Terrier escocés	¿Será tu guardián doméstico? Ver el Boyero de Flandes, el Dobermann Pinscher, el Akita Inu, el Rottweiler
Un perro para mimar	¿No quieres un chucho? Ver Bedlington terrier, Retriever de pelo rizado, Fox terrier de pelo duro	¿Un perro para mimar cuando estás de buen humor? Ver el Lebrel afgano, el Borzoi, el Puli o el Shar Pei	¿Ropa, lazos y demás? Ver el Cocker spaniel, el Bichón maltés, el Caniche, el Samoyedo o el Shih Tzu
Un perro trabajador	¿Preferirías tener un animal de compañía? Ver el Basset hound, el Chow Chow, el Galgo inglés, el Pekinés, el Pug o el Shih Tzu	¿Quieres un compañero dedicado? Ver el Gran danés, el Labrador Retriever, el Rottweiler, el Samoyedo, el Husky siberiano	¿Debe ganarse el pan de cada día? Ver el Collie barbudo, el Bóxer, el Mastín, el Terranova o el San Bernardo
Un perro tranquilo	¿Te gustaría escucharlo todo el día? Ver el Beagle, el Chihuahua, el Pastor alemán o la mayoría de Terriers	¿Crees que siempre hay tiempo para un poco de calma? Ver el Boyero de Berna, el Galgo inglés, el Lhasa apso o el Pug	¿No soportas los ladridos? Ver el Basenji, el Bulldog francés, el Gran danés o el Whippet
Un perro perfumado	¿Te gustan los olores callejeros? Ver el Bulldog, el Cocker Spaniel, el Bobtail o el San Bernardo	¿No te importa el olor a perro? Ver el Affenpinscher, el Bóxer, el Dálmata, el Lurcher o el Braco de Weimar	¿No soportas el olor? Ver el Chihuahua, el Labradoodle, el Lhasa apso, el Shih Tzu o el Whippett
Un perro para hacer trucos	¿Quién necesita un perro de circo? Ver el Perro de San Huberto, el Bulldog, el Teckel, el Galgo inglés o el Pug	¿Quieres un compañero de juegos? Ver el Mestizo, el Patterdale terrier o el Staffordshire Bull terrier	¿Quieres que actúe delante de la gente? Ver el Pastor ganadero australiano, el Collie Barbudo, el Golden Retriever o el Perro pastor de las islas Shetland

El selector de perros

La tabla siguiente da una visión sobre la elección de una raza o de otra, aunque hay muchos factores que pueden influir en la pertinencia de cada perro. Los cachorros, por lo general, suelen adaptarse más fácilmente que los perros adultos cuyos orígenes pueden ser desconocidos o mezclados. Dentro de cada grupo hay algunas razas que están señaladas con una estrella (✪) como ejemplar potencial que puede encajar en determinadas situaciones dependiendo de tus planes de vida.

RAZA	Le gusta hacer ejercicio	Cuidados	Fácil de entrenar	Ideal para dueños ancianos	Para familias con niños pequeños	Para familias con adolescentes o que ya se independizaron
Affenpinscher	★★	★★	★★	★★★	★★★	★★
Akita Inu	★★★	★★	★★	★	★	★★★
Basenji	★★★	★	★★	★★	✪	★★★
Basset hound	★★★	★	★	★	★★	★★★
Beagle	★★★	★	★	★	★★	★★★
Beauceron	★★★	★	★★	★	★	★★★
Bedlington terrier	★★	★★★	★★	★★	★★	★★★
Bichón boloñés	★	★★	★★	★★★	★★	★★
Bichón frisé	★	★★★	★★	★★★	✪	★★★
Bichón habanés	★	★★★	★★	★★★	★★★	★★
Bichón maltés	★	★★	★★	★★★	✪	★★
Bobtail	★★★	★★★	★★	★	★	★★
Border collie	★★★	★★	★★★	★	★	★★★
Border terrier	★★★	★★★	★★	★★	★★	★★★
Borzoi	★★★	★★	★	★	★	★★★
Boston Terrier	★★	★	★★	★★★	★★	★★★
Bóxer	★★★	★	★★	★	★	✪
Boyero de Berna	★★★	★★	★★	★	✪	★★★
Boyero de Flandes	★★★	★★	★★	★	★	✪
Braco alemán de pelo corto	★★★	★	★★★	★	★	★★★
Braco de Weimar	★★★	★★	★★★	★★	★★	★★★
Bulldog	★	★	★★	★★★	✪	★★
Bulldog francés	★	★	★★	★★★	✪	★★
Bullmastiff	★★★	★	★★	★	★	★★★
Bull terrier	★★★	★	★	★	★★	★★★
Cairn terrier	★★	★★	★★	✪	★★	★★
Caniche	★★	★★★	★★	★★★	★★★	★★★
Cavalier King Charles spaniel	★	★★	★★	★★★	✪	★★
Cazador de alces noruego	★★★	★★	★★	★★	★★	★★★
Chesapeake retriever	★★★	★★	★★★	★	★★	★★★
Chihuahua	★★	★★	★★	★★★	★★	★★
Chin japonés	★	★★	★★	✪	★★	★★
Chow Chow	★★★	★★	★	★	★	★★
Clumber spaniel	★★★	★★	★★★	★	★★	★★★

RAZA	Le gusta hacer ejercicio	Cuidados	Fácil de entrenar	Ideal para dueños ancianos	Para familias con niños pequeños	Para familias con adolescentes o que ya se independizaron
Cocker spaniel	★★★	★★	★★★	★	★★	★★★
Collie	★★★	★★	★★★	★★	★	★★★
Collie barbudo	★★★	★★★	★★★	★	★★	★★★
Corgi galés	★★	★★	★★	★★	★	★★
Coton de Tuléar	★	★★★	★★	✪	★★★	★★
Dálmata	★★★	★	★★	★	★★	★★★
Dandie Dinmont terrier	★★	★★★	★★	✪	★★	★★
Dobermann Pinscher	★★★	★	★★	★	★	★★★
Dogo de Burdeos	★★★	★	★★	★	★	★★★
Fox terrier de pelo duro	★★★	★★★	★	★★★	★	★★★
Galgo inglés	★★★	★	★★	★★	★★	★★★
Golden Retriever	★★★	★★	★★★	★	★★	★★★
Gordon setter	★★★	★★	★★	★	★★	★★★
Gran boyero suizo	★★★	★★	★★	★	★	★★★
Gran danés	★★★	★	★★	★	★	✪
Grifón vendeano pequeño	★★★	★★	★	★	✪	★★★
Hamiltonstövare	★★★	★	★★	★	★★	★★★
Husky siberiano	★★★	★★	★★	★	★	★★★
Irish water spaniel	★★★	★★	★★	★★	★★	★★★
Keeshond	★★★	★★★	★★	★★	★★	★★★
Komondor	★★★	★★	★★	★	★	★
Kuvasz	★★★	★★	★★	★	★	★★★
Labradoodle	★★★	★★	★★★	★★	★★★	✪
Labrador de Nueva Scotia	★★★	★	★★★	★	★	★★★
Labrador Retriever	★★★	★	★★★	★	★★	✪
Lagotto Romagnolo	★★★	★★★	★★	★★	★★	★★★
Lebrel afgano	★★★	★★★	★	★	★	★★★
Lebrel escocés	★★★	★★	★	★	★	★★★
Lebrel italiano	★★	★	★★	★★★	★★	★★★
Lhasa Apso	★★	★★★	★★	★★★	★★★	★★
Lobero irlandés	★★★	★★	★★	★	★	★★★
Löwchen	★★	★★★	★★	✪	★★★	★★
Lundehund	★★★	★★	★★	★★★	★★	★★★
Lurcher	★★★	★★	★★	★★	✪	★★★
Malamute de Alaska	★★★	★★	★★	★	★	★★★
Manchester toy terrier	★★	★	★★	★★★	★★	★★★
Mastín	★★★	★	★★	★	★	★★★
Mastín napolitano	★★★	★★	★★	★	★	★★★
Mastín tibetano	★★★	★★	★★★	★	★	★★
Papillón	★★	★★	★★	★★★	✪	★★★
Parson russell terrier	★★★	★★	★★	✪	★	★★★
Pastor alemán	★★★	★★	★★★	★	★	★★★
Pastor belga	★★★	★★	★★	★★	★★	★★★
Pastor ganadero australiano	★★★	★	★★	★	★★	★★★
Patterdale terrier	★★★	★★	★★	★★	★	★★★
Pekinés	★	★★	★★	✪	★★	★★
Perdiguero	★★★	★	★★★	★★	★★	★★★
Perro crestado chino	★★	★★★	★★	✪	★★	★★★

RAZA	Le gusta hacer ejercicio	Cuidados	Fácil de entrenar	Ideal para dueños ancianos	Para familias con niños pequeños	Para familias con adolescentes o que ya se independizaron
Perro de aguas portugués	★★★	★★	★★	★★	★★★	★★★
Perro de Canaán	★★★	★★	★★	★★	★★	★★★
Perro de montaña de los Pirineos	★★★	★★	★★	★	★	★★★
Perro de San Huberto	★★★	★★	★	★	★	★★★
Perro mestizo	★★	★★	★★	★★★	★★★	★★★
Perro ovejero australiano	★★★	★★	★★★	★★	★★	✪
Perro pastor de Anatolia	★★★	★★	★★	★	★	★★★
Perro pastor de las islas Shetland	★★	★★	★★	★★★	★★	★★★
Pinscher miniatura	★★	★	★★	★★★	★★	★★★
Podenco faraónico	★★★	★	★★	★★	★★★	★★★
Podenco ibicenco	★★★	★★	★★	★	★★	★★★
Pomeranio	★★	★★	★★	★★★	★★	★★
Pug o Carlino	★	★	★★	✪	★★	★★★
Puli	★★	★★★	★★	★★	✪	★★
Retriever de pelo rizado	★★★	★★★	★★	★	★★	★★★
Rhodesian Ridgeback	★★★	★	★★	★	★	★★★
Rottweiler	★★★	★	★★	★	★	★★★
Sabueso cazador de mapaches negro y bronce	★★★	★	★	★	★	★★★
Saluki	★★★	★★	★	★	★★	★★★
Samoyedo	★★★	★★	★★	★	★★	✪
San Bernardo	★★★	★★	★★	✪	★★	★★★
Schipperke	★	★★	★★	★★★	★★	★★★
Schnauzer gigante	★★★	★★★	★★★	★★	★★	★★★
Schnauzer miniatura	★★	★★★	★★	★★	★★	★★
Setter inglés	★★★	★★	★★	★	★★	★★★
Setter irlandés	★★★	★★	★★	★★	★★	✪
Shar Pei	★★	★★	★★	★	★	✪
Shih Tzu	★	★★★	★★	✪	★★★	★★
Silky terrier	★	★★★	★★	★★★	★★	★★
Spaniel bretón	★★★	★★	★★★	★★	★★	★★
Spaniel del Rey Carlos	★	★★	★★	★★★	✪	★★
Spaniel tibetano	★★	★★★	★★	★★★	★★	★★★
Spinone italiano	★★★	★★	★★	★	★★	✪
Spitz finlandés	★★★	★★★	★★	★★	★★	★★★
Staffordshire Bull terrier	★★★	★	★	★	★	★★★
Teckel o perro salchicha	★★	★★	★★	★★★	★★	★★★
Terranova (perro)	★★★	★★★	★★	★	★	✪
Terrier azul de Kerry	★★	★★★	★	★	★	★★★
Terrier de Airedale	★★★	★★★	★	★	★	★★★
Terrier checo	★★	★★	★★	★★	★★	✪
Terrier escocés	★★	★★	★	✪	★	★
Terrier ruso negro	★★★	★★★	★★★	★★	✪	★★★
Terrier tibetano	★★	★★	★★	★★	★★	★★
Viszla	★★★	★★	★★★	✪	★★	★★★
Wheaten terrier	★★	★★★	★	★★	★★	★★★
Whippet	★★★	★	★★	★★	★★★	★★★
Xoloitzcuintle o perro azteca	★★	★★	★★	★★★	✪	★★★
Yorkshire terrier	★	★★★	★★	★★★	★★	★★

Vocabulario

Almohadilla del espolón Almohadilla en el anverso de cada pata, situada relativamente cerca del suelo a nivel del hueso del carpo.

Anomalía del ojo del Collie (CEA) Afección hereditaria que acostumbra a ser más común en las razas pastoras. Puede causar ceguera, pero no en todos los casos. Los jóvenes cachorros deberían pasar un examen oftalmológico a las ocho semanas para comprobar si hay indicios de esta afección.

Arlequín Variante de pelaje. El término se usa para describir la coloración negra y blanca del Gran danés, por ejemplo. El blanco debería predominar en el pelaje, el negro debería darse con forma de motas.

Ataxia cerebelar Afección que puede surgir por diferentes causas, incluyendo una afección genética congénita, toxinas, o una lesión al cerebelo, parte del cerebro que afecta al equilibrio y a la coordinación. La intensidad de los indicios puede variar. Esta afección puede afectar a un número de razas y se puede diagnosticar con un escaneo MRI. Se puede hacer una prueba de ADN para identificar a los portadores genéticos.

Atrofia progresiva de retina (PRA) Afección que perjudica la retina, donde la imagen se forma en la parte trasera de cada ojo. Esta afección causa una pérdida de visión, sus signos se hacen más aparentes cuando el entorno se oscurece. Una variedad de razas, como el Samoyedo y el Terrier del Tíbet, son susceptibles a esta afección.

Babilla Equivale a la rótula.

Beige Color pálido difuminado, un tono diluido del rojo.

Belton Descripción para el Setter inglés y su pelaje característico. Sir Edward Laverack, uno de los criadores líderes, inventó este término de una de las ciudades en Northumberland, al norte de Inglaterra, donde eran frecuentes los Setter con este tipo de pelaje, en los orígenes de esta raza.

Bóveda de manzana Descripción para la forma singular de la cabeza del Chihuahua, que tiene forma de manzana.

Coloración Blenheim marrón avellana y blanco Una de las cuatro variedades de color asociada tanto con el Cavalier King Charles Spaniel como con el Spaniel del Rey Carlos.

Coloración partida Áreas de pelaje de distinto color. La coloración partida se usa para describir perros «moteados», que tiene zonas oscuras y blancas en su pelaje.

Concurso de campo Concurso de talentos para razas como los cobradores de presas, los Spaniels y otras razas de perros indicadores o las razas buscadoras de presas.

Condrodisplasia Enfermedad genética que afecta a las patas, lo que conlleva a una deformidad en los cachorros afectados, a pesar de que los perros sanos puedan llevar el gen responsable.

Corvejón Unión con el tarso del perro, situado en las patas traseras. Es el equivalente al tobillo humano.

Criador Persona que cría cachorros, de manera habitual, y que puede exhibir a los perros, pudiendo haber desarrollado su propio linaje de una raza en particular. También se usa a veces para un perro que se mantiene para criar.

Cruces externos Proceso de cruces con perros que no están estrechamente relacionados. Lo contrario a cruces entre razas.

Cruz Punto más elevado del hombro y que sirve como punto de referencia estándar al medir a los perros.

Cuartos delanteros Área del pecho entre las patas delanteras.

Desplazamiento de rodilla Otro término para la luxación patelar, con la rótula recubriendo la babilla o la articulación de la rodilla.

Diabetes mellitus Enfermedad que afecta las células del páncreas, que produce la hormona de la insulina, lo que resulta en unos niveles de azúcar en la sangre fuera de lo normal. Entre las razas más vulnerables a esta enfermedad, se incluyen el Keeshond, el Samoyedo y el Cairn terrier.

Displasia de cadera Afección que perjudica a la mayoría de las razas y que consiste en una malformación en la articulación de la cadera, que puede causar cojera e incluso artritis.

Displasia renal Enfermedad que resulta de un problema de desarrollo congénito en los riñones, que produce los clásicos síntomas de insuficiencia renal, como la pérdida de peso y un incremento en la sed. El Shih Tzu y el Caniche estándar se incluyen entre las razas más propensas de estar afectadas por esta enfermedad.

Distiquiasis Posición anormal de las pestañas, que provoca una fricción con la superficie del ojo, lo que causa una irritación, como se ve reflejado por las marcas rojizas en el blanco de los ojos.

Ectropión Afección de los párpados, que en este caso se inclinan hacia el exterior, alejándose de los ojos. Esta condición es más frecuente en el párpado inferior. Puede llegar a no causar ningún daño, pero sí puede causar una conjuntivitis y manchas en los lacrimales. Bastante común en las razas como el San Bernardo y el Cocker Spaniel. El tratamiento para esta afección es la cirugía.

Enfermedad de Addison Deficiencia de las glándulas adrenales situadas encima de los riñones. Esta deficiencia es más común en las hembras. Crea una carencia de la hormona aldosterona, que mantiene el equilibrio entre el potasio y el sodio. Los síntomas en los perros afectados pueden variar desde un colapso abrupto a vómitos y diarreas y un aumento de sed.

Enfermedad de Von Willebrand Afección congénita que afecta al sistema de coagulación de la sangre. Este desorden normalmente se asocia al Dobermann Pinscher.

Entropión Afección de los párpados, que en este caso se pliegan hacia dentro. Esta afección normalmente daña a los párpados inferiores, dado que las pestañas frotan la córnea y causando una intensa irritación. Razas como el Chow Chow, el Bullmastiff y el Perro de San Huberto son más propensas a estar afectadas por el entropión. Es probable que necesite cirugía correctiva.

Flecos *(Breeching)* Término que se usa para describir el pelo corto en la grupa que se extiende hasta las patas traseras.

Galleta Tono de color marrón asociado con algunas razas de trineos en concreto.

Grisáceo Coloración que se crea mezclando el pelaje negro y el blanco. Esta coloración puede dar un aspecto de un tono gris azulado o gris metálico. Definitivamente es un tipo de pelaje ruano.

Grupa Parte de la columna vertebral conocida como sacro, en la región lumbar, junto con la faja pélvica.

Guante de caza Utensilio que se usa para cepillar al perro, que se desliza sobre la mano en forma de guante. Se utiliza para acicalar a los perros, sobre todo a los de caza. En función del material con el que esté hecho el guante, le podrá dar un brillo u otro al pelo.

Hemeralopía Afección que a menudo se conoce como ceguera de día ya que la luz causa una visión borrosa. Puede ser una condición congénita para el Malamute de Alaska y puede aparecer como efecto secundario de algunos anti-convulsionantes.

Hernia inguinal Suele darse cuando parte del contenido abdominal se extiende a través del anillo inguinal, que causa hinchazón en la pata trasera cerca de la pared del cuerpo. Es más común en las hembras y el tamaño de la hernia puede variar. Puede resultar letal y necesitará cirugía.

Hidrocefalia Defecto que a menudo se describe como «agua en el cerebro». Es una deficiencia congénita, y es sobre todo común en los Chihuahua. Viene causada por la acumulación de líquido cefalorraquídeo. Además de crear una cúpula anormal en la forma de la cabeza, crea otros indicios como un ataque y problemas de movilidad que pueden ser evidentes en los que lo padecen.

Hinchazón Acumulación de gas en el estómago, es un problema en general de las razas grandes de pecho estrecho como el Galgo inglés. Evita alimentarlo antes de sacarlo a pasear ya que es un factor que puede provocar una condición potencialmente letal.

Hipotiroidismo Afección que resulta de una anormalidad de una reducida producción de hormonas producidas por las glándulas tiroides en el cuello, que ayudan a regular el metabolismo del cuerpo. Los síntomas suelen ser el cansancio, el aumento de peso y la pérdida del pelo, que suelen hacerse evidentes en perros de unos cinco años. Más común en ciertas razas, como el Dobermann y el Setter irlandés. Se trata fácilmente con pastillas.

Indicación Postura que el perro de muestra adopta, para indicar la presencia de un animal de caza en la cercanía. El perro queda congelado, con su pata delantera alzada.

Indicador *(Setting)* Forma en la que un perro Setter indica la presencia de un animal de caza. La palabra deriva del antiguo inglés «set» que significa «sentarse».

Intacto Término usado para describir al macho o a la hembra sin castrar.

Lebrel Miembro de los perros que caza mayoritariamente con la vista al reconocer a su presa desde la distancia. Ejemplos de perros lebreles son el Galgo inglés y el Lebrel afgano.

Limón Tono pálido del amarillo o del color del trigo.

Luxación patelar Debilidad de las rótulas, que es relativamente común en muchas razas de tamaño pequeño. Los indicios de luxación patelar pueden llegar a ser evidentes a los cuatro y seis meses de edad, cuando la rótula podría dislocarse. Los síntomas pueden variar desde una cojera floja hasta una grave y puede inducir osteoartritis. La luxación patelar puede necesitar cirugía.

Mal marcado Descripción para aquellos perros que tienen manchas que no deberían tener. Esto puede haberse visto sólo en ejemplares de un solo color, como el Labrador Retriever que también puede mostrar manchas bronceadas o de la misma manera en razas con manchas que no son las habituales.

Máscara Zona oscurecida de la cara que se extiende desde la nariz hasta el hocico de forma variada, dependiendo del perro o raza.

Mirlo Combinación de color que consiste en un color base, como el negro o el marrón rojizo, con un contraste rojizo o un tono azul claro, lo que resulta en un efecto moteado o manchado. Es relativa.

Montura Zona oscura de la espalda, que destaca del resto del pelaje. Es una característica que se ve a veces en perros sabuesos.

Moteado Descripción que se aplica al Teckel. Esto no hace referencia a ningún color en concreto sino al contraste entre las zonas de pelaje claro y oscuro. Los moteados de color chocolate y bronce son las formas más inusuales.

Neuropatía hipertrófica (CIDN) Enfermedad congénita que afecta al sistema nervioso del Mastín tibetano. Los indicios surgen en los cachorros a las seis semanas, resultado en una debilidad y en la parálisis de las patas traseras. No hay tratamiento y los perros afectados normalmente fallecen a los cuatro meses.

Ojo azul Descripción que se usa para cuando se nubla la córnea sobre la superficie del ojo, un síntoma del adenovirus canino tipo 1 o una reacción adversa al uso de la vacuna de este tipo, problema característico en el Lebrel afgano. Se han desarrollado nuevas vacunas para evitar este efecto adverso secundario en esta raza.

Ojo Cherry Afección causada por una caída de la glándula del tercer párpado, causando una zona rojiza e hinchada en la esquina interior del ojo. Para tratarlo se necesitará cirugía correctiva.

Orejas caídas Es cuando las orejas recaen en los laterales de la cabeza del perro, como en razas como el Perro de San Huberto. Sirven para proteger la parte sensible del interior de la oreja de cualquier lesión cuando el perro va entre la maleza.

Orejas levantadas Característica común en algunas razas, a pesar de que los perros generalmente acostumbran a levantar sus orejas cuando están animados.

Papada Pliegue de piel colgante que desciende hasta el cuello. Es una característica típica de las razas tipo Mastín.

Pardo Color variable asociado a las razas Terrier, que puede crear un aspecto negruzco con algunos reflejos, pero es distinguible porque el pelaje individual tiene las puntas de color marrón.

Pelota voladora Deporte canino que empezó en California durante la década de los años 60 del siglo XX. Los perros corren en relevos por equipos y compiten entre ellos. Cada perro caza una pelota de tenis, que se lanza cuando el perro salta a una plataforma con muelles, y luego se la lleva a su dueño.

Perro sabueso Miembro de los perros de caza que depende principalmente de su sentido del olfato en lugar de su vista para seguir una presa. Dos ejemplos típicos son el Beagle y el Basset Hound.

Príncipe Carlos Término usado para describir la forma tricolor del Cavalier King Charles Spaniel o del Spaniel del Rey Carlos, que es negro y blanco con manchas bronceadas.

Prolapso del globo ocular Es cuando el ojo sobresale de su cavidad. Esta afección esta especialmente asociada con el perro Pekinés.

Rampa del Scottie Problema genético asociado con el Terrier escocés, que causa anormalidades en la manera de andar del individuo afectado, normalmente dura unos diez minutos. Su tratamiento con calmantes y vitamina E pueden ayudar.

Rayado Aspecto que resulta de la combinación de pelaje claro y oscuro. En el pelaje, a menudo resulta en un rayado que es menos diferenciable en los perros de pelaje largo.

Raza ganadera Raza cuya función tradicional era la de guardar el ganado, como las ovejas, las reses e incluso ciervos. Las razas ganaderas incluyen a los perros pastores y los Collies, y algunas razas, como el Bergamasco, que actuaba como guardián del rebaño.

Roano Combinación de pelaje blanco y coloreado, que no se aclarará con la edad. Se reconocen varias formas de roano, como el rojo roano, dependiendo de la coloración del perro.

Rubí Término que se usa para describir el color castaño de los Spaniels, tanto el del Cavalier King Charles Spaniel como el Spaniel del Rey Carlos.

Salpicados Término usado para describir a los perros de coloración partida, con zonas más oscuras en la parte superior y en los laterales del cuerpo y las partes inferiores blancas como por ejemplo el Husky siberiano.

Síndrome Braquiocefálico (Braquiocefalia) Afección asociada a algunas razas, causada por un acortamiento longitudinal del cráneo. Normalmente se reconoce cuando el ancho de la cabeza es al menos un 80 por ciento o más de su longitud. El Pug se considera un ejemplo extremo. Otras razas similares son el Pekinés, el Bulldog y el Bóxer.

Síndrome de Wobbler Problema que afecta la vértebra cervical (cuello) causando que los huesos presionen sobre la columna vertebral y que causa una manera de andar inestable. Asociado sobre todo al Gran danés, pero puede afectar a las razas de gran tamaño también. El síndrome de Wobbler puede necesitar cirugía.

Siringomielia Afección causada por la presencia de la cavidad o un quiste en la espina dorsal, asociado sobre todo con el Cavalier King Charles Spaniel.

Socialización Proceso por el que los perros jóvenes se introducen a otros de su clase, con el fin de prevenir que sean nerviosos y potencialmente agresivos cuando sean adultos.

Torsión gástrica Torcimiento del estómago. Va asociado con la hinchazón y a veces suceden a la vez. Los perros de pecho profundo corren mayor riesgo de sufrir una torsión gástrica, el Gran danés es espacialmente vulnerable. Un rápido examen del veterinario es vital si se sospecha del problema.

Treeing (acorralar a la presa a subir a un árbol) Término usado para describir la forma en la que los *Coonhound* acorralan a sus presas en las cimas de los árboles.

Otras fuentes

Lecturas recomendadas
Alderton, David. *Dorling Kindersley Handbooks: Dogs*. Dorling Kindersley, 2000.

— *Hounds of the World*. Swan Hill Press, 2000.

— *Top to Tail: The 360° Guide to Picking Your Perfect Pet*. David & Charles, 2006.

American Kennel Club, The. *The Complete Dog Book*. Ballantine Books, 2006.

Canadian Kennel Club, The. *The Canadian Kennel Club Book of Dogs*. Gazelle Book Services, 1989.

De Prisco, Andrew & Johnson, James B. *Canine Lexicon*. TFH Publications, 1993.

Fergus, Charles. *Gun Dog Breeds: A Guide to Spaniels, Retrievers, and Pointing Dogs*. The Lyons Press, 2003.

Gagne, Tammy. *Designer Dogs* (Animal Planet Pet Care Library). TFH Publications, 2008.

Glover, Harry. *Toy Dogs*. David & Charles, 1977.

Horner, Tom. *Terriers of the World*. Faber & Faber, 1984.

Jackson, Frank. *The Dictionary of Canine Terms*. Crowood Press, 1995.

Kennel Club, The. *The Kennel Club's Illustrated Breed Standards*. Ebury Press, 2003.

Kern, Kerry. *The Terrier Handbook*. Barron's Educational Series, 2005.

Larkin, Peter & Stockman, Mike. *The Complete Dog Book*. Lorenz Books, 2000.

Morris, Desmond. *Dogs: The Ultimate Dictionary of Over 1,000 Dog Breeds*. Trafalgar Square Publishing, 2008.
Plummer, David Brian. *The Working Terrier*. Boydell Press, 1978.

Sanderson, Angela. *The Complete Book of Australian Dogs*. Currawong Press, 1981.

Wilcox, Bonnie & Walkowicz, Chris. *The Atlas of Dog Breeds of the World*. TFH Publications, 1995.

Yamazaki, Tetsu & Kojima, Toyoharu. *Legacy of the Dog: The Ultimate Illustrated Guide to Over 200 Breeds*. Chronicle Books, 1995.

Registros de razas más importantes en Europa, África, Asia y Australia
Australian National Kennel Council
PO Box 815, Dickson ACT 2602,
Australia
www.ankc.org.au

Fédération Cynologique Internationale
Place Albert 1er, 13 B-6530 Thuin,
Belgium
www.fci.be

Irish Kennel Club, The
Fottrell House, Harold's Cross Bridge,
Dublin 6W, Ireland
www.ikc.ie

Kennel Club, The
1-5 Clarges Street, Piccadilly, London,
W1J 8AB, England
www.thekennelclub.org.uk

Kennel Club of India, The
No. 28 (89) AA Block, First Street, Anna Nagar,
Chennai 600 040, Tamil Nadu, India
www.thekci.org

Kennel Union of Southern Africa, The
PO Box 2659, Cape Town 8000,
South Africa
www.kusa.co.za/home.php
New Zealand Kennel Club
Prosser Street, Private Bag 50903,
Porirua 5240, New Zealand
www.nzkc.org.nz

Principales registros de razas en Norteamérica
American Kennel Club
260 Madison Avenue, New York,
NY 10016, USA
www.akc.org

Canadian Kennel Club
200 Ronson Drive, Suite 400, Etobicoke,
Ontario M9W 5Z9, Canada
www.ckc.ca

Continental Kennel Club
PO Box 1628, Walker, LA 70785, USA
www.continentalkennelclub.com

National Kennel Club Inc
134 Rutledge Pike, PO 331, Blaine,
Tennessee 37709, USA
www.nationalkennelclub.com

United Kennel Club
100 East Kilgore Road, Kalamazoo,
MI 49002-5584, USA
www.ukcdogs.com

Universal Kennel Club International
101 W Washington Avenue, Pearl River,
NY 10954, USA
www.universalkennel.com

World Kennel Club
PO Box 60771, Oklahoma City,
OK 73146, USA
www.worldkennelclub.com

World Wide Kennel Club Ltd.
PO Box 62, Mount Vernon, NY 10552, USA
www.worldwidekennel.qpg.com

Índice

Los números de las páginas en **negrita** indican las entradas principales.

A

Affenpinscher **25**, **78**, 166
Akita Inu **119**, 167
almohadilla del espolón 172
Alsaciano *véase Pastor alemán*
Anomalía del ojo del Collie (CEA) 169
Antiguo perdiguero español 98, 146
Antiguo perro pastor inglés 43, 57, **61**, 168
arlequín 170
Ataxia cerebelar 169
Atrofia progresiva de la retina (PRA) 171
August, Gran Duque Karl 96

B

Babilla 172
Barbet 113
Barbet francés 37
Basenji **143**, 166
Bassett hound 36, **55**, 166, 171
Beagle 21, **22**, 166, 171
Beauceron 121, 129, **134**, 166
Bedlington terrier 18, 62, **109**, 166
beige 170
belton 169
Berner Sennenhund *véase Boyero de Berna*
Bichón boloñés 40, **77**, 112, 166
Bichón frisé **112**, 166
Bichón habanés 33, **40**, 112, 167
Bichón maltés **72**, 77, 167
Blenheim 19, 35, 169
Bobtail *véase Antiguo perro pastor inglés*
Border collie 129, **130**, 166
Border terrier **79**, 166
Borzoi **67**, 88, 98, 137, 166
Boston Terrier **10**, 166
bóveda de manzana 169
Bóxer 21, **24**, 166, 169
Boyero de Ardennes 121
Boyero de Berna 86, **90**, 166
Boyero de Flandes **121**, 166
Braco alemán de pelo corto 21, **26**, 167
Braco de Weimar **96**, 168
Braquicefalia 169
Bretón **34**, 166
Bulldog 10, 24, **162**, 166, 169
Bulldog francés **47**, 167
Bullmastiff **123**, 124, 166, 170
Bull Terrier 10, 21, **28**, 114, 166

C

Cairn terrier **151**, 166, 170
Caniche **106**, 107, 110, 113, 115, 168, 171
Cão de Água *véase Perro de aguas portugués*
Cavalier King Charles Spaniel 19, **35**, 166, 169, 171, 172
Cazador de alces gris *véase Cazador de alces noruego*
Cazador de alces noruego **103**, 168
Chesapeake retriever **148**, 167
Chihuahua 45, **46**, 167, 169, 170
Chin japonés **49**, 167
Chow Chow **60**, 161, 167, 170
Clumber Spaniel **36**, 167
Cocker Spaniel **17**, 36, 167, 170
Cocker Spaniel americano 17
Cocker Spaniel inglés 17
Collie **137**, 142, 167
Collie barbudo 21, **23**, 166
Collie de pelo largo 15, 137
concurso de campo 170
condrodisplasia 169
Conron, Wally 115
Corgi galés **54**, 168
corvejón 170
Coton de Tuléar 33, **38**, 167
criador 169
cruces externos 171
cruz 172
cuartos delanteros 169

D

Dálmata 28, 93, **95**, 142, 167
Dandie Dinmont terrier 51, 71, **158**, 167
deslizamiento de rodilla 172
diabetes mellitus 170
Dingo 142
displasia de cadera 170
distiquiasis 170
Dobermann, Louis 118
Dobermann Pinscher 117, **118**, 167, 170, 172
Dogo de Burdeos 24, **87**, 167

E

ectropión 170
Enfermedad de Addison 169
Enfermedad de von Willebrand 172
entropión 170

F

flecos 169
Foxhound inglés 42
Fox Terrier de pelo duro **111**, 132, 168

G

gastric torsion 170
Galgo inglés 18, 41, 45, 48, **52**, 67, 99, 118, 146, 167, 169, 172
galleta 169
Golden Retriever 21, **30**, 167
Gordon Setter **65**, 167
Graham, Capitán George 88
Gran boyero suizo **86**, 167
Gran danés 81, **82**, 126, 160, 167, 170, 172
Grifón de Bruselas 78
Grifón vendeano 27
Grifón vendeano pequeño 27, 168
grisáceo 170
Groenendael *véase Pastor belga*
Grosser Schweizer Sennenhund *véase Gran boyero suizo*
grupa 169
guante de caza 170

H

Hamilton, Conde Adolph 31
Hamiltonstövare 21, **31**, 167
hemeralopía 170
hernia inguinal 170
hidrocefalia 170
hinchazón 169, 170
hipotiroidismo 170
Horák, František 51
Husky siberiano 93, **94**, 168, 172

I

indicación 26, 146, 171
indicador 39, 65, 172
intacto 170, 171

J

Jack Russell Terrier 132

K

Keeshond 9, **16**, 167, 170
Kennel Club (UK) 130, 133
Kennel Club americano (AKC) 10, 17, 36, 127
Kennel Club irlandés 63
Kennel Club italiano 154
Komondor 64, **156**, 167
Kuvasz **122**, 167

L

Labradoodle **115**, 167
Labrador Retriever 9, **11**, 39, 110, 115, 167, 171
Lagotto Romagnolo 141, **149**, 167
Landseer 145
Laverack, Sir Edward 39, 169
lebrel 48, 52, 67, 88, 93, 99, 101, 157, 172
Lebrel afgano 57, **58**, 166, 169, 172
Lebrel escocés 33, **41**, 88, 168
Lebrel escocés 99
Lebrel italiano 18, **48**, 50, 76, 167
Lhasa apso 29, 43, **75**, 167
limón 171
Lobero irlandés 62, 81, 82, **88**, 167
Löwchen **59**, 167
Lundehund noruego 153, **163**, 168
Lurcher **99**, 109, 167
luxación patelar 171, 172

M

mal marcado 171
Malamute de Alaska **91**, 166, 170
Malinois 100
Manchester terrier 18, **50**, 71
Manchester Toy terrier **50**, 168
máscara 171
Mastín 123, **124**, 160, 168
Mastín napolitano **154**, 168
Mastín tibetano 60, 88, **89**, 168, 169
mirlo 171
montura 171
moteado 169

N

Neuropatía hipertrófica (CIDN) 169
Nova Scotia Duck Tolling Retriever **150**, 168

O

ojo azul 169
ojo Cherry 169
Oorang Airedale 114
orejas caídas 170
orejas levantadas 171
Otterhound 14

P

papada 169
Papillón 129, **135**, 168
pardo 171
Parson russell terrier **132**, 168
Pastor alemán 129, 131, 134, 167
Pastor belga 100
Pastor belga **100**, 166
Pastor belga Laekenois 100
Pastor belga Malinois 100
Pastor belga tervuerense 100
Pastor de los Pirineos *véase Perro de montaña de los Pirineos*
Pastor de Tatra 122
Pastor de Valée 23
Pastor ganadero australiano **142**, 166
Pastor ovejero australiano 129, **136**, 166

Patterdale terrier **133**, 168
Pekinés 13, 14, 29, **70**, 168, 169, 171
pelota voladora 170
Pequeño perro león *véase Löwchen*
Perdiguero **146**, 168
Perdiguero alemán 118
Perdiguero español 26, 39
salpicados 172
Perdiguero inglés *véase Perdiguero*
Perro de aguas 39
Perro de aguas portugués **107**, 168
Perro de Canaán **159**, 166
Perro de montaña de los Pirineos **85**, 145, 168
Perro de San Huberto 42, 84, 96, 141, **144**, 146, 166, 170
Perro león africano *véase Rhodesian Ridgeback*
Perro mestizo 129, **139**, 168
Perro pastor de Anatolia 81, **83**, 166
Perro pastor de las islas Shetland 9, **15**, 168
Perro real de Egipto *véase Saluki*
Phalène 135
Pinscher 76, 118
Pinscher miniatura **76**, 168
Pit Bull Terrier 138
Podenco faraónico **102**, 157, 168
Podenco ibicenco 153, **157**, 167
Pomeranio 25, **73**, 168
Príncipe Carlos 19, 35, 171
prolapso del globo ocular 171
Pug o Carlino 9, **13**, 47, 168, 169
Puli **64**, 156, 167

R

Rampa del Scottie 171
rayado 169
raza ganadera 169, 171
Retriever de pelo ondulado 30
Retriever de pelo rizado **110**, 167
Rhodesian Ridgeback **160**, 168
Riehl, Georg 25
roan 170, 171
Rottweiler 118, **120**, 126, 127, 168

Rubí 19, 35, 171

S

saddle 171
sabueso 22, 31, 95, 144, 171
Sabueso cazador de mapaches negro y bronce **42**, 166
Saito, Hiroshi 119
Saluki 93, **101**, 168
Samoyedo 57, 60, **66**, 168, 170, 171
San Bernardo **84**, 168, 170
Schipperke **12**, 168
Schnauzer gigante 25, 121, **126**, 127, 167
Schnauzer miniatura 21, **25**, 168
Schott, Heinrich 25
Sealyham terrier 51
Segugio Italiano 37
Setter inglés **39**, 167, 169
Setter irlandés 30, **98**, 167, 170
Setter negro y bronce *véase Gordon Setter*
Setter rojo *véase Displasia renal del Setter irlandés* 171
Shar Pei 153, **161**, 168
Shih Tzu 21, **29**, 168, 171
Silky terrier **74**, 168
Síndrome braquiocefálico 169
Síndrome de Wobbler 172
siringomielia 172
Skye terrier 71, 74, 125
socialización 172
Spaniel bretón *véase Bretón*
Spaniel de agua irlandés 110, **113**, 148, 167
Spaniel del Rey Carlos 17, **19**, 35, 167, 169, 171
Spaniel tibetano 14, 70, 168
Spaniel Tweed de agua 30
Spitz finlandés **147**, 167
Springer spaniel inglés 39
Spinone italiano 37, 167
Springer Spaniel 17
Staffordshire Bull terrier **138**, 168
Suomenpystykorva *véase Spitz finlandés*

T

Teckel o perro salchicha **53**, 76, 158, 167
Terranova (perro) **145**, 148, 168
Terrier azul de Kerry **62**, 167
Terrier bohemio *véase Terrier checo*
Terrier checo **51**, 167
Terrier checo *véase Terrier checo*
Terrier de Airedale **114**, 127, 166
Terrier de Australia 74
Terrier escocés 51, **125**, 151, 168
Terrier negro ruso **127**, 166
Terrier negro y bronce 28, 50, **132**, 138
Terrier tibetano 43, **64**, 75, 168, 171
Terrier Toy inglés 50
torsión gástrica 170
Toy Spaniel continental 135
Toy Spaniel inglés *véase Spaniel del Rey Carlos*
treeing 172

V

Vizsla **97**, 167

W

Water Spaniel 39
Wheaten terrier **63**, 168
Whippet 9, **18**, 109, 168
Willison, Gwendoline 23

X

Xoloitzcuintle o perro azteca 153, **155**, 168
Xoloitzcuintle *véase Xoloitzcuintle o perro azteca*

Y

Yorkshire terrier 71, 74, 168

Z

Zwergpinscher *véase Pinscher miniatura*

Agradecimientos

Marshall Editions quiere agradecer a las siguientes personas que hayan concedido su permiso para reproducir las imágenes.

Claves: t = arriba b = abajo c = centro r = derecha l = izquierda

Portada: Shutterstock/Eric Isselée; **contraportada:** Shutterstock/Nata Sdobnikova; **solapa de portada:** Shutterstock/Eric Isselée; **solapa de contraportada:** Shutterstock/Marina Jay

Páginas: 1 Warren Photographic/Mark Taylor; **2–3** Warren Photographic/Jane Burton; **4l** Shutterstock/Todd Taulman; **4t** Shutterstock/Sparkling Moments Photography; **5** Shutterstock/Lobke Peers; **7** Shutterstock/Photosign; **8l** Shutterstock/GLYPHstock; **8r** Shutterstock/Erik Lam; **9** Shutterstock/Eric Isselée; **10** iStock/Rhys Hastings; **11t** Warren Photographic/Jane Burton; **11b** Warren Photographic/Jane Burton; **12** Marc Henrie Photography; **13** Warren Photographic/Jane Burton; **14** Shutterstock/Erik Lam; **15** Warren Photographic/Jane Burton; **16** Shutterstock/Michal Napartowicz; **17** Warren Photographic/Jane Burton; **18** Shutterstock/Kostudio; **19** DK Images/Dave King; **20l** Shutterstock/Tstockphoto; **20r** Shutterstock/Somer McCain; **21** Shutterstock/Elliot Westacott; **22** Warren Photographic/Jane Burton; **23** Warren Photographic/Mark Taylor; **24** Warren Photographic/Jane Burton; **25** Alamy/Petra Wegner; **26** Warren Photographic/Mark Taylor; **27** DK Images/Tracy Morgan; **28t** Shutterstock/Eric Isselée; **28b** Warren Photographic/Jane Burton; **29–30** Warren Photographic/Jane Burton; **31** DK Images/Tracy Morgan; **32** Warren Photographic/Mark Taylor; **33** Shutterstock/Chris Alcock; **34–35** Warren Photographic/Jane Burton; **36** DK Images/Tracy Morgan; **37** DK Images/Dave King; **38** Shutterstock/Eric Isselée; **39** DK Images/Jerry Young; **40** Shutterstock/Viorel Sima; **41** DK Images/Tracy Morgan; **42–43** DK Images/Tracy Morgan; **44l** Shutterstock/Eric Isselée; **44r** Shutterstock/Snaprender; **45l** Shutterstock/Alexia Khruscheva; **45r** Shutterstock/Eric Isselée; **46** Warren Photographic/Jane Burton; **47t** /Eric Isselée; **47b** Corbis/Barry Lewis/In Pictures; **48** DK Images/Dave King; **49** Shutterstock/Eric Isselée; **50** Corbis/Pat Doyle; **51** DK Images/Tracy Morgan; **52** Shutterstock/Eric Isselée; **53** Warren Photographic/Jane Burton; **54–55** Warren Photographic/Jane Burton; **56** Shutterstock/Steamroller Blues; **57** Shutterstock/Dina Magnat; **58** Shutterstock/Eric Isselée; **59** DK Images/Tracy Morgan; **60t** Shutterstock/Eric Isselée; **60b** Warren Photographic/Mark Taylor; **61** DK Images/Dave King; **62** Marc Henrie; **63** Getty Images/DK Images/Dave King; **64** DK Images/Tracy Morgan; **65** Alamy/Petra Wegner; **66** Shutterstock/Alexia Khruscheva; **67** Warren Photographic/Jane Burton; **68l** Shutterstock/Marina Jay; **68c** Shutterstock/Erik Lam; **69** Shutterstock/Tish1; **70–71** Warren Photographic/Jane Burton; **72** Shutterstock/Eric Isselée; **73** Warren Photographic/Jane Burton; **74** Shutterstock/Phil Date; **75** Alamy/Life On White; **76** Shutterstock/Konstantin Gushcha; **77** Alamy/Juniors Bildarchiv; **78t** Warren Photographic/Jane Burton; **78b** DK Images/Tracy Morgan; **79** Warren Photographic/Jane Burton; **80** Shutterstock/Eric Isselée; **80–81** Shutterstock/grafica; **82–83** Shutterstock/Eric Isselée; **84** Warren Photographic/Jane Burton; **85** Marc Henrie; **86** Alamy/Petra Wegner; **87** Shutterstock/Eric Isselée; **88** Alamy/Arco Images GmbH; **89** DK Images/Tracy Morgan; **90** DK Images/Jerry Young; **91** Shutterstock/Eric Isselée; **92t** Shutterstock/Tomas Skopal; **92b** Shutterstock/Laila Kazakevica; **92–93c** Shutterstock/Joe Gough; **92–93b** Shutterstock/Jakub Pavlinec; **94–95** Warren Photographic/Jane Burton; **96** Shutterstock/Eric Isselée; **97** Warren Photographic/Jane Burton; **98** Shutterstock/Erik Lam; **99** Warren Photographic/Jane Burton; **100** Alamy/Petra Wegner; **101** Warren Photographic/Jane Burton; **102** DK Images/Tracy Morgan; **103** Alamy/DK Images; **104t** Shutterstock/Cynoclub; **104b** Shutterstock/Asharkyu; **104c** Shutterstock/Vnlit; **105** Shutterstock/Jacqueline Abromeit; **106** Shutterstock/WilleeCole; **107l** Alamy/Juniors Bildarchiv; **107r** Alamy/Juniors Bildarchiv; **108** Warren Photographic/Jane Burton; **109** Corbis/DK Images; **110** DK Images/Tracy Morgan; **111** DK Images/Dave King; **112t** Warren Photographic/Mark Taylor; **112b** Warren Photographic/Mark Taylor; **113** DK Images/Tracy Morgan; **114** Shutterstock/vnlit; **115** Getty Images/DK Images; **116l** Shutterstock/Paul Cotney; **116r** Shutterstock/Eric Isselée; **117** Shutterstock/Eric Isselée; **118t** Warren Photographic/Jane Burton; **118b** DK Images/Tracy Morgan; **119** Shutterstock/Eric Isselée; **120** Warren Photographic/Jane Burton; **121** Shutterstock/Eric Isselée; **122** DK Images/Tracy Morgan; **123 & 124t** Warren Photographic/Jane Burton; **124b** DK Images/Dave King; **125** Warren Photographic/Jane Burton; **126** Shutterstock/Eric Isselée; **127** Alamy/Arco Images GmbH; **128** Shutterstock/Eric Isselée; **129** Shutterstock/Nikolai Tsvetkov; **130–131** Warren Photographic/Jane Burton; **132–133** DK Images/Tracy Morgan; **134** Shutterstock/Eric Isselée; **135** Warren Photographic/Jane Burton; **136t** Shutterstock/Photosign; **136** Shutterstock/Eric Isselée; **137t** Warren Photographic/Jane Burton; **137b** DK Images/Tracy Morgan; **138–139** Warren Photographic/Jane Burton; **140tl** Shutterstock/Eric Isselée; **140 & 141c** Shutterstock/Tad Denson; **141tr** Shutterstock/Perrush; **142–143** DK Images/Dave King; **144** DK Images/Tracy Morgan; **145** Alamy/Vario Images GmbH & Co.KG; **146–147** DK Images/Tracy Morgan; **148t** Warren Photographic/Jane Burton; **148b** Warren Photographic/Jane Burton; **149** DK Images/Tracy Morgan; **150** Alamy/Petra Wegner; **151** Shutterstock/Perrush; **152** Shutterstock/Nikuwka; **153** Shutterstock/Eric Isselée; **154** Alamy/Image Register 044; **155** Corbis/Yann Arthus-Bertrand; **156** DK Images/Tracy Morgan; **157** DK Images/Tracy Morgan; **158** Corbis/Yann Arthus-Bertrand; **159** DK Images/Tracy Morgan; **160** Alamy/Arco Images GmbH; **161** Shutterstock/Luchschen; **162l** Warren Photographic/Jane Burton; **162r** Shutterstock/Eric Isselée; **163** Alamy/DK Images; **165** Shutterstock/Erik Lam.